Claudette

Clé 85   372-9616

372-8889

14.85

B 22797

COLLECTION « VÉCU »

Dr JANINE FONTAINE

MÉDECIN
DES TROIS CORPS

*De la Faculté de médecine de Paris
à l'Ashram philippin*

ÉDITIONS ROBERT LAFFONT
PARIS

© Éditions Robert Laffont, S.A., Paris, 1980
ISBN 2-221-00405-1

En guise de préface

A partir du moment où un homme se tourne vers lui-
même, s'interroge, et s'efforce de comprendre aussi bien ce qu'il
est que ce qu'il pourrait être, il lui apparaît qu'il peut se tourner
de deux manières et avoir, pour ainsi dire, deux sortes d' « activités », deux sortes de vies de sens différent. L'une est entièrement tournée vers l'extérieur, axée avant tout sur l'efficacité,
l'utilité, le rendement de l' « individu » dans le cadre de la
société à laquelle il appartient. Cette manière de vivre est celle
qu'a développée plus que tout la civilisation occidentale, dont
chacun des membres, pour y parvenir, suit de nombreuses années
d'éducation, de formation, d'apprentissage, d'études, de spécia-
lisation, de recyclages, etc., et l'efficacité finale dans la vie
extérieure est la valeur majeure selon laquelle on classe les
« individus ».

L'autre manière de se tourner, l'autre sorte d' « activité »
concerne la vie intérieure : elle est axée avant tout sur la
« réalisation » des possibilités contenues en puissance dans l'individu, le développement des facultés et des qualités propres
caractérisant sa nature humaine et l'accession de ce fait (ou le
retour) à des « niveaux de vie » ou à des « mondes » que la vie et
l'activité extérieures ne laissent même pas soupçonner.

Cette manière de vivre, très peu connue de la civilisation
occidentale, est celle qu'ont développée plus que tout certaines
couches de civilisations orientales, et son développement, pour
ceux qui s'y engagent, nécessite encore plus de temps et de soins,
de formation, de recherche et d'études méthodiques que n'en
demande la vie extérieure.

† Jean VAYSSE
Extrait de *Vers l'éveil à soi-même*

INTRODUCTION

Médecin hospitalier, soucieuse de respecter les lois du rationalisme scientifique, esclave par définition de l'objectivité, serviteur de la « médecine de l'organique », je pris cependant intuitivement conscience qu'il existait une autre « Vérité », dès les premières années de ma vie professionnelle. Cette autre Vérité appartenait au domaine du non-formulé, du non-exploré mais était une réalité latente.

J'étais alors anesthésiste et réanimateur du service de chirurgie cardio-vasculaire de l'hôpital Broussais, et plus spécialement la collaboratrice de Jean Vaysse, un des plus brillants chirurgiens du moment. Chacun savait qu'il n'était cependant « nommé » ni chirurgien des hôpitaux ni professeur agrégé... Il avait commis l'erreur de s'intéresser aux phénomènes occultes, m'avait-on laissé entendre, et cela le desservait dans sa carrière... Il était un des plus grands, mais privé du titre correspondant.

Un peu inquiète de cet aspect de sa vie, je n'avais jamais voulu l'interroger ni aborder ce problème ; je me laissais prendre au fil de sa vie... aux quinze heures de travail quotidien. Il fut pourtant le premier à me laisser soupçonner qu'une recherche pût être effectuée dans ce domaine par une esprit positif, cultivé, formé à la discipline scientifique...

Diverses circonstances m'entraînèrent à faire une première constatation et à poser les limites de la médecine de l'organique et du rationalisme scientifique.

A cette époque, les insuffisances des premiers « cœurs-poumons » artificiels nous laissaient trop souvent désarmés, en fin d'intervention, devant les conséquences inéluctables de la souffrance cérébrale postopératoire : le cœur du patient était « réparé », les diverses fonctions pulmonaires, rénales pouvaient être satisfaisantes ou bien contrôlées, mais le cerveau avait été touché par un défaut d'oxygénation, et nous assistions à l'installation des signes de souffrance cérébrale, aboutissant hélas parfois à la décérébration...

Ainsi, il suffisait d'une interruption de l'oxygénation pendant trois minutes ou d'une sous-oxygénation prolongée pour que le cerveau meure.

J'eus un jour l'idée « d'injecter de l'énergie » sous forme de cocarboxylase en formulant l'hypothèse qu'il existait un stade où le métabolisme cellulaire pouvait être simplement bloqué, faute d'énergie disponible. J'obtins parfois le réveil brutal de malades comateux ! Le résultat était spectaculaire, inattendu, mais inconstant et non proportionnel à la quantité de produit injecté. Ce fut là, réellement, mon premier contact avec la médecine de l'énergie ! Le résultat tenait parfois du miracle, et je fus bien souvent qualifiée de sorcière. « Il y a quelques centaines d'années, on vous aurait brûlée sur la place publique, devant tout le service réuni », me disaient les panseuses...

Alors, j'entrepris une recherche clinique systématique, établissant un protocole thérapeutique, que j'exposai en 1960 à la faculté, au cours supérieur d'anesthésiologie. Parallèlement, une équipe d'expérimentateurs désignés par le laboratoire pharmaceutique fit un travail scientifique, objectif, sur le chien mis en anoxie, sans que je sois le moins du monde invitée à participer à l'élaboration du protocole expérimental. L'équipe ne put confirmer mes constatations.

Ce manque de correspondance entre mon expérience clinique, irréfutable, et le travail de laboratoire effectué sur le chien, dans des conditions différentes du cadre de mon activité, me fit comprendre qu'il existait un impondérable. Je soupçonnai qu'un stade de troubles métaboliques — non détectés par le laboratoire — précédait un stade de troubles organiques irréversibles, le seul qui laissât des traces histologiques visibles sur les coupes du cerveau de l'animal étudié. (Ces troubles définitifs donnent au neurologue classique l'occasion de vivre les grands moments de sa spécialité, lesquels consistent, grâce à un examen systématique bien programmé, à deviner la localisation exacte des désordres en relation avec l'anoxie, puis à la confirmer sur des coupes de tissus prélevés *post mortem.*)

INTRODUCTION

Mais ce qui m'intéressait, c'était de traiter, de guérir. Les descriptions cliniques m'importaient peu ! Je compris rapidement qu'il existait un fossé entre les scientifiques affectés à la recherche médicale et moi. Car l'efficacité thérapeutique, dans mon esprit, primait tout. Alors j'abandonnai pour longtemps mes tentatives de vouloir convaincre. Pour la première fois, les énormes moyens d'investigation d'un hôpital et d'un grand laboratoire me semblèrent dérisoires face à la subtilité de la vie.

Il existait donc « autre chose », un autre niveau de vie, un autre « corps » dynamique, mais « illégal » dans son activité, puisqu'il ne se laissait pas saisir au travers des examens de laboratoire. Certes, on connaissait les enzymes, l'A.T.P., les chaînes de transporteurs... mais tout cela était insuffisamment utilisé en pratique courante. Je ne savais pas clairement formuler le défaut de la médecine que je servais, mais j'avais le sentiment d'avoir mis en évidence une dimension thérapeutique qui lui échappait : la thérapeutique par « l'énergie transmise ».

Beaucoup plus tard, en 1970, les circonstances veulent que mes doutes quant à la compréhension de la maladie par le système classique, qui, jusque-là, n'étaient que le fruit d'une intuition, coïncident avec la réalité et deviennent certitude. J'abandonne mes fonctions hospitalières et les luttes vaines qu'elles sous-entendent pour partir à la recherche de cette autre Vérité, de cette autre médecine... Tout naturellement, je me tourne vers ceux qui, m'avait-on dit, exploitaient la crédulité des malades, en soignant une maladie n'existant pas (formule consacrée).

Je découvre des procédés que l'on a négligé de m'enseigner. Ils me permettent de « saisir » et de traiter des pertubations que la médecine classique ne soupçonne pas.

J'apprends qu'il ne faut pas diriger l'interrogatoire du malade pour lui faire dire ce que l'on attend de lui, mais le laisser parler, se livrer... pour deviner quelle thérapeutique peut l'aider : quelques granules de saccharose assaisonné d'un souvenir de teinture mère d'une plante bien choisie... et je découvre l'homéopathie.

Au niveau du poignet, les douze pouls chinois sont une riche source d'informations ; le cardiologue diplômé que je suis les ignorait... Quelques aiguilles d'or ou d'argent suppriment nombre de troubles : c'est l'acupuncture !

Il suffit de faire prendre conscience au patient de son

11

schéma corporel, d'utiliser le *terpnos logos,* c'est-à-dire la voix modulée, pour calmer une douleur et soulager d'autres maux : c'est la sophrologie !

Enfin, je rencontre un médecin de Lyon, qui prétend que l'oreille est la représentation du corps. En la piquant, on traite le corps tout entier ! Je travaille à ses côtés près d'un an. Je découvre l'auriculomédecine.

Plus je m'éloigne de la médecine classique, plus j'abandonne l'appui médicamenteux, plus je deviens efficace. Mes possibilités thérapeutiques prennent de l'ampleur !

L'étude de l'astrologie me fait découvrir une nouvelle philosophie de la maladie, m'éclaire sur le sens des divers procédés thérapeutiques et me fait comprendre que l'homme est réellement intégré au cosmos.

Mais pour devenir perméable à ces disciplines, je dois accomplir une profonde mutation. Une à une, j'abandonne mes anciennes certitudes, j'acquiers un esprit neuf, je découvre la pensée symbolique !

Puis apparaît la surprenante actualité des guérisseurs philippins... qui « ouvrent sans bistouri », « referment » sans fil ni aiguille. Ils opèrent, dit-on, car le sang coule, des organes sont extraits du corps !...

Des doutes sont formulés. On prétend avoir piégé les imposteurs.

D'étranges coïncidences me décident à me rendre aux Philippines. Un des plus célèbres guérisseurs, le révérend Tony Agpaoa, à la tête de la Philippine Spiritual Church of Science and Revelation, me propose de travailler avec lui... « Je possède, dit-il, l'aura du guérisseur... » C'est le médecin qui accepte l'aventure en espérant comprendre ce qui se passe.

Une nouvelle mutation s'impose. Une cruelle humiliation m'est infligée, mes dernières « croyances » occidentales sont battues en brèche. Non sans peine, je me glisse à l'intérieur d'un système différent.

O stupéfaction, j'acquiers de nouvelles possibilités de perception.

A ma grande surprise, l'expérience vécue m'entraîne à réfuter ce qui est écrit dans les journaux et revues.

Si l'on ne se présente pas gonflé de connaissances scientifiques, affublé de titres qui, croit-on, nous valorisent, si l'on abandonne le savoir de médecin ou d'ethnologue, alors il devient possible d'accéder à la compréhension de ce qui se passe ailleurs. Le souvenir des miracles de Lourdes, tout aussi incompréhensibles, pourrait nous aider à admettre l'intervention d'une force spirituelle dans le déroulement de ces phénomènes.

Je livre dans cet ouvrage mon expérience, tout particulièrement à ceux que j'ai rencontrés et qui étaient curieux de la connaître.

Vingt ans plus tard, alors qu'il n'est plus de ce monde, j'accepte de rejoindre en quelque sorte les préoccupations de Jean Vaysse. Les grossières erreurs de jugement de ma jeunesse m'incitent à l'indulgence et me permettent d'admettre, sans amertume, que certains peuvent ne pas encore posséder la maturité suffisante pour accéder à leur propre richesse intérieure, ne pas être sensibles à ma démarche et devenir mes plus violents critiques, car la civilisation et la religion occidentales ont soigneusement étouffé nos possibilités d'accès à cette dimension de l'être ; en la matière, seule l'expérience personnelle compte.

LIVRE I

1. BAGUIO

Voulant prendre un petit déjeuner philippin, je suis installée depuis quelques instants dans un restaurant... Regardant autour de moi, il m'apparaît clairement que je me suis égarée chez les Chinois !... Adieu poisson fumé grillé, lamelles de viande et d'échalotes dorées, je me contenterai d'un thé !

Une fenêtre est percée dans la vitrine, elle encadre la tête d'un jeune Philippin nonchalamment appuyé à la devanture, sirotant un jus de fruits. Un cuisinier chinois disparaît de temps en temps derrière un rideau de vapeur ; de son menton pendent quelques longs poils blancs. Autour de moi, on parle tagalog, et je joue à deviner en observant les visages les dominantes capables de me révéler l'origine lointaine de chacun : malaise, espagnole, chinoise, japonaise, américaine...

J'hésite à sortir de ce havre de fraîcheur, car le soleil de décembre va me surprendre. Je serai happée par la fournaise de la rue et sollicitée par la multitude de vendeuses accroupies le long des murs. Elles font commerce de fruits : mangues, papayes, ananas, oranges, pommes, fraises, et de bien d'autres fruits inconnus de moi et que je désigne du doigt pour les recevoir à pleines mains.

A cette idée, je trouve le courage de m'aventurer dans la rue. De petits garçons m'offrent leurs bras pour me débarrasser de mes paquets, des petites filles, se tenant par la main, la tête penchée, l'index posé sur la lèvre inférieure, timides, curieuses et avenantes à la fois, m'interpellent gentiment : « Mon nom est Nana, Angela, Maria, quel est ton nom ? »

BAGUIO

On me sourit, on me salue, on me souhaite un joyeux Noël, on me demande d'où je viens. Chaleur, sourires, affabilité, temps de vivre, de s'intéresser à l'autre... Très vite, à Baguio, l'Européen apprend à se détendre, à répondre aux sourires dans la rue, à comprendre qu'il existe un autre modèle de vie, une autre façon d'être.

Oui, je me suis laissée aller à cette ambiance et, sur la table du restaurant, j'ai écrit les premières lignes de ce qui pourrait bien devenir un livre. Toute à la joie de mes retrouvailles avec Baguio, un instant d'inattention a suffi pour que, d'un geste automatique, je sorte de mon sac le premier papier vierge rencontré : une enveloppe que je déplie et sur laquelle ma main court... consignant des notes anodines... Mais je sais quelle en sera la suite. Ce que ma raison désapprouve, une force intérieure soudaine me pousse à le faire. C'est une nécessité impérieuse qui va me contraindre à écrire ce que je sais. Que m'en coûtera-t-il ?

Décembre 1977

2. MON PREMIER VOYAGE CHEZ LES GUÉRISSEURS PHILIPPINS

D'étranges coïncidences, que j'exposerai plus tard, m'entraînent à faire un premier voyage aux Philippines en janvier 1977.

J'étais allée rencontrer ces guérisseurs avec la certitude de pouvoir reconnaître la fraude éventuelle... Médecin anesthésiste, réanimateur, cardiologue, ayant étudié l'acupuncture, l'auriculomédecine, flirté avec l'homéopathie et habituée des conférences d'hypnose, de sophrologie, de parapsychologie, j'étais persuadée que l'on ne « m'aurait point ». Pourtant, j'estimais qu'il était intéressant d'approcher le phénomène et d'étudier sur place l'incidence psychologique de leur technique sur leurs congénères et sur un groupe d'Européens.

J'étais allée en Chine étudier la réalité de l'anesthésie acupuncturale ; il me semblait normal de venir juger sur place les qualités des guérisseurs philippins.

Etaient-ils crédibles, ainsi que l'affirmaient quelques-uns de mes amis traités par eux ? N'étaient-ils que des magiciens utilisant une mise en scène originale destinée à frapper l'imagination du patient pour le manipuler ensuite adroitement ? Etaient-ils d'odieux exploiteurs du crédule, du simple d'esprit ou, plus triste encore, du désespéré ? Ils ne provoquaient en moi qu'une suite d'interrogations.

Et me voici un matin à l'aéroport Charles-de-Gaulle, observant mes compagnons de voyage : un médecin, un magnétiseur, un acupuncteur non médecin, des curieux plus ou moins bien portants et de grands malades constituent un groupe de vingt-cinq touristes. Je m'interroge sur la façon dont certains d'entre eux vont supporter le voyage : teint plombé, respiration haletante, attitude fébrile m'inquiètent. Mais je suppose qu'une personne compétente, entraînée à résoudre ce genre de problèmes, nous accompagnera et saura faire face à tout accident.

Premier étonnement : l'accompagnateur prévu dans le programme est empêché et nous serons seuls. J'imagine les difficultés qui vont surgir : aveugle, paralysé, impotent, sujets âgés, tous livrés aux hasards d'un long voyage et confrontés aux difficultés de la langue...

Nous embarquons un peu plus tard. Je n'éprouve pas la joie habituelle qui préside aux départs lointains car le spectacle est affligeant. Je devine les drames intimes de chacun, l'effort financier, l'espoir qui les anime tous (et qui semble dérisoire, à cet instant)...

Nous souffrons de la chaleur qui règne dans l'avion et peut-être plus encore de la fumée de tabac.

Nous atterrissons à Manille, épuisés, après plus de vingt heures de vol.

Un directeur d'hôtel nous accueille. Ainsi, nous ne sommes pas abandonnés ! Mais il nous conduit dans son établissement, d'un standing inférieur à celui annoncé. Il veut nous y garder trois jours ! La révolte, sourde jusque-là au sein du groupe, éclate lorsque nous apprenons que nos billets d'avion pour Baguio ne sont pas retenus pour le lendemain.

Une dynamique jeune femme connaissant bien l'anglais prend les choses en main. Elle téléphone pour réserver les places d'avion encore disponibles et décide que le reste du groupe rejoindra Baguio en taxi.

Le lever à 5 heures du matin, les sept heures de décalage horaire, l'attente deux heures debout à l'aéroport me donnent la sensation de vivre un cauchemar.

Puis nous grimpons dans le vieil avion, qui décolle bientôt. Nous survolons les rizières et, trois quarts d'heure plus tard, quand la descente s'amorce, nous apercevons des montagnes.

Au sol : un air léger, frais et parfumé remplace les vapeurs pestilentielles des pots d'échappement des voitures de Manille.

Des hôtesses souriantes nous accueillent, et nous passent des colliers de fleurs séchées autour du cou en nous gratifiant d'un baiser. Un long moment d'attente qui n'a plus rien de pénible dans cet endroit fleuri, puis deux petits cars nous conduisent au Diplomat Hotel, où travaille le révérend Tony Agpaoa, le plus célèbre des guérisseurs philippins.

Nouvelle surprise... Nous n'avons pas été annoncés par l'agence et nos chambres ne sont ni retenues ni payées. Dans quelle aventure me suis-je donc engagée ? Heureusement, Tony Agpaoa, nous apprend-on, accepte d'avancer au directeur de l'hôtel le montant de notre séjour...

Tout s'organise pendant que nous visitons les jardins qui dominent la ville. Des boissons nous sont servies et nos bagages sont acheminés dans nos chambres respectives, très simples, contrairement au luxe décrit dans les journaux français.

L'hôtel n'appartient pas à Agpaoa, ainsi qu'on le prétend. Un seul homme armé garde l'entrée, mais je sais déjà que tout lieu public est gardé par un militaire et le moindre commerce surveillé par l'armée. Le pays vit sous un régime politique autoritaire. Les auteurs des articles décrivant l'hôtel comme protégé par des gardes armés pour défendre Agpaoa contre ses nombreux ennemis seraient-ils mal informés ? Je m'interroge sur les causes de cette campagne que je pressens systématiquement mensongère et diffamatoire.

Le voyage va donc me permettre d'apprécier d'une façon plus exacte la réalité des choses. Jusqu'à présent, je ne peux, hélas, que mettre en doute l'honnêteté de l'agence de voyages, et de quelques journalistes.

Après ces heures difficiles, le calme du lieu et l'affabilité de l'accueil nous rassurent. Mme Agpaoa se présente et nous annonce qu'il n'y aura pas de traitement aujourd'hui car il est indispensable de nous reposer avant d'envisager des soins.

Mais déjà quelque chose se passe : à l'issue de cet exténuant voyage, je regarde avec étonnement les grands malades et je réalise qu'ils se sont admirablement pris en charge, qu'ils sont parvenus à Baguio sans le moindre ménagement (un quelconque déplacement en France, pour certains, aurait probablement nécessité une ambulance) et les voilà souriants et toujours vivants !

A peine installée dans ma chambre, je rassemble mes idées et n'oublie pas que je suis ici pour découvrir l'éventuelle supercherie. Sans leur avouer le but véritable de mon expérience, je consacre mon après-midi à examiner la majorité des malades du groupe selon une méthode qui s'inspire des travaux du Dr Paul Nogier, créateur de l'auriculomédecine.

Je « travaille » dans le grand hall d'entrée qui sert de

salon. Un Philippin, jeune, adossé au mur, à distance respectable, m'observe, je le sens... Je lève la tête, nos regards se croisent. Il s'incline pour me saluer et sourit. Je réponds d'un discret signe de tête, et poursuit l'examen des patients. Il reste là, sérieux, grave, m'observant si longtemps que j'en suis un peu agacée, ne pouvant imaginer quel intérêt il éprouve à me voir manipuler une lampe à facettes à l'aide de laquelle je teste les malades, tout en enregistrant mes observations.

Le lendemain est le grand jour. Pendant le petit déjeuner, les préoccupations essentielles de chacun apparaissent au fil des propos échangés. Qui guérira ? Pour quelles maladies sont-« ils » efficaces ?

Après ce léger repas, notre groupe est conduit vers le lieu de prière : un autel, des bancs de pierre alignés. Là, plusieurs chanteurs, accompagnés d'un guitariste, entonnent un *Ave Maria*. Bientôt, ils prononcent des paroles incompréhensibles. Mais des feuillets nous sont distribués, et nous déchiffrons le texte :

Baba nam kevalam *
Param pita baba kii

Nous reprenons ces couplets avec le chœur philippin. Ce sont des Mantras. Puis un jeune homme nous tient en anglais des propos traduits par notre compagne dévouée. C'est une sorte de sermon, destiné à nous éclairer sur le pouvoir, *the power*, qui vient de Dieu : le révérend Tony Agpaoa ne détient pas le pouvoir de nous guérir, c'est Dieu qui lui accorde une certaine énergie qu'il peut nous transmettre.

J'interprète ces propos comme une parade habile aux éventuels échecs.

Nous suivons le jeune prédicateur qui nous emmène vers une bâtisse située derrière l'hôtel et, tandis que nous nous dispersons sur les fauteuils et les bancs d'une salle d'attente, il entre dans la salle de traitement ou *Healing room*.

Un jeune garçon organise entrée et sortie des malades japonais. Il ferme soigneusement la porte derrière chacun. L'un d'entre eux sort en soulevant sa chemise, il regarde son ventre, s'arrête, se palpe, fait une moue étonnée et s'en va en hochant la tête. Nous nous regardons les uns les autres. Nous avons compris que, pour lui, il s'était passé quelque chose.

Tout à coup, c'est à moi qu'on fait signe d'entrer ! Etant

---

* Dieu absolu — Attribue chaque chose à Dieu et la victoire t'est garantie.

la première de notre groupe à passer, je n'ai donc pas le temps de m'interroger sur ce qui m'attend. Une femme au teint brûlé, guérisseuse probablement, s'approche de moi en souriant, et me prend des mains le carton sur lequel figurent mon nom et les maux dont je souffre. Elle me fait signe d'ôter ma robe.

Ce long voyage a réveillé une douleur lombaire qui depuis quelques années me gêne parfois si je dors à plat ventre. J'ai choisi ce premier test pour apprécier leur efficacité thérapeutique.

(J'apprendrai bientôt que cette femme est Nieves Jimenes ; c'est son fils, Rudy, également guérisseur, qui nous a fait le sermon. L'un et l'autre sont les collaborateurs de Tony Agpaoa.)

Ils se tiennent pour l'instant à la tête de deux larges tables sur lesquelles les patients doivent s'étendre. Quelques assistants sont là avec ciseaux et cuvettes remplies d'eau claire. Près de moi, un jeune Français me sourit. Il aide les guérisseurs. J'ai ôté ma robe et m'allonge sur le ventre. Dans ma main, un flacon vide... car j'espère que l'on y déposera quelques échantillons provenant de mon « opération ». Je préviens le jeune Français Jean-Noël.

Tout à coup, des doigts tâtent le bas de ma colonne lombaire tandis que les aides, d'une voix bien timbrée, chantent un *Ave Maria*, créant une atmosphère rassurante. Une sensation curieuse, qui ressemble à une aspiration, se produit sous les doigts de la guérisseuse, puis, après une traction à peine sensible, je sens le froid d'un objet métallique... Serait-ce déjà terminé ? On me montre un amas de petits déchets. J'en remarque certains qui ont l'apparence de fragments osseux et poreux. Je présente mon flacon. Une pince prend au hasard quelques éléments. C'est le morceau qui ressemble à de l'os que je souhaite le plus vivement recueillir, mais déjà il est jeté. Tout est si rapidement fait que j'ai l'impression qu'il serait malséant de retarder le rythme du travail de l'équipe en allant fouiller la poubelle.

J'enfile prestement ma robe, et, mon précieux flacon à la main, cours dans ma chambre pour en examiner le contenu, sans m'intéresser davantage à mes compagnons ni répondre à leurs questions.

J'ai emporté de France des sérums tests qui vont me permettre de déterminer le groupe du sang qui macule la matière avant sa coagulation.

A la porte de l'hôtel, un homme m'arrête. Je reconnais le

Philippin qui m'observait hier alors que j'examinais les malades. L'importun !

— Etes-vous intéressée par ce que vous venez de voir ?

— Oui, dis-je.

J'ai hâte de m'isoler, et veux continuer ma course, mais de son bras, il m'empêche d'avancer.

— Voulez-vous faire la même chose à Paris ?

Je souris de la proposition. Pour couper court à la conversation, j'acquiesce.

— Vous avez l'aura du guérisseur, dit-il retirant enfin son bras.

Un farfelu, me dis-je, et je file vers ma chambre, ferme la porte, étale le sang sur un carton blanc et pratique le test. A positif ! Mon propre groupe sanguin ! Mais je n'accepte pas cette information comme une preuve, car l'examen n'obéit pas à une grande rigueur. Il faut maintenant examiner le tissu du flacon. Je « dissèque » avec une pince à épiler cette pseudo-pièce anatomique, millimètre par millimètre. J'éprouve une grande stupéfaction à trouver un véritable tissage, union intime d'un coton hydrophile et d'une matière dont je ne connais pas la nature ; ce coton hydrophile a été modifié, car toutes ses fibres sont parallèles entre elles. La matière mêlée est grisâtre, moins ferme que le cartilage, plus dure que la gélatine.

Je m'interromps un instant. Dois-je continuer à dissocier les éléments de cette chose étrange ou la conserver pour un laboratoire... Cela ne ressemble à rien ! Une fois de plus, on rira de moi si je m'aventure à collaborer avec la médecine officielle. Je décide de mener seule mon enquête avec les modestes moyens dont je dispose, mais qui m'ont bien souvent déjà révélé des vérités insoupçonnées.

Je dissèque encore avec ma pince à épiler qui, soudain, bute contre un élément résistant, métallique. Déchirant vivement les fibres, je découvre une minuscule aiguille d'acupuncture qui ressemble à celles que j'ai achetées il y a quelques années sans les avoir, je crois bien, jamais utilisées. Elles étaient d'or et d'argent ; celle-ci pourrait bien être en or. Je remarque son extrémité terminée par un cercle...

Discrète sur ma découverte, je décide de continuer mon enquête. Mes compagnons m'apprennent que nous avons rendez-vous l'après-midi avec le médecin acupuncteur d'Agpaoa pour un examen individuel. Peut-être est-ce ce genre d'aiguilles qu'il utilise ?

En attendant, je songe à tester mon état de santé personnel. Je m'allonge à plat ventre sur le lit, et je réalise que je le fais sans douleur. Machinalement, je m'examine à l'aide de mon matériel d'auriculomédecine : tout est redevenu normal au niveau de la représentation de ma colonne lombaire sur l'oreille ! L'énergie circule !

Comme une véritable malade, j'attends l'acupuncteur d'Agpaoa, le Dr Païsing, avec impatience.

Il prend mes pouls chinois, me trouve « tendue » et me pose quelques aiguilles. Je les enlève quelques minutes plus tard, et vais frapper aux portes des chambres voisines pour vérifier quel genre d'aiguilles il utilise. Elles ne ressemblent en rien à celle que j'ai découverte. Ce sont de simples aiguilles d'acupuncture telles que l'on en trouve à Hong Kong. J'avais acheté les miennes à Paris lors d'un des premiers congrès d'acupuncture auquel j'avais assisté en 1972.

Seule dans ma chambre, face au coton disséqué, à l'aiguille découverte ce matin, au carton de groupe sanguin, la tête dans les mains et délivrée de ma douleur lombaire, je réfléchis.

Une certaine assurance est sur le point de m'abandonner.

Depuis ma démission de l'hôpital, j'ai accepté d'oublier bien des choses apprises. Je sais maintenant que l'homme n'est pas seulement la belle machine commandée par un système nerveux couronné par un cerveau.

J'ai passé une bonne partie de ma vie à me construire au contact de ma famille, des maîtres de l'école, de l'église, de la faculté et de l'hôpital. Depuis que j'essaie de penser et d'observer en me délivrant des idées apprises, jour après jour, tout l'édifice rassurant de mes connaissances chancelle. Une profonde irritation monte en moi : dois-je encore devoir réviser mes notions concernant les guérisseurs ?

Je suis lasse de ces destructions et de ces reconstitutions successives de ma réalité et de mes vérités. « La méthode scientifique apparaît comme la seule clef qui puisse ouvrir à l'homme cette connaissance de soi sans laquelle il ne saurait admettre le monde dans lequel il vit », prétend le Dr Tubiana *. C'est une position rassurante mais qui ne coïncide pas avec la réalité. Faut-il accorder uniquement le droit d'existence à ce que l'on voit, palpe, mesure, chiffre par l'intermédiaire de nos cinq sens, ou d'instruments conçus par l'homme, en accordant toute

_____

* *Le Refus du réel*, éd. Laffont.

confiance à notre cortex cérébral ? Non, car l'irrationnel est partout, même s'il est nié, méprisé, considéré comme l'apanage des hallucinés, des illuminés, des sorciers ou des gourous... Un monde invisible nous entoure avec ses lois qu'il faudra découvrir et qui président à notre existence. J'en ai déjà rencontré de multiples preuves, mais tout cela est incommunicable et je me sens horriblement seule dans cette aventure où il convient de n'avancer qu'avec la plus extrême prudence, en se ménageant des appuis sûrs.

A Baguio, j'ai conscience d'entrer dans un insolite différent de celui auquel je me suis accoutumée.

L'aiguille en main, je m'interroge sur son origine. A-t-elle été mise intentionnellement au sein de cette matière étrange pour m'induire en erreur ? Se trouvait-elle déjà perdue dans le coton à l'insu de tous ? Ou était-elle depuis longtemps dans ma colonne lombaire, entrée là accidentellement ? Mais il s'agirait alors d'une extraction, et ce phénomène serait à prendre en considération.

S'agit-il d'une matérialisation ? Les savants qui, au siècle dernier, étudiaient ce phénomène, avaient remarqué que les médiums provoquaient en leur présence des matérialisations ayant un rapport avec leur spécialité respective. Je manipule des aiguilles d'or et d'argent et travaille l'énergie essentiellement au niveau de l'oreille sur laquelle on peut deviner une représentation du corps : les qualités de l'aiguille, tout autant que sa dimension, s'accordent avec mes préoccupations.

Cette conclusion est logique mais un peu hâtive.

Déjà, je sais qu'il m'est impossible d'étudier cette question en demeurant rationaliste et occidentale. Il s'agit d'un phénomène qui appartient à un autre système de pensées et de sensations. Je ne pourrai en saisir l'intimité qu'en pénétrant dans le monde de ces Philippins, en découvrant la réalité de leurs perceptions, en essayant de les acquérir moi-même. Si j'acquiers ne serait-ce qu'un fragment de leurs possibilités supra-sensorielles, alors je serai capable de les comprendre et d'admettre la réalité du phénomène. Il me faut vivre cela de l'intérieur, et quitter l'attitude dite objective du spectateur. Pour cela, je dois accepter la proposition invraisemblable du Philippin rencontré sur le seuil de l'hôtel.

Qui est-il ? Vais-je le retrouver ?

Vers quelle aventure vais-je m'engager ? Quels risques vais-je prendre ?

Mais, à vrai dire, je n'ai que faire de l'approbation ou de la désapprobation de mes confrères ! J'ai la chance d'avoir la même formation qu'eux, et considère que tout le travail accompli depuis que j'ai abandonné l'hôpital aurait dû être fait et jugé à sa juste valeur depuis bien longtemps par la faculté.

Le plus difficile à vivre sera, je le devine, le niveau affectif. On rejette ceux qui, par leur attitude, peuvent amener à douter de soi. Je fais partie des perturbateurs, par mon indépendance vis-à-vis des idées et des normes préétablies par la société. Une partie de ceux que j'aimais s'est déjà détournée de moi, l'aventure philippine va entraîner l'autre. Mais quand la déchirure est accomplie, il est réconfortant, en faisant le point, de s'apercevoir qu'un autre univers s'est constitué, plus sûr, plus vrai, et combien plus authentique !

Faire coïncider sa vie avec sa réalité intérieure est la véritable source de plénitude...

La première journée de traitement s'achève sans autre surprise. Nous sommes encore très fatigués par le voyage et le décalage horaire. Pourtant, le dîner est particulièrement animé. Chacun exprime son étonnement devant les phénomènes observés et les sensations perçues.

Le lendemain, deuxième jour de traitement, nous retrouvons à la prière Fred le guitariste et le chœur qui entonne cantiques et Mantras.

Nous sommes priés, avant de nous rendre en salle de *healing*, de poser pour une photographie de groupe, et nous nous installons les uns derrière les autres sur des gradins, comme autrefois à l'école. La place d'honneur reste libre. Elle est probablement réservée à Tony Agpaoa, le maître des lieux qui ne s'est, à ma connaissance, pas encore manifesté.

Alors que nous l'attendons en bavardant gaiement, je vois arriver, marchant d'un pas pressé, l'homme qui me dévisageait pendant que je testais mes patients dans le hall de l'hôtel, celui-là même qui, hier encore, m'avertissait que j'avais l'aura du guérisseur... Quelle chance ! C'est un familier de l'hôtel. Je l'ai retrouvé. Il approche, se dirige vers la place centrale libre. C'est le révérend Tony Agpaoa en personne !

Après la photographie, c'est la séance de *healing*. Je demande cette fois que l'on traite ma myopie congénitale ; je suis sans espoir de récupération mais je veux tout de même tenter l'expérience.

Je traîne un peu pour me dévêtir en salle de *healing*, à seule fin d'observer les opérations en cours. Un peu d'eau humidifie la région à traiter, un morceau de coton mouillé placé extemporanément entre les mains du guérisseur, des doigts qui palpent, se fléchissent, massent... En quelques instants, le sang gicle, ruisselle, un tissu dont l'aspect peut varier apparaît entre les doigts magiques, puis un assistant tire ce quelque chose à l'aide d'une pince, et coupe... Le guérisseur garde une main sur l'endroit opéré, passe à distance l'autre main au-dessus de cette zone, dans une sorte de caresse lointaine, puis s'en va. La région apparaît vierge de toute trace d'ouverture. Un peu de sang, quelques fins déchets qui traînent encore, on essuie, tout est terminé...

C'est mon tour ! Rudy Jimenes s'apprête à me soigner. Une eau tiède coule dans mon œil qu'il maintient ouvert. Je sens son doigt passer sous ma paupière supérieure comme pour la décoller de l'œil. Je ne souffre pas mais pense que c'est un geste qui aurait fait bondir le chirurgien dont je fus l'anesthésiste à l'hôpital des Quinze-Vingts... Il malaxe mon œil. J'éprouve à la fois une sensation de traction et de pression à ce niveau non douloureuse mais légèrement angoissante. On calme l'angoisse par un massage du plexus solaire et des chants.

L'intervention semble terminée. Quelques gouttes de collyre sont déposées sur la conjonctive et un pansement occlusif sur la paupière.

Je m'apprête à me lever, mais Tony Agpaoa surgit (au pied de la table) me faisant signe de rester allongée. Je le vois avancer son index vers la plante de mes pieds, je sursaute, je crie car une intense décharge électrique m'a parcourue depuis les orteils jusqu'à la tête. Il exécute le même « soin » sur l'autre pied... Comment peut-il provoquer une telle réaction avec ce simple geste ! De quel droit d'ailleurs m'agresse-t-il ainsi sans me demander si je suis consentante ? Je réagis par la violence à l'étonnement et à l'infériorité que j'éprouve devant lui. Il le sent, et m'explique qu'il rétablit la balance entre le Yin et le Yang... Puis il sourit, rassurant.

Je quitte la salle avec soulagement, bien décidée à ne plus me faire soigner ici !

3. BAUANG

Ce matin, dès la fin du traitement, nous partons en week-end à Bauang. On nous a promis le soleil, la mer chaude, les palmiers, un hôtel sur la plage... Nous trouvons tout cela et plus encore : le voyage à lui seul est un enchantement : montagnes, vallées, terres cultivées, routes bordées de fleurs tropicales, forêts de bananiers et palmeraies.

La plage est bordée de palmiers entre lesquels on aperçoit des paillotes de pêcheurs. De longues barques à balancier aux couleurs vives s'alignent le long du rivage. Nous déjeunons d'énormes crevettes et de poisson frais. Des fruits exotiques achèvent ce délicieux repas.

Les marchandes de coquillages animent la plage. Leur panier sur la tête pour mieux nous tenter, elles s'accrochent au rebord de la terrasse qui leur est interdite. Le marchandage ne tarde pas, et nous sommes bientôt pourvues de colliers et de bracelets de coquillages décoratifs.

L'après-midi se passe joyeusement. En barque, nous rejoignons une jolie plage de sable clair. Tony Agpaoa nous a rejoints. A chacun, il fait la leçon, une bouteille d'huile de coco à la main, insistant pour que nous nous protégions du chaud soleil en ce début de février.

Nous dînons le soir autour d'une grande table dans une salle qui nous est réservée.

Un couple de Lyonnais s'est installé en face de moi. L'homme a dépassé soixante ans. A l'issue du traitement, il a fait ce matin un malaise très grave, et ses amis affolés m'ont priée de lui porter assistance.

Il était étendu dans la salle de massage, livide et lèvres bleutées. Le Dr Païsing pratiquait un massage cardiaque externe. Ma surprise fut grande de voir chez un guérisseur philippin pratiquer ce geste... Un instant, je crus que la mort s'infiltrait dans notre groupe. Très vite cependant, les choses s'arrangèrent. L'homme respira lentement et largement, son visage reprit des couleurs, le pouls réapparut, bondissant sous mon doigt. Quelques instants plus tard, le ressuscité ouvrait les yeux et déclarait qu'il se sentait très bien.

Il m'affirme ce soir qu'il se sent mieux qu'avant et s'en montre surpris. Je ne m'en étonne pas. Après le repas, je lui conte l'expérience que j'ai de ce genre de phénomène : C'était peu de temps après ma mutation médicale, alors que je pratiquais un traitement acupunctural sur une jeune fille de dix-huit ans que des amis m'avaient confiée. Elle présentait divers troubles mal étiquetés par la médecine classique, et ne souhaitait pas absorber la longue liste de médicaments prescrits. J'acceptai de prendre le risque de la traiter, mêlant acupuncture et sophrologie. Je posai ce jour-là quelques aiguilles, quand je la vis pâlir. Son pouls disparaissait sous mes doigts. Pourtant, contrairement aux règles apprises, je laissai les signes se développer. Je sentais qu'il ne fallait rien faire et qu'elle vivait une crise qui lui serait bénéfique. Je pris alors simplement son thorax entre mes mains, lui criant de bien respirer, tout en pratiquant une assistance respiratoire ; ma longue pratique de réanimateur me donna l'assurance nécessaire pour assumer l'incident. En quelques minutes, tout rentra dans l'ordre. Elle se sentit très bien pendant les semaines suivantes, son comportement changea, ses troubles disparurent. La famille s'étonne encore de la vigueur et de l'efficacité de cette thérapeutique.

Depuis, ce phénomène s'est reproduit, chez d'autres patients, et s'est invariablement bien terminé. Chaque fois le malade s'est senti bien après l'incident. J'identifie ce phénomène au lâcher prise d'un problème psychologique par une sorte de mort symbolique de l'être.

J'explique ceci à mon voisin, en lui précisant que s'il se sent mieux, c'est qu'il a libéré l'énergie jusque-là immobilisée autour d'un certain problème que lui seul connaît... Cette énergie est devenue disponible, circule et lui communique cette sensation de renouveau. Le Dr Païsing a pratiqué les gestes simples qu'il convenait de faire au moment opportun.

Il acquiesce. Il était jusque-là très préoccupé par sa retraite imminente et les problèmes que la cessation d'activité ne manquerait pas de lui poser. Visiblement, cela ne semble plus avoir d'importance ce soir. Ainsi se confirme une fois de plus mon hypothèse du lâcher prise curatif, au cours d'un phénomène de mort apparente brève, de valeur symbolique.

Tony Agpaoa entre et s'assied à l'autre extrémité de la table. Il est exceptionnel qu'il vienne ainsi, disponible, prêt à converser. Le repas étant terminé, je quitte mes amis et le rejoins car je voudrais bien avoir quelques éclaircissements sur ses projets à mon égard. Je lui pose en anglais quelques questions, il répond un peu moqueur :

— Vous serez prête à recevoir l'enseignement, lorsque vous aurez subi ce que vous infligez à vos malades, une mort symbolique.

Ma raison vacille ; j'ai dû mal traduire sa pensée ; il ne peut savoir ce dont nous avons parlé pendant le dîner, il n'était pas dans la salle et de plus ne parle pas le français ! Les garçons ne le comprennent pas davantage et se trouvaient de toute façon dans l'incapacité de suivre cette conversation en faisant le service !

Je me fais traduire sa réponse par notre interprète. J'avais bien compris !

Ce soir-là, je réalise qu'un être humain peut réellement posséder des qualités hors du commun, savoir ce qu'une autre personne pense et dit sans que la différence de langue puisse être un obstacle à la communication.

Profondément bouleversée, je vais sur la terrasse en solitaire pour y retrouver mon calme. Je ne veux pas troubler mes compagnons ni leur conter ce qui vient de m'arriver... Mes convictions sur la réalité chancellent un peu plus... Quand Agpaoa opère et matérialise, je peux me dire, à la rigueur, pour me rassurer qu'il y a un truc que je n'ai pas encore su découvrir. Mais ce soir, rien, en dehors de ses possibilités extrasensorielles, ne peut expliquer cette connaissance de ma pensée. Me voilà bien décidée à travailler avec lui. Lui seul peut m'aider à trouver une voie nouvelle, meilleure que celle que j'ai quittée. L'éventualité de vivre une mort symbolique ne m'effraie pas. Ce qui m'effraie surtout, c'est l'importance du bouleversement que mes certitudes antérieures ont à subir encore une fois.

Dans la pénombre, à quelques mètres de moi, tel un chat qui observe sa proie, j'aperçois le regard noir d'Agpaoa qui brille, puis il disparaît pendant le temps qu'il me faut pour prendre une respiration.

Quelques jours plus tard, je le croise de nouveau et lui exprime mon désir de rester un peu plus longtemps à Baguio pour travailler avec lui... Il éclate d'un rire très jeune. Il est presque enfantin avec ses joues rondes, ses dents blanches et bien rangées. Il me considère un moment d'un sourire amusé mais son œil vif me teste, soupèse mes qualités et mes défauts.

— Ha ! doc, cela ne se fait pas en un jour, pas en une semaine. Il faut développer votre sensibilité, celle de votre corps, de vos mains, de votre esprit, il faut apprendre les vibrations.

Tout cela n'éveille aucun écho en moi et je ne sais de quoi il veut parler, à quelle sensibilité il fait allusion.

Puis il baisse la tête et son visage se fait grave :

— Il faut rentrer en France... Vous avez là-bas un problème à régler, une expérience à vivre. Revenez plus tard, l'esprit libre, dégagé de quelque chose. Oui, il faut avoir l'esprit libre...

Dans une pirouette, il ajoute encore :

— Et apprenez encore un peu l'anglais.

4. LES VÉRITABLES MOTIFS DE MON VOYAGE

En me relisant, une évidence m'apparaît : je n'ai pas été sincère, j'ai craint de choquer et n'ai pas... tout dit. Comme tous ceux qui reviennent de chez Agpaoa, je suis sur mes gardes. Il est vain de vouloir faire partager son émerveillement et son étonnement. Dès les premiers échanges, on voit un sourire moqueur sur les lèvres de l'interlocuteur... et l'on se tait.

Mais on parle entre nous. Il est étonnant de constater combien les communications s'établissent aisément entre ceux qui reviennent de là-bas. Les adresses et les numéros de téléphone s'échangent, on se rencontre chez l'un ou l'autre des « anciens », on évoque des souvenirs.

Pourtant, j'ai rencontré un médecin distingué qui est allé aux Philippines en refusant de rencontrer les guérisseurs. Réfugié dans le monde matérialiste qui convient à sa structure et à son équilibre, honnête avec lui-même, il n'a pas voulu prendre le risque d'une remise en question en se frottant à un nouveau monde. Il s'est mis à l'abri, son comportement est parfaitement cohérent. Je comprends moins bien ceux qui n'ont fait que passer là-bas et n'ont vu et jugé qu'au travers du filtre de leurs idées préconçues, tout en s'empressant de communiquer de fausses informations. D'autres encore n'y sont pas allés et s'accordent le droit de trancher. Ils attaquent, dénigrent, pratiquent la diffamation et sont d'autant plus virulents que leur peur d'une certaine réalité est plus intense. Prisonniers d'un monde hiérarchisé, structuré, et convaincus de détenir la vérité par droit d'Etat, ils s'attribuent un savoir et un pouvoir d'autant plus claironnants que leur niveau de connaissances en la matière est faible et leur évolution personnelle moins avancée. Ils sont comme calcifiés, prisonniers d'eux-mêmes.

Il convient en effet de posséder un degré suffisant de maturité psychique pour aborder certains phénomènes. J'évoquerai, un peu plus loin, mes fuites et mes craintes d'autrefois, car il existe un stade (quand l'évolution n'est pas commencée) où il faut savoir se protéger des phénomènes étranges pour assurer son équilibre et sa sécurité. On peut y parvenir par un acte de foi envers les institutions de notre civilisation, en ne dépassant pas les limites de la compréhension des choses auxquelles la science, chez nous divinisée, accorde l'accès.

Pourtant chacun, un jour ou l'autre, a pu avec étonnement faire l'expérience du déjà vu, du rêve prémonitoire, de l'intuition, de la transmission de pensée. On constate, on veut oublier. Mais je n'oublierai jamais ce qui m'est arrivé ce matin de novembre 1976...

En m'éveillant, je sentis qu'un événement insolite se produisait : les paupières encore closes, je voyais... tout comme sur un écran de cinéma... un visage... Etonnée, je le regardai alors avec attention. C'était le visage d'un homme jeune, bronzé en cette période de l'hiver, les cheveux blonds, abondants, la raie sur le côté, les yeux bleus, le regard intelligent.

J'ouvris les yeux et curieusement, il disparut... Pour mieux me concentrer et retrouver qui était cet homme dont les traits ne m'évoquaient *a priori* aucun souvenir, je baissai de nouveau les paupières. Le visage réapparaissait ! Alors, je l'examinai mieux... Ce n'était pas un malade : bronzé, il respirait la santé. Plusieurs fois de suite, j'ouvris et fermai les paupières ; il apparaissait avec une constance infaillible dès que je fermais les yeux. Après l'avoir bien détaillé, c'est moi qui le quittai en me levant, les yeux bien ouverts et quelque peu stupéfaite de ce phénomène.

Le même soir, en sortant d'une conférence faite à la société de parapsychologie par Rémy Chauvin, je ramassai quelques dépliants publicitaires épars sur une table. L'un d'eux annonçait la projection d'un film sur les guérisseurs philippins. La séance avait lieu une demi-heure plus tard. N'ayant pas vu celui qui avait été projeté par la télévision, je décidai d'y aller.

Un sous-sol d'immeuble moderne, une pièce tapissée de

moquette claire, un impératif : ôter ses chaussures avant d'entrer. Des visages... particuliers : têtes rasées ou cheveux longs parfois tressés. Visages étranges, regards lointains d'yeux immenses. Regards mystiques ? Sujets drogués ? Etres en équilibre instable ? En quête d'une vérité, d'un merveilleux, du surnaturel que la société moderne ne peut plus leur procurer ?... Tous les spectateurs paraissent maintenant installés, assis par terre. L'homme qui entre à ce moment-là, pour projeter le film et donner des informations sur les voyages organisés pour les Philippines... cet homme a précisément le visage que je distinguais ce matin, derrière mes paupières closes !

A la fin de la séance, je lui donne à tout hasard mon nom, curieuse d'obtenir des renseignements supplémentaires à propos de ce périple. Et je quitte la projection, persuadée qu'un trucage faisait apparaître à point nommé la matière sanglante que l'on nous exhibait. Ayant eu l'habitude de vivre en salle d'opération, je faisais la différence entre une intervention réglée et cette astucieuse mise en scène. Je pensais qu'il était bon pour les autochtones de recourir à ce genre d'illusion thérapeutique si elle leur apportait un soulagement. Pas un instant, il ne me vint à l'idée de critiquer ces thérapeutes. Ils étaient pour moi des guérisseurs et non pas des escrocs voulant mimer la chirurgie exercée sous nos climats ; sans doute n'avaient-ils même jamais pénétré dans une salle d'opération ! Il me semblait que les journalistes déformaient leurs véritables intentions en parlant d'opération. Ce n'était qu'une interprétation à l'européenne d'un phénomène qui, en fait, appartenait à une autre civilisation.

Je restais impressionnée par ma vision prémonitoire plus que par le film. Les sorciers noirs ou incas m'étaient à cet instant aussi lointains que les guérisseurs philippins : un autre monde, une autre race, un entendement différent.

Je reçus quelques précisions concernant le voyage organisé en décembre mais n'y donnai pas suite. Un autre voyage s'organisait en janvier. J'allais le laisser passer sans m'y intéresser... quand une chose étrange se produisit.

Un matin, alors que je m'éveillais, une musique se fit entendre à mes oreilles : elle ne provenait pas de ma chambre, mais de l'intérieur de moi-même ! J'ouvris les yeux, elle cessa. Je les fermai, elle se reproduisit. Je reconnaissais les caractéristiques du phénomène observé le jour où s'était manifestée l'image du cinéaste, dans cet aspect répétitif à volonté, pourvu que les paupières fussent closes. Je ne pouvais mettre un nom sur cette partition musicale mais je l'appris, pour éventuellement la reconnaître un jour. Puis je me levai et n'y pensai bientôt plus.

Dans la journée, des amis, Yury Boukoff et sa femme, me téléphonèrent de bien vouloir les soigner chez eux, si je passais par Paris. Le grand pianiste donnait ce soir-là un récital télévisé depuis la chambre du Roi du musée du Louvre. Ils m'invitèrent à les accompagner.

Le piano de concert était installé au centre de la pièce. Les caméras disposées autour afin de trouver les meilleurs angles pour montrer les mains de l'interprète sur le clavier, et filmer en détail les merveilles du décor.

Je me faisais toute petite pour ne pas gêner le travail des techniciens ni m'appuyer contre les précieux murs. Je savais que j'avais été admise à titre exceptionnel. Yury Boukoff en avait obtenu l'autorisation du producteur de l'émission et du directeur de la sécurité du musée.

Bientôt la répétition commence ; juste avant la réalisation en direct, la speakerine fait les présentations, et le pianiste se met au clavier. J'écoute et me recueille quand soudain je reconnais dans le mouvement lent de la 5e étude de Rachmaninoff la musique entendue ce matin et qui avait jailli du fond de moi-même.

Il s'agit bien, cette fois encore, d'une prémonition.

Je m'interroge sur le pourquoi de ces phénomènes. Le pianiste (comme le cinéaste) s'est beaucoup intéressé aux guérisseurs philippins. Il fut, je crois, l'un des premiers à les faire connaître dans une interview accordée à *Paris Match,* au retour d'un concert donné à Manille.

Il en parle souvent et m'incite à faire le voyage. Je souris de son enthousiasme et des efforts qu'il fait pour me convaincre — sans succès.

Le lendemain de cette mémorable soirée, le téléphone me réveille. C'est le cinéaste qui m'appelle pour me convier au voyage qu'il organise en direction des Philippines. Frappée par toutes ces coïncidences, j'accepte la proposition. C'est ainsi que se décide mon départ.

Je me suis, bien entendu, trouvé d'excellents motifs rationnels pour expliquer aux autres et à moi-même cette décision imprévue.

J'ai déjà scrupuleusement relaté les conditions matérielles

de ce voyage et l'abandon dont nous fûmes l'objet. L'homme qui avait pour mission de nous accompagner reçut, semble-t-il, des menaces pouvant mettre sa carrière en cause. D'où sa brusque défaillance.

J'ai également relaté la première intervention réalisée par Nieves Jimenes et celle de son fils Rudy sur mon œil myope (myopie congénitale naturellement inguérissable, je constate cependant que les poussées glaucomateuses ont cessé depuis et que le fréquent larmoiement s'est arrêté).

Je fus aussi soignée par Agpaoa : un jour, il me fait signe qu'il va me traiter ; je lui désigne à tout hasard la région de mes vertèbres cervicales en lui demandant de bien vouloir les vérifier. Je m'allonge à plat ventre, le nez contre la table. Il s'approche, pose les mains sur mon cou et travaille. Je sens le même picotement aspiratif éprouvé lors de la toute première intervention réalisée par Nieves et j'entends de légers crépitements qui pourraient ressembler à la manipulation de cartilages. Mais soudain, j'éprouve une étrange sensation. Je sens, depuis la région occipitale, un courant électrique qui traverse ma tête d'arrière en avant, atteint l'œil gauche malade et provoque une intense excitation lumineuse. Je vois des étoiles ! Tout se passe comme si, depuis la région occipitale, où aboutit le nerf optique, était partie, en sens contraire, une excitation qui allait jusqu'à mon œil gauche.

Je sors de la salle, étonnée par ce que je viens de vivre. Mes notions de physiologie classique ne me fournissent aucune explication. Pour comprendre ce que j'ai perçu, il me faut imaginer l'existence de mains immatérielles émanant de Tony Agpaoa et qui, fouillant la zone occipitale de mon cerveau, dans la partie réservée à la zone visuelle, y auraient détecté une anomalie. Ces mains auraient alors exploré le nerf optique en remontant jusqu'à l'œil. Là, elles auraient provoqué l'excitation lumineuse perçue. Je ne peux qu'observer les faits, imaginer sans contrainte une explication plausible avec la réalité observée.

Quelques jours plus tard, j'accompagne mes amis en salle de traitement, avec l'intention de demander un « check-up » abdominal. Je suis en bonne santé apparente, mais la curiosité me pousse à faire pratiquer cet examen et à observer quelle sorte de viscère va être « extrait » de mon ventre et quelles conclusions vont être portées.

C'est Rudy qui m'examine. L'aide verse un peu d'eau tiède

sur mon abdomen en pressant un morceau de coton humidifié. Rudy, lui aussi, se munit d'un fragment de coton qu'il trempe dans le récipient contenant l'eau, fléchit les doigts et travaille à la hauteur de mon estomac. Tout se passe alors comme s'il pratiquait une exploration réglée. Je sens une vague impression au niveau de l'estomac, j'entends mes intestins gargouiller dans l'ordre du transit normal, je sens une pression sur la vessie qui me donne une envie d'uriner, je localise une perception sur mes ovaires puis une rapide sensation au niveau de l'utérus. Dans un bruit « hydroaérique » il retire ses mains qu'il semblait avoir enfoncées mais qui, je crois, ne faisaient que déprimer mon abdomen, je ne vois qu'une trace de liquide rosé, rien d'autre, et suis en quelque sorte déçue.

— *Nothing*, rien d'anormal, simplement quelques gaz.

Je suis rassurée sur mon état de santé, mais rendue perplexe par la rigueur d'un diagnostic établi en une minute.

J'imagine le temps et le coût d'une exploration réalisée en France. Nous aurions eu, certes, des documents visibles, sous formes de clichés radiologiques, ce que nous n'avons pas ici. Croire Rudy, c'est faire acte de foi si l'on n'a pas le don pour le contrôler. Mais n'est-ce pas la justesse de la conclusion qui compte, plutôt que le procédé ?

Je me sens irritée à son égard, car tellement diminuée, amputée de mes sens, face à lui qui n'a ni titre ni diplôme, et qui peut, par un geste simple, différencier le malade du bien portant.

Je me réfugie, comme après chaque étonnement, dans un coin du parc, pour tenter de mettre en ordre mes idées. Chaque événement imprévu m'agresse, me bouleverse et m'oblige à réviser encore un peu plus mes notions médicales, à remettre en question ce que je croyais vérité admise pour toujours. Je me dois de réfléchir, sur chaque événement, pour me situer dans une position confortable et logique par rapport à ce nouveau monde qui me cerne.

Si je reviens un jour travailler ici, ce ne sera pas pour tenter de faire ce qu'ils font : matérialiser... mais pour devenir le plus possible semblable à eux, pour acquérir ces perceptions supplémentaires dont ils bénéficient et peut-être jeter un pont entre la réalité visible et la réalité invisible niée et méconnue.

Je commence à mesurer ce que peut apporter le travail initiatique, la différence qui existe entre ceux qui l'ont pratiqué et ceux qui n'en devinent pas même l'existence. Mais pour passer le pont encore faut-il savoir qu'il existe une autre rive, quand bien même serait-elle cachée à notre vue.

Les signes qui m'ont menée ici sont peut-être destinés à m'incliner à ouvrir ce chemin...

5. PROMENADE... AILLEURS... ET FIN

Notre week-end à Bauang a donné aux mieux portants le goût des voyages. Nous louons une voiture avec chauffeur et partons à cinq pour les Basses Terres : the Low Lands. En vérité, nous souhaitons rencontrer d'autres guérisseurs.

Nous démarrons de bon matin. Les routes sont souvent détériorées à la fin de la saison des pluies et comme il faut savoir contourner les ornières, les agences ne louent pas de voiture sans chauffeur.

La très jolie route de montagne nous mène jusque dans la plaine où la chaleur tropicale nous surprend. Le paysage défile sous nos yeux, tandis que nous faisons l'inventaire de nos maux respectifs. Les uns se feront traiter pendant que les autres regarderont. J'ai le souvenir d'une douleur intercostale intermittente mais rien d'autre à leur offrir.

L'un de nous souffre d'un mal étonnant et persistant : sa tête tourne spontanément d'un côté quand il regarde en face de lui. Il doit en permanence poser le doigt sur sa joue pour qu'elle revienne à sa place initiale. Je pense qu'il eût été plus sage de se confier à un seul guérisseur pour qu'un travail sérieux puisse être effectué. Hélas, il est le plus excité d'entre nous, ne s'est fait traiter qu'une fois au Diplomat Hotel, et veut essayer tous ceux qu'il rencontre.

Or, un guérisseur, tout comme un médecin, désire prendre en charge d'une façon totale le malade qui s'adresse à lui. Il semble que chacun puisse reconnaître le travail du précédent...

Il faut admettre qu'ils voient un monde qui demeure invisible à nos yeux. De même, ils palpent et sentent un corps sans réalité apparente, qu'ils perçoivent en passant les mains à distance du corps du malade sans entrer en contact direct avec lui. J'ai souvent observé Nieves, mains à plat, à dix centimètres du malade, qui semble tout à coup trouver un point, le comparer à un autre, puis choisir et matérialiser à cet endroit.

Terté, le plus âgé des guérisseurs, vit dans une rue bordée de palmiers où règne une chaleur intolérable. Il nous accueille avec une grande amabilité, en prenant le temps de nous recevoir. Il insiste pour nous expliquer l'importance de la Bible dans la vie du guérisseur. Je l'ai vu matérialiser sur mes amis des pierres d'une taille approchant parfois l'œuf de pigeon, et des matières gélatineuses à l'aspect sale et sombre. Je m'interroge encore sur le pourquoi de ces couleurs sombres. Y aurait-il là un rapport avec son grand âge ?

Mercado, lui, travaille dans une grande chapelle inachevée et qui ne s'achève pas... Cette dernière est entourée de misérables paillotes où l'on imagine qu'il vit dans le plus grand dénuement. En fait, il ne vit ni dans ces paillotes ni dans le dénuement, je le saurai quelques mois plus tard, il a simplement l'habileté de passer pour pauvre.

Son travail est net. La table sur laquelle il opère à la vue de tous est placée sur une grande estrade, au centre de la chapelle, on peut en faire le tour et voir le dessous pour vérifier l'absence d'artifices. Ainsi, la fable des matériaux dissimulés est anéantie. Des gestes simples et précis — le phénomène parapsychologique apparaît dans toute sa beauté.

Chacun à son tour prend place sur la table et subit un traitement. Mes amis m'expliquent ensuite ce qui s'est passé pour moi ; après humidification de la région à traiter, le guérisseur appuya son doigt, il apparut un liquide ressemblant à du pus. Peut-être est-ce le reliquat de troubles énergétiques en relation avec une affection pulmonaire aiguë qui, pendant la guerre, m'avait clouée au lit et beaucoup affectée.

A quelques kilomètres de là, la très belle Joséphine nous accueille aimablement. Elle accepte de nous soigner. Sa minuscule chapelle est soigneusement décorée. Son mari l'aide. C'est la championne de la manipulation du coton. J'ai vu arriver chez elle un bébé hurlant dans les bras de sa mère. Tout de suite, Joséphine a pris un morceau de coton gros comme deux poings et l'a introduit dans le ventre de l'enfant qui, à cet instant précis, s'est tu. Plus rien dans sa main, mais une saillie énorme sous la peau du ventre de l'enfant... Au point où j'en suis de la journée, rien ne m'étonne. J'ai accepté ce monde d'invraisemblances qui colle à une réalité inhabituelle. Je suis contrainte d'admettre que Joséphine manipule une force que je ne vois pas, ne soupçonne pas et ne comprends pas.

Elle laisse le coton en place dans le ventre du bébé. Le coton « prendra le mal », elle le retirera demain.

Le chaud, le froid, les courants d'air de la voiture m'ont été fatals, me voici avec une extinction de voix. J'ai une bonne occasion de tester son pouvoir. Elle prend un morceau de coton qu'elle imbibe d'un peu d'huile de palme, « pour adoucir », dit-elle. Elle fait entrer le coton à hauteur de la gorge à gauche dans le cou et le pousse. Je sens quelque chose qui passe en pressant. Elle le ressort par le côté droit. Mais j'ai toujours mon extinction de voix, je suis déçue.

Cependant, j'ai compris quelque chose d'essentiel : il n'y a pas de parallélisme entre l'acte psi réussi et la guérison clinique.

Pour ne pas troubler les grands malades, nous restons discrets sur nos péripéties. Un ou deux jours plus tard, nous verrons encore, presque en cachette, deux autres guérisseurs célèbres.

Le premier, Placido, travaille dans la minuscule salle d'une grande maison. Nous sommes étonnés de rencontrer ici une femme parlant français. Suisse d'origine, elle s'est installée pour de longs mois parce qu'elle « s'y trouvait bien ». Elle présente un teint translucide, une voix faible, et semble servir de secrétaire à Placido. Je m'interroge sur la motivation de cette transplantation chez cette femme qui n'est plus jeune. Est-ce un problème de santé comme le laisserait supposer son aspect mal portant, est-ce une quête mystique, ou le désir d'apprendre et de soigner ? Je songe que dans quelques mois ceux qui me verront près d'Agpaoa se poseront peut-être la même question, avec d'autant plus d'étonnement qu'ils apprendront que je suis médecin.

Ce qui me frappe chez Placido, c'est la qualité de sa publicité : sur une table un message destiné aux malades avec sa photo, des cahiers sur lesquels sont collés des articles de journaux le concernant. Il sait comment se faire valoir. Je n'ai trouvé ni chez Mercado ni chez Joséphine cette organisation raffinée.

Mes amis se font traiter. Je ne remarque rien de suspect.

PROMENADE... AILLEURS... ET FIN

Un dernier guérisseur, que je préfère ne pas nommer, me fait une mauvaise impression. Une femme blanche, la sienne, nous reçoit. « On » ne sait si nous pourrons être traités, car il a déjà vu quarante-cinq personnes ce matin... Nous attendons un peu. Pendant ce temps, l'épouse nous demande 150 F par consultation, payables d'avance.

Brillant, sûr de lui, il passe un drap sale devant chaque patient pour faire le diagnostic — il appelle cela passer la radio — mais je m'aperçois qu'il commet des erreurs de diagnostic. Est-il surmené ? La pièce exiguë est favorable à toute espèce de manipulation. Il s'approche maintenant du patient ; venant de la pièce voisine, il a les doigts déjà fermés. A la fin de l'acte, qui dure trente secondes, il ouvre les mains et je distingue quelque chose qui reste collé à leur face interne, et qui ressemble à un morceau de tendon. J'ai l'impression qu'il s'agit d'un résidu de ce qu'il y avait mis. A tort ou à raison, c'est le seul personnage qui me fasse éprouver quelques doutes.

Je ne me fais pas traiter car j'ai vraiment épuisé toute mon imagination pour me reconnaître une maladie.

Mais la fin de notre séjour à Baguio approche, j'examine à ma façon les patients déjà testés lors de notre arrivée. Je constate que l'énergie est pratiquement normalisée chez trois malades et largement améliorée chez les autres, sauf pour l'un d'entre eux. Le seul fait que les résultats soient variables d'un malade à l'autre m'intéresse vivement. Cela tend à prouver que les guérisseurs ont un pouvoir, mais que celui-ci est inégal dans ses résultats thérapeutiques, et varie selon le terrain. Ils exercent probablement une action sur l'énergie vitale, car si je compare les résultats de mes examens chez deux malades atteints de cancer, je constate que ceux-ci sont inversement proportionnels à l'agressivité des traitements antérieurs. L'un est un cancer du poumon traité par chimiothérapie et irradiation après intervention chirurgicale : il existe une amélioration notable, certes, de son état, malgré la solitude psychologiquement mal supportée dont cet homme malade a souffert, n'étant pas accompagné des siens. Mais l'autre, un cancer de l'estomac, opéré, récidivé, et qui n'a eu qu'un traitement par le BCG, est infiniment mieux que le premier et je peux lui prédire une amélioration plus durable, malgré une certaine angoisse de la mort qui persiste et parasite son psychisme.

Les antimitotiques administrés au premier pour freiner la croissance des cellules cancéreuses ne sont pas aussi sélectifs que l'on pourrait le souhaiter ; ils altèrent également les autres cellules. L'organisme alors ne peut plus être aidé de la même façon pour organiser sa propre défense. En revanche, le surcroît d'énergie défensive apporté par Agpaoa pourrait, chez le second malade, avoir réorganisé valablement le système énergétique de l'organisme qui devient alors capable de se défendre lui-même. Un malade porteur d'une goutte résistant aux médicaments est considérablement soulagé. Des douleurs rhumatismales ont disparu.

Mais une femme, affligée d'une sclérose en plaques localisée aux membres inférieurs, n'a guère de résultats. Sans doute son séjour fut-il trop bref, ou les lésions trop fixées.

Je pratique mes examens le jour précédant le départ alors que Sunny, l'évangéliste d'Agpaoa, vérifie de son côté l'état des malades et leur prodigue d'ultimes conseils. Je travaille à l'aide de la lumière et de couleurs, Sunny regarde simplement l'aura. Il jouit d'un don de seconde vue... Mais lorsque nous nous retrouvons lui et moi pour comparer nos opinions, nos avis respectifs concordent ! Moi qui suis habituellement en marge de toutes les techniques médicales d'examen, je me trouve en complète harmonie avec l'évangéliste philippin...

Comment peut-on, séparés par des milliers de kilomètres, appartenant à une autre race, une autre civilisation, après des études différentes, se rencontrer ainsi ? Il me semble absolument merveilleux d'être enfin en accord avec quelqu'un, fût-il un Philippin, évangéliste, psychologue spécialisé en parapsychologie. Peut-être mettons-nous le doigt sur une vérité essentielle par des voies différentes.

Existerait-il donc une vérité universelle, quant à la structure de l'homme et quant aux signes manifestés en cas de maladie ? Sunny et moi, par des procédés différents mais qui doivent toucher la même réalité invisible, nous l'avons explorée. Le plus éminent des patrons de nos centres universitaires serait pourtant incapable dans les mêmes conditions de confirmer ou d'infirmer nos opinions. Il lui faudrait interroger, palper, ausculter, ordonner des examens de laboratoire ou des radios. Notre chemin est autre.

Cela me fait un immense plaisir, je respire à pleins poumons ; toutes ces années de travail pendant lesquelles je fus le plus souvent solitaire ont un aboutissement, une espèce de justification qui n'est valable certes qu'à mes yeux mais qui me satisfait totalement. Je me sens sur la bonne voie.

J'en suis heureuse. Alors que mes origines et mon éducation me séparent des guérisseurs, pourquoi suis-je en accord, non seulement sur le plan médical mais aussi spirituel, avec tout ce qui est dit et pensé chez Agpaoa ? Posséderais-je quelque gène venu de ces régions ? Cela me laisse rêveuse : cet appel chez les Philippins, grâce à des manifestations prémonitoires, cette proposition de Tony Agpaoa, ces constatations ultimes ! Quelle est donc la finalité de cette aventure ?

Sunny m'a testée la première. Mon énergie est normale mais, dit-il, « votre maladie est de trop travailler ».

A la fin de l'examen des malades du groupe, fatiguée, je souffre du dos. J'en avise Jean-Noël. Veut-il me soigner ? Il pratique une imposition des mains toute simple, qui commence par la tête et descend vers le dos. Alors que ses mains passent au-dessus de ma tête, j'éprouve une curieuse émotion : je ne peux plus penser, me voilà comme terrassée, psychiquement paralysée... Bientôt, par paliers, mes idées reviennent et je sors de cet état désagréable. La douleur dorsale disparaît à mesure que les mains descendent le long de ma colonne vertébrale. Je me redresse, je n'ai plus mal ! Je lui promets une belle carrière de guérisseur.

Sans nul doute, être thérapeute, c'est savoir faire cela !

6. NOTRE VOYAGE S'ACHÈVE

La *farewell party*, cérémonie d'adieu, marque la fin de notre séjour.

Le déjeuner au Country Lodge, petit hôtel que Mme Agpaoa tient dans le parc de Baguio, nous réunit. Une grande table, protégée de l'ardeur du soleil par un immense vélum, offre aux gourmands les spécialités culinaires philippines. Des chants et danses locaux sont présentés par un groupe qui descend de la montagne. Puis nous participons à une sorte d'office dans la chapelle d'Agpaoa.

Celle-ci est décorée de fresques qui relatent la vie du Christ. On est un peu étonné de voir représentés, sur d'autres fresques, les événements marquants de la vie d'Agpaoa. Et l'on s'interroge... Agpaoa se prend-il pour un messie ? Au premier abord, je suis choquée par ce parallélisme qu'il établit entre sa vie et celle du Christ puis je m'habitue à cette idée en pensant aux dons exceptionnels de cet homme, et j'avoue mon incompétence à formuler un jugement valable.

Je suis assise près du jeune Français Jean-Noël, grâce auquel j'avais pu recueillir quelques fragments de matière lors de ma première intervention. Il pose ses mains sur les bras de son fauteuil et me fait remarquer l'importance des vibrations que l'on capte dans ce lieu de choix... Je ne sens rien de particulier. Cela me laisse perplexe. A-t-il appris à sentir ces vibrations depuis son arrivée ? Possédait-il déjà cette possibilité ? Je ne veux pas avoir l'air trop stupide face à ce qui lui paraît évident et ne demande pas d'explications supplémentaires. D'ailleurs, l'endroit ne se prête pas aux bavardages. Ainsi, un Européen — un Français — pourrait donc ressentir en travaillant avec Agpaoa des sensations que je ne perçois pas ?

Nous nous rendons ensuite chez Agpaoa, dont l'habitation sur les contreforts de Baguio domine une vallée verdoyante. Ses enfants, sa femme, nous accueillent en amis. Mme Agpaoa et Tony lui-même participent au service. A chacun Tony dit quelques mots gentils qu'il ponctue souvent d'un éclat de rire. Il fait tomber la barrière qui nous séparait de lui, devient affectueux avec les vieillards qu'il appelle *papy* et *mamy*, et s'intéresse plus particulièrement aux grands malades, aux isolés. Quant à moi, à qui il a proposé de devenir son élève, il ne m'accorde pas un regard. L'ai-je blessé dans ma façon de contrôler son travail ? Ou suis-je parmi les gens sans intérêt pour le guérisseur qu'il est, puisque bien portante...

Le dernier soir est réservé au dîner de gala donné à l'hôtel.

Sur la grande table, croulant sous un monceau de langoustes, de crevettes énormes et de fruits exotiques, un grand choix de plats cuisinés nous attend. Le dîner se déroule en musique et par petites tables. Je remarque que les plus grands malades mettent un point d'honneur à s'avancer sur la piste de danse. J'y vois un acte de courage, un défi au destin fatal qui les attend, un désir de se mesurer à eux-mêmes.

La soirée s'achève sur des chants religieux : des Mantras entonnés à la lueur des bougies par le groupe réuni autour des trois guérisseurs et de Sunny. Puis, pour nous remercier de notre offrande, Agpaoa distribue des cartons écrits en caractères anglais sur lesquels figurent nos noms respectifs.

C'est le dernier au revoir. Chacun reçoit une rose accompagnée d'une chaleureuse poignée de main ou d'un baiser. Je reçois la mienne, sans poignée de main ni baiser... Agpaoa garde ses distances.

Combien de solitaires ne se sont jamais trouvés à pareille fête, n'ont jamais connu pareil élan ! Combien de mal aimés découvrent ce soir des sensations ignorées ou oubliées. Ils seront éternellement reconnaissants car la maladie les rend plus vulnérables à l'indifférence. Pour moi qui connais en termes classiques la gravité de leur maladie, et qui n'ai pas le recul nécessaire pour imaginer leur futur, je contemple, médecin occidental, ceux qui se réjouissent et qui espèrent à tort. Mon espoir tombe... Je sais que la mort plane au-dessus de ceux qui sourient et s'amusent. Assise un peu à l'écart, je suis au bord du sommeil ; à les regarder j'éprouve une curieuse sensation : comme si la fête terminée ils allaient avec le sourire et leurs habits chamarrés s'étendre pour toujours dans leur cercueil respectif. Est-ce le dernier rendez-vous avec la fête de la vie qu'ils célèbrent ce soir ?

Cette fête de l'au revoir représente pour moi un carrefour entre l'espérance et l'expérience. Je ne sais quels sont les sentiments du Dr Païsing qui voit les malades dans un état grave deux fois par jour. Eprouve-t-il cette désespérance qui m'envahit, forgée par la pratique hospitalière, par la connaissance de nos maigres résultats thérapeutiques qui contrastent avec notre autosatisfaction fondée sur l'établissement d'élégants diagnostics, de magnifiques spéculations intellectuelles ? Ces splendeurs artificielles nous éblouissent et pourtant nous ridiculisent quand on songe aux maigres résultats. Nous n'en sommes heureusement guère conscients, aussi longtemps que nous restons dans notre cercle savant ; cet aveuglement nous tient lieu d'anesthésique.

Le lendemain, au petit jour, nous rejoignons Manille d'où nous nous envolons pour Paris, après avoir rencontré Blanche, un autre guérisseur fameux.

Je me présente à lui en tant que médecin. Il me permet de le suivre dans nos chambres d'hôtel. Un aide l'accompagne qui porte une cupule, une pince et une cuillère. L'eau tiède et les kleenex sont à disposition dans les salles de bains de chaque chambre.

Blanche parle un mauvais anglais, aussi ne fait-il que brièvement connaissance avec le malade. Puis il désigne un endroit déterminé sur le corps du patient, me prend la main, allonge mon index, le secoue à quinze ou vingt centimètres... Et à ma grande stupéfaction, une incision apparaît, le sang coule...

Aucun des Français n'est venu à Manille de connivence avec Blanche pour m'abuser. Pas de lame de rasoir, pas de truc dans le sens où l'entendent les magiciens qui, pour assurer leur publicité, prétendent avoir détecté l'imposture.

Dans une dizaine de chambres, le même phénomène se reproduit. Il pose une ventouse sur la scarification, le sang coule.

Cette méthode laisse des cicatrices inesthétiques. Aussi je préfère la technique d'Agpaoa qui pose la ventouse, sans scarification préalable, puis bras nus, doigts écartés, met l'index, délicatement, à la surface de la zone congestionnée. Sous son

48

doigt apparaissent alors un liquide sanguinolent, parfois des caillots. Il extirpe et rejette la matière, ou bien se contente de la faire résorber en massant du bout du doigt. Ainsi ne persiste-t-il aucune trace visible. Mais la technique de Blanche est très belle sur le plan de la démonstration d'un phénomène parapsychologique.

Il me fait ensuite une autre démonstration d'intervention, sans scarification. L'aide laisse tomber un peu d'eau tiède prise au robinet sur la région intéressée. Blanche fléchit les doigts, pose l'index et le majeur sur la peau et déprime les tissus sous-jacents ; un liquide, qui pourrait être comparé à un pus fluide, sourd de la peau. L'assistant, à l'aide d'une cuillère, recueille ce « pus » dans un récipient.

Pour terminer, il m'invite à toucher, pour vérifier qu'il ne reste aucune trace. Je n'en fais rien, je vois que la peau est normale ! Alors, il prend mon index et mon majeur et les avance au contact de la zone opérée. A peine ai-je touché que je retire vivement la main. J'ai ressenti une douleur aiguë évoquant celle d'une coupure. Mes deux doigts portent effectivement une incision qui saigne. La malade, son mari et moi-même demeurons éberlués.

La cicatrisation de mes doigts se fera tout à fait normalement.

Nous rentrons à Paris.

Notre avion est complet. Nous manquons d'air, comme à l'aller.

Les conséquences immédiates du voyage sont difficiles à assumer. J'éprouve une intense fatigue probablement due au décalage horaire, aux conditions de vol, et peut-être aux suites opératoires. Nous sommes tous dans le même état déplorable. Pourtant, ceux qui ont pris l'avion trois jours plus tôt — vol à moitié vide — n'ont pas souffert, ils sont frais, dispos, en pleine forme... De mauvaises conditions d'oxygénation (et la fumée de tabac) sont donc responsables de notre malaise !

Au terme de ce voyage, retraçons le périple d'un malade venu se faire soigner à Baguio par l'équipe de Tony Agpaoa. Imaginons cet être dont l'avenir est gravement hypothéqué mais qui est encore capable de supporter le voyage. Il a été hospitalisé, a subi des explorations diverses, peut-être l'a-t-on opéré.

Il débarque de l'avion, épuisé. Une escale de quarante-huit heures sur le parcours eût été préférable. Mais le soleil brille à Manille et la vue de la mer, des arbres fleuris sur le bord de la route qu'emprunte le taxi qui mène vers la ville, embellit déjà sa vie — nous sommes fin janvier, c'est l'hiver en France. La transition brusque entre l'atmosphère hospitalière et le ciel bleu du pays tropical le fait passer de l'état de malade à celui de touriste.

La population locale, visages colorés, souriants, accentue la différence avec les airs revêches des Français. Cet homme, tout à coup, a l'illusion d'être attendu et accueilli par des êtres qui pratiquent tout naturellement l'amitié.

A Baguio, dès l'aéroport, c'est la fête : les hôtesses l'embrassent et lui passent des colliers de fleurs autour du cou. Au Diplomat Hotel, il est reçu comme un ami, traité en invité et non en importun. Certes, il lui sera difficile de rencontrer Tony Agpaoa en privé. Celui-ci, sollicité en permanence par des curieux, des journalistes, des médecins et des malades, doit se protéger. Il est bon, pour de multiples raisons, qu'il conserve ses distances.

Si notre malade n'est pas trop éprouvé, dès le premier soir, il pourra dîner en musique. Les femmes se font belles. On esquisse un pas de danse à la fin du repas. Des amitiés se nouent et l'on a moins peur de voir le jour tomber, la nuit approcher avec son cortège d'angoisses. Peut-être que déjà, ce soir-là, commence doucement pour le patient une remise en question de lui-même, de ses rapports avec les autres, de la vie... et de la mort.

Le lendemain matin, tous se retrouvent dans la salle à manger, et déjeunent en échangeant leurs impressions. Puis l'on se dirige vers l'église en plein air. Le révérend Sunny parle. Il est évangéliste, fils d'un pasteur et d'une mère catholique et doué de facultés médiumniques. Il dit que ce voyage, en délivrant le malade de ses idées fixes, va lui permettre de libérer des énergies bloquées par ses préoccupations habituelles, et qu'il pourra ainsi participer de tout son être à la guérison. Tony Agpaoa viendra vers lui, mais il doit aussi aller vers le guérisseur, et leurs forces spirituelles associées pourront peut-être avoir raison de la maladie. Mais, ajoute-t-il, si vous n'avez pas su changer profondément à l'intérieur de vous-même, si vous n'avez pas appris à aimer les autres, tout recommencera à votre retour en France et la même situation conflictuelle se reproduira.

NOTRE VOYAGE S'ACHÈVE

Le Dr Païsing, acupuncteur, est aux côtés d'Agpaoa. Il visite plus précisément les grands malades.

Le soir au grand salon, Tony Agpaoa fait parfois une apparition souriante. C'est le moment de lui poser des questions auxquelles il répond volontiers.

Il est évident que Tony Agpaoa, le plus jalousé et peut-être le plus doué des guérisseurs philippins, est l'un des plus sincères et des plus intelligents. Il a su faire l'inventaire de tout l'acquis de la médecine, de la psychologie, des sciences orientales auxquels il ajoute ses dons de clairvoyance et de guérisseur. Il est le seul à faire aux Philippines ce travail complet, car le malade est mis en déconditionnement total.

Ainsi, partie découvrir le comment d'une supercherie thérapeutique (dont je ne niais pas l'utilité), je reviens munie d'une quantité suffisante d'informations pour remettre en question l'ensemble de mes conceptions.

J'imagine la déception des voyageurs quand, revenus en France, ils ne sauront plus partager leurs émotions, leurs espoirs : intoxiqués par la presse, ceux qui n'y sont pas allés les regarderont avec la pitié qu'on a pour les crédules qui se laissent berner, alors que tout au contraire ils auront eu la chance d'avoir été révélés à eux-mêmes et de connaître une autre dimension de la vie.

Si les troubles organiques n'ont pu être guéris, quelque chose de très important s'est tout de même produit. Le malade abordera la mort en ayant acquis une dimension spirituelle.

N'est-ce pas là la véritable préparation à la mort dont on parle en termes primaires et matérialistes sans jamais oser aborder le problème dans sa véritable dimension ?

7. PREMIÈRES CONCLUSIONS

Il est vain de revenir sur les véritables profiteurs du phénomène, en France. L'agence de voyages qui organisait notre expédition n'avait pas encore, six mois plus tard, indemnisé Tony Agpaoa des avances qu'il avait bien voulu faire ; après un an, la totalité des dettes n'était pas remboursée. Des journalistes, pseudo-scientifiques peu scrupuleux, virent dans ces faits (qu'ils n'avaient pas pris le temps d'étudier) une occasion de vendre leur prose ou de faire parler d'eux. Des gens du spectacle, confondant magie et phénomène psi, habiles exploitants de la crédulité publique, s'imposèrent soit pour dénoncer la fraude, soit pour simuler le don...

Il importe de faire néanmoins le point sur ce qui a été dit et publié. Rien ne correspond vraiment à la réalité que j'ai pu vivre. J'ai vécu en milieu « psi ». Le terme n'est pas à considérer comme abréviation de psychologie ou de psychanalyse, il désigne tout un ensemble de manifestations inhabituelles, inacceptables pour notre bon sens commun, notre cerveau rationaliste, incompréhensible à notre mode de pensée et notre culture. La plupart des manifestations de la fonction psi participent à un monde invisible, impalpable, inaccessible à nos cinq sens, et dans lequel la notion espace-temps n'existe pas. Elle est admise et utilisée avec profit par une catégorie d'êtres humains qui vivent tout naturellement en communication avec les forces invisibles du cosmos, ceux de l'Afrique, de l'Amérique du Sud, de l'Orient et du Grand Nord.

En France, il est de mauvais goût d'en faire état et même

pratiquement impossible de pratiquer une véritable recherche sans voir une carrière se briser. Pour oser aborder le sujet, il faut prendre un détour : celui des statistiques, par exemple, ou arriver en fin de carrière — tel Rémy Chauvin, encore ne s'engage-t-il pas très loin puisqu'il écarte l'ésotérisme, la sorcellerie, le spiritisme, du monde parapsychologique. Quant au groupe de recherches auquel j'ai momentanément appartenu, il écarte l'astrologie de ses préoccupations. Que signifie cette peur du réel ?

Un contre-mouvement psi s'organise. Des prix Nobel, des professeurs de faculté, des hommes célèbres lui prêtent leur nom. La peur de la remise en question d'eux-mêmes, de leur monde, de la hiérarchie dans laquelle ils sont installés, les obsède. Ils se protègent et c'est leur droit le plus strict. Malheureusement, ils font obstacle à l'évolution de la pensée, à l'évolution spirituelle de l'individu et, dans un domaine qui me touche plus particulièrement, à l'évolution de la médecine.

Ce premier séjour ne me permet pas de conclure d'une façon définitive sur la qualité du phénomène observé, mais j'affirme qu'il existe réellement et qu'il apparaît comme le support d'un phénomène thérapeutique. Je peux l'observer, le mesurer, le qualifier grâce à un procédé qui dérive de l'enseignement du Dr Paul Nogier, de Lyon — encore que ce dernier se défende de toute participation au mouvement ésotérique. Le procédé des guérisseurs philippins met en jeu un processus énergétique, au sens acupunctural du terme. Il est encore trop tôt pour dévoiler au lecteur les idées que j'avance quant à l'origine du phénomène et à son point d'action. En suivant le récit des étapes qui marquent mon évolution, il pourra, tout comme moi, formuler des hypothèses et porter des conclusions.

Ces guérisseurs n'obtiennent pas pour autant des rémissions systématiques. La maladie demeure un phénomène complexe, qu'ils ne peuvent totalement maîtriser, dont ils ne détiennent qu'une des clés. Leurs possibilités me subjuguent en tout cas, et je reste rêveuse devant Rudy, par exemple, capable d'explorer un abdomen en quelques instants et de conclure à l'existence ou non d'un état pathologique. Je me surprends à rêver sur les économies que réaliserait notre Sécurité sociale.

Autre point à relever : la spécificité de chacun d'entre eux vis-à-vis d'une manifestation psi : Blanche incise à distance, Joséphine travaille le coton, etc. On peut imaginer le parti que

53

l'on pourrait tirer de ces diverses spécificités en recherche médicale et en thérapeutique.

Je me prends à rêver oui... que nous sommes devenus capables de nous libérer de l'éducation, de penser, de sentir tels qu'en nous-mêmes nous existons.

Car en notre siècle dit de progrès, nous avons peur du sorcier ou du guérisseur, nous le nions ou le ridiculisons sans même oser vraiment l'approcher.

LIVRE II

1. RETOUR A PARIS

Une chape de plomb tombe sur mes épaules. Aucun sourire sur les visages. Les conversations, les échanges humains me semblent pauvres, d'une banalité désespérante, les êtres que je rencontre à quelques exceptions près se révèlent négatifs, dénués d'âme et d'affectivité réelle. Le bonheur d'être n'a plus cours dans ce pays ! Les journaux et la télévision nous accablent de drames et de mauvaises nouvelles ; un sadisme destructeur inspire les informateurs. Un monde matérialiste sombre dans la désolation.

Je vais à l'hôpital, en invitée, sans poste officiel. J'accompagne le patron dans les salles et j'assiste aux présentations de malades dans le grand amphithéâtre.

A l'issue de ce premier voyage, je constate que j'ai encore pris des distances vis-à-vis du milieu médical dont je suis issue. Je le sens différent de moi, j'ai subi un « lavage de cerveau », je suis désintoxiquée de la science officielle, j'écoute avec un esprit neuf et me sens capable de la juger comme le ferait un observateur averti des problèmes que l'on règle, mais qui n'appartiendrait plus à la famille.

Je découvre avec effroi que ce que l'on appelle pompeusement l'esprit scientifique (au nom duquel tout paraît permis) ressemble à s'y méprendre à une névrose obsessionnelle ; la finalité d'intention est déviée sans que ceux qui parlent ou écoutent en prennent conscience !

Je chemine en compagnie d'obsédés du diagnostic et de

la publication, qu'ils font au prix d'un nombre impressionnant d'examens de laboratoire et de bilans radiologiques. J'éprouve la nostalgie de la simple, de l'élégante technique d'exploration d'un abdomen comme l'a pratiquée Rudy sur moi ou devant moi ! Mes confrères se sont égarés sur le chemin de la spéculation intellectuelle, en oubliant que leur mission première est de soulager toujours, de guérir parfois, et de rendre la mort plus douce quand elle se présente. Les malades me semblent injustement agressés au profit de la documentation iconographique.

Parfois, une réelle joie m'emplit devant une belle observation : celle d'un malade guéri par une thérapeutique non agressive après un examen astucieux. La médecine de l'organique retrouve alors ses lettres de noblesse. Elle s'est arrogé tous les pouvoirs, mais elle prouve que, dans certaines situations, elle a sa raison d'être.

Pourtant, cette médecine achoppe régulièrement sur le fonctionnel. Par fonctionnel, nous entendons ce qui semble, certes, affecter le malade, mais qui ne peut actuellement être mis en évidence par le médecin : on mesure mal une fatigue, une douleur, un état d'âme perturbé. Seuls les signes pathognomoniques d'une maladie, dans les questions d'internat, sont tenus pour des signes objectifs. Le malade est alors un malade imaginaire. Peut-être un jour le prendra-t-on au sérieux quand, intoxiqué par une pharmacopée systématique et symptomatique, ou agressé par des examens complémentaires abusifs, celui-ci se verra cloué sur un lit d'hôpital.

Ainsi mon maître, Jean Lenègre, célèbre cardiologue, s'arrêtait parfois devant un malade, au cours de sa visite, et quand celui-ci se disait fatigué, il nous demandait : « Qu'est-ce que la fatigue ? » Nous devions répondre en chœur : « La fatigue, ça n'existe pas ! » C'était être objectif ! Depuis on a bien étudié les causes de la fatigue chez le cardiaque. Les réanimateurs ont montré en particulier le rôle d'une spoliation de potassium dans son apparition, au cours des traitements diurétiques.

Ainsi notre objectivité se trouve limitée par nos techniques d'exploration. Il existe donc un vide, un trou noir entre le malade et nous. Et là, seules les médecines différentes permettent d'y voir clair car elles font appel à l'énergie vitale et leur place se situe entre la médecine préventive, à laquelle elles se trouvent intimement liées, et la médecine de l'organique.

Si je tiens ce langage à mes confrères, on me regarde avec étonnement, scepticisme, voire pitié. On se déclare inquiet pour ma santé mentale. Je jette alors un regard en arrière pour faire le point.

Il n'est pas aisé de vivre en marge, les repères manquent à chaque instant. Je n'ai pour témoin, pouvant servir de système de référence, que mon vécu. Il me rassure. Sans doute, la vigilante amie, Monique Alie, qui a parcouru ces notes que je ramène des Philippines voit-elle juste : il faut comprendre et admettre ma pensée, suivre mon évolution et assister à ma mutation. Me voici donc contrainte de parler de moi à mon grand regret.

Mon enfance fut marquée par le goût de la lecture que cultive ma mère, celui du sport qu'encourage mon père, l'amour de la danse et de la musique. Ma plus grande joie est d'aller à l'Opéra, José Luccioni est mon idole.

Je commence des études modernes pour devenir professeur d'éducation physique (un vrai métier, celui-là, me dit-on alors que je souhaite devenir danseuse classique).

Fantaisiste, adorant jouer, quelque peu freinée dans mes études par les précautions dont on m'entoure à cause d'une prématurité, rien ne me destine à devenir une intellectuelle.

La guerre et la mort de ma grand-mère, avec laquelle je vis, me mûrissent brutalement. Je prépare le baccalauréat moderne dans une école religieuse pour entrer à Joinville et passe cette année-là mes vacances à Saint-Brieuc. Au hasard de mes promenades, dans le quartier des librairies scolaires, un livre, en vitrine, attire mon attention et me fascine. C'est *l'Introduction à l'étude de la médecine expérimentale* de Claude Bernard. Je souhaite l'acheter, m'en défends, pénètre néanmoins dans la boutique... Mais prise alors d'une soudaine panique, je demande mon chemin.

Pourtant, je continue à désirer très fort ce livre, que je n'ai pas même osé feuilleter. Je me souviens d'avoir appris, l'année précédente, ce qu'est l'introspection... Je réfléchis : Pourquoi ce livre ? Pourquoi tant y penser ? Et à mon retour de vacances, j'annonce que je serai médecin. Eventualité très mal reçue. Je lutte un an pour obtenir l'autorisation de préparer le PCB, première étape des études de médecine. Bien plus tard, je retrouverai la pensée de Claude Bernard sur mon chemin.

En souvenir de mes velléités passées, je me contenterai de suivre des cours de médecine aéronautique, et décrocherai un diplôme de médecine sportive !

Ainsi commencent des études qui se déroulent sans événements particuliers (sinon mariage et maternité), et je choisis la spécialité d'anesthésiste-réanimateur, parce que c'est un métier neuf. Mais je suis externe des hôpitaux et le cadre des externes anesthésistes n'existe pas encore. Je fais déjà partie des inclassables et le resterai, je crois, jusqu'à la fin de mes jours. A l'hôpital Foch, je cumule deux fonctions : externe le matin, anesthésiste stagiaire l'après-midi. Mais tout se complique ailleurs, les hôpitaux à temps plein sont encore l'exception. Je termine enfin mon certificat de spécialité et veux travailler plus avant la réanimation. Mais on ne prodigue pas encore son enseignement ; je rencontre quelques réanimateurs qui assument individuellement des suites opératoires délicates. Ils m'expliquent que « le métier s'apprend à la dure école de la vie et de la mort ». Ils ont raison. Je trouve un biais en devenant externe au Centre régional de transfusion de Saint-Antoine. J'y aborde la réanimation en apprenant les problèmes de la transfusion, et décroche mon diplôme de chef de centre.

Un merveilleux patron, Robert André, en est le directeur. Il insiste, au cours de son enseignement, sur la nécessité de douter des examens de laboratoire. Ils doivent, pour être crédibles, être faits par un personnel hautement spécialisé. Il répète inlassablement cette vérité première : « Si un examen de laboratoire ne s'accorde pas avec la clinique, croyez la clinique. »

Je n'avais pas appris cela. On m'avait enseigné la médecine comme un dogme qui excluait le doute et l'écoute attentive du malade.

Un jour, Robert André donne sa consultation. Entre dans la salle un homme en blouse blanche à l'air bourru.

— J'ai formé un réanimateur qui me quitte pour un service de chirurgie infantile. Connaissez-vous quelqu'un pour lui succéder ?

D'un grand geste le patron me désigne. Je devine qu'il s'agit d'un chirurgien, je ne lui trouve pas l'air très avenant. Il m'accepte sur-le-champ. Il me paraît difficile de refuser cette invitation après avoir si souvent dit au patron que je voulais apprendre la réanimation.

Je quitte avec tristesse le Centre dont le directeur se montre si bon, intelligent et ouvert. Et passe dans le service voisin.

On y vit sous le signe de la terreur. Les colères du chirurgien sont redoutables. Il fait parfois un effort pour se maîtriser sans y parvenir. Je me convaincs qu'il s'agit d'une brève période à assumer ; l'expérience me prouvera le contraire car nombre de chirurgiens sont difficiles à vivre. J'apprends à interpréter un bilan électrolytique : le laboratoire ici règne en maître, l'examen clinique s'avère inexistant ; suivant le chiffre annoncé, on ajoute aux perfusions du chlorure de sodium, du potassium, etc., afin d'assurer au patient des constantes sanguines idéales.

Je regarde, très intéressée, mais sceptique. Faut-il vraiment maintenir à tout prix des constantes sanguines parfaites ? On meurt beaucoup ici pour mon goût. Bien qu'inexpérimentée, il me semble qu'on simplifie trop : l'essentiel est que le patient présente de bonnes constantes, alors il peut mourir sans que l'on s'interroge ! Et personne ne prend la peine de m'expliquer les causes du décès. (Après cet externat, il me faudra donc apprendre les lois qui règlent les échanges à l'intérieur du corps d'une façon plus subtile !) Le matin, je passe le plus clair de mon temps en salle d'opération. Le chef du service d'anesthésie ne vient pratiquement jamais, aussi les stagiaires se font-ils rares. On ne se presse pas pour venir dans un service aussi peu sympathique. Je m'y ennuie et songe à le quitter, quand survient un nouvel assistant — sourire moqueur, appareil photographique en bandoulière — qui s'intéresse, dit-il, à ce que les autres fuient : escarres et brûlures.

C'est le célèbre Raymond Vilain, le meilleur animateur des salles de garde. Son humour arrive à point nommé : les sourires fleurissent en salle d'opération et dans les couloirs du service dès qu'il paraît.

Il me demande qui je suis. « Quelqu'un qui s'ennuie, qui voulait apprendre la réanimation, mais que l'on contraint à pratiquer l'anesthésie, qui veut partir rejoindre le Centre de transfusion ou travailler en ville avec un autre chirurgien. »

— Ne partez pas, nous allons faire un travail passionnant.

Il me communique son enthousiasme, m'explique ce qu'il sait, me guide pas à pas au cours des premiers traitements des brûlés que nous pratiquons. Tout devient clair, efficace, bénéfique. Il décrit à l'avance le déroulement de l'intervention, situe les temps, avertit des risques, prévient de la conduite à tenir. Sa règle est la suivante : « Prévenir les accidents, pour éviter de les traiter. » Je suis armée de multiples recommandations avant chaque combat, et l'aventure commence.

Très tôt le matin, je prélève du sang frais chez les donneurs. Puis, je pratique l'induction de l'anesthésie et Raymond Vilain enfonce un gros trocart dans le sternum, ce qui donne un accès pour une transfusion rapide et résout le problème de l'inaccessibilité des veines du brûlé ; un dynamique externe nous aide (il sera hélas tué en Algérie) et assure le remplacement des flacons de sang, qui se succèdent rapidement. Nous sommes à l'époque des premières excisions-greffes ; avec un long bistouri, Vilain pratique l'ablation des zones mortes et atteint la chair qui vit, le sang s'écoule des plaies opératoires, envahit les champs, coule à terre. Nous transfusons pour maintenir une masse sanguine constante.

Puis il prélève des lambeaux de peau en zone saine et les dépose, en fines lamelles sur la région rendue vivante par l'excision et recouvre le tout de pansements.

Mais, les jours suivants, nous devons faire face à la suppuration qui s'installe. Pour la réduire, nous pratiquons une nouvelle méthode : nous récupérons une antique baignoire et la transportons pour l'occasion dans la chambre du grand brûlé, nous le plongeons dans l'eau, légèrement endormi par mes soins, pour le nettoyer de toute cette pourriture qui empeste et dans laquelle on retrouve des vers.

Le nettoyage le fait saigner, l'eau se trouble de pus et de sang. Le spectacle est horrible. Nous profitons de cette légère anesthésie pour effectuer une transfusion par voie sternale. Puis je réveille le malade couvert de pansements secs, neufs, propres, inodores.

Ces séances sont dignes de films d'épouvante. Je suis bien jeune pour supporter cela. J'ai peur d'être incapable d'introduire le laryngoscope par ces bouches étroites, déformées par les brides et les rétractions, peur de ne pouvoir exposer la glotte et l'éclairer, peur de ne pouvoir glisser la sonde d'intubation dans la trachée pour assurer la liberté des voies respiratoires. J'ai peur de ces corps que l'on ne sait par où aborder pour poser un appareil à tension, de ce sang qui coule et que je dois remplacer poids pour poids, dans un synchronisme parfait, sans compter sur la pesée des champs trop lente pour m'orienter. Bref, j'ai peur de ces corps suppurants, nauséabonds, peur de ne savoir sourire au malade avant de l'endormir et de ne pouvoir réprimer le mouvement de recul, le réflexe de vomissement en l'approchant (tant les odeurs sont effroyables), peur d'être la cause d'une mort par manque de vigilance ou maladresse.

Dans ce service hostile, où de « bonnes âmes » attendent que survienne la catastrophe, conclusion logique de nos techniques révolutionnaires, j'étouffe. Les nuits précédant les interventions, l'angoisse me dévore. Dès le petit jour, debout à la fenêtre, j'attends le moment de commencer la lutte. Dans l'action, tout va mieux. Vilain me rassure, nous formons équipe, et nous soutenons l'épreuve. Nous n'aurons pas d'accident, simplement quelques incidents. Il est alors merveilleux, et ne rejette pas l'erreur sur l'instrumentiste, l'anesthésiste, la panseuse, l'externe, le garçon qui passe, comme le font couramment bien des chirurgiens. *A posteriori*, il refait l'histoire de l'intervention, analyse les éléments du problème, découvre la faute, étudie la façon de l'éviter. Notre plan d'action s'en trouve amélioré pour la prochaine opération.

Il m'apprend les grands principes de la recherche médicale objective, honnête, documentée, vécue. Il me montre comment chaque erreur doit être utilisée pour progresser. Je commence à acquérir cette technique prévisionnelle, si précieuse à l'anesthésiste, au réanimateur et qui consiste à prendre les mesures propres à traiter les complications avant qu'elles n'apparaissent, élément capital de la sécurité opératoire pour minimiser les plus graves accidents.

Le patron continue d'être furieux contre tout. Furieux que je lui préfère son assistant et ne travaille pas avec lui, furieux de voir les graphiques affichés aux lits des malades. Pourtant, j'en tirerai une règle thérapeutique à laquelle Vilain donnera mon nom car je mets en évidence le fait suivant : dans nos conditions de travail, plus vite le malade tend à constituer une anémie, et plus le pronostic de la cicatrisation est favorable, car c'est le signe qu'il mobilise les protéines de son sang, ou du sang qu'on lui transfuse, pour assurer en priorité sa cicatrisation.

Il reste évidemment à faire face à l'anémie par une surveillance rigoureuse, prolongée, accompagnée de transfusions et d'une diététique appropriée.

En 1954, je m'inscris au cours supérieur d'anesthésie : une série de cours complétés par un exposé fait par chaque élève dans un service spécialisé. Je choisis un sujet de réanimation : le métabolisme de l'eau. Ce qui m'amène dans le service du Pr de Gaudart d'Allaines, service célèbre pour la qualité de la chirurgie digestive que l'on y pratique et pour la chirurgie cardiaque que le patron a introduite en France. Je me souviens de ce matin ensoleillé qui comptera dans ma vie : je suis émue à l'idée de parler devant Jean Le Brigand, de grande renommée.

Il est retenu ce matin-là en ville et l'anesthésiste nous répartit dans les salles d'opération. Je me vois désignée pour la salle 1, dans laquelle opère Jean Vaysse. Je pose quelques questions à l'anesthésiste. Elle répond à voix basse. Le thorax du malade est ouvert, les côtes écartées, au milieu du champ opératoire, le cœur bat !

Je la vois prendre la tension artérielle, injecter quelques drogues, surveiller la transfusion pendant que son élève ventile le malade en appuyant sur le ballon empli de gaz. Elle le saisit, insuffle elle-même l'oxygène dans les poumons, puis le rend à l'élève, et dans un sourire, à mi-voix, me dit : « Ainsi vous aurez vu beaucoup de choses aujourd'hui, même un arrêt cardiaque. » Je ne m'étais aperçue de rien ! Pas un instant, le chirurgien, l'anesthésiste ou la panseuse ne changèrent le rythme de leurs gestes. Je demeure confondue. Je découvre « la classe » d'un service où chacun reste maître de soi.

Je fais à cette époque des vacations dans deux autres hôpitaux. Les équipes y sont excellentes et sympathiques, mais il ne se dégage pas de la salle d'opération la sérénité qui règne ici, où les risques opératoires atteignent pourtant le summum. J'ai l'impression que je ne serai jamais capable d'atteindre cette paix.

Puis, Jean Le Brigand vient à nous. Dans la salle de conférence je lis mon texte. Il le commente, le complète, puis, me prenant à part, me propose de travailler, ici, avec lui. Je ne sais que répondre. Il m'emmène jusqu'au bureau du patron dont j'admire le calme, l'élégance, et la façon amicale de m'accueillir. Je suis acceptée sur-le-champ, sans avoir le temps de comprendre ce qui m'arrive. J'éprouve la sensation qu'une grande porte s'ouvre à deux battants sur la lumière.

Quand j'abandonne l'ancien service le patron, bon prince, me propose de publier avec lui mon travail, car mon jeune âge et l'absence de « nom » en gêneraient la diffusion. Vilain me déconseille d'en passer par là.

(L'âme de ce chirurgien chef de service qui me fait cette proposition est moins noire que celle d'une de mes patronnes qui, plus tard, comblée de titres, et tout près de la retraite, garde dans ses tiroirs mes précieux travaux, « pour les mettre à l'abri de toute indiscrétion », me téléphone fréquemment le soir très affectueusement, me fait parler, et les publie sans m'en avertir, sous son seul nom. Ce travail est à l'origine d'un congrès international à Paris, où je n'aurai pas la parole, où je ne serai même pas citée.)

Ainsi malgré l'éventualité de la création d'un service spécialisé dans le traitement des brûlés, Vilain et moi nous séparons.

Mais l'expérience a été profitable. La pratique quotidienne, au chevet du malade, l'observation des lois qui président au maintien de la vie m'ont formée. Prise par l'action, j'ai oublié les livres. Quand je les ouvre, un peu plus tard, je m'aperçois que mes opinions et ma pratique divergent de l'enseignement. Pourtant, mon travail, près de Vilain, s'est révélé efficace ! Je commence à douter. La vérité ne se trouve peut-être pas dans les manuels, mais dans l'observation vigilante et quotidienne des phénomènes. Je m'aventure timidement sur la voie de la critique : ceux qui écrivent sont peut-être confinés dans leur bureau, ils n'ont pas eu le temps d'observer comment vit et meurt un malade, ils donnent leurs leçons en relatant ce que d'autres écrivent avant eux, à partir de cas cliniques insuffisamment suivis. Sans doute faut-il passer des jours et des nuits près d'un malade pour le bien connaître. Qu'importe, me voici armée pour prendre des responsabilités !

J'ai pris conscience de la nécessité de mener l'aventure opératoire, dans les cas difficiles, comme un marathon ou un sport de combat ! de disposer d'une bonne résistance psychique et de demeurer là, du début jusqu'à la fin de l'intervention. Cela exige une santé de fer, une disponibilité totale. J'ignore encore que l'on ne peut indéfiniment se battre de la sorte. Il faut cependant admettre que la vie hospitalière intensive est la meilleure école ; la confrontation quotidienne du jeune médecin avec les cas graves constitue l'épreuve du feu indispensable à la bonne initiation du thérapeute.

Je quitte mes brûlés avec nostalgie, Vilain avec reconnaissance, et le patron sans rancune. Je vais vivre « la grande aventure du cœur ».

Chez Gaudart d'Allaines, Jean Le Brigand nous apprend à considérer avec bon sens le malade. Je dois observer, examiner, imaginer. Il faut bien connaître la physiologie, c'est-à-dire le mode de fonctionnement du corps humain dans les conditions normales de la vie, et la façon dont il se défend face à l'agression.

Il faut aussi connaître la physiopathologie des affections cardiaques, c'est-à-dire les anomalies de fonctionnement du système cardio-vasculaire, puis la façon dont l'organisme s'adapte à la situation nouvelle, créée par l'intervention.

Il y a là tout un jeu de masse sanguine, de sang artériel, de sang veineux, de tonus vasculaire et pulmonaire. Si la physiologie et la physiopathologie de la maladie initiale sont dans la plupart des cas déjà bien décrites par les cardiologues, la créativité du réanimateur va devoir intervenir, pour prévoir les parades aux complications postopératoires. Mis sans cesse devant des situations nouvelles (les techniques évoluent très vite et des maladies cardiaques de plus en plus complexes sont opérées), il faut immédiatement s'adapter.

Le personnel, discrètement, m'assiste. Là, j'ai probablement rencontré les meilleures infirmières, les meilleures filles de salle et en salle d'opération, les meilleures panseuses. Ce personnel m'initie à la façon d'être du service, je me fonds dans ce moule extraordinaire. La maison vit comme une fourmilière laborieuse, chacun communique à l'autre son savoir. On part huit jours en vacances et l'on s'aperçoit au retour que l'on a pris un retard considérable ; la recherche devient intense, le progrès permanent.

Je ne veux pas participer aux anesthésies, je sais trop où cela me mènera : à combler le manque permanent d'anesthésistes dans les hôpitaux.

L'effort accompli pour prolonger mes études ne profitera-t-il qu'à l'Assistance publique ? Je résiste avec entêtement aux sollicitations.

Pourtant le jour arrive où j'aimerais comprendre pourquoi certains malades ne sont pas éveillés en quittant la salle d'opération. S'agit-il d'un coma ou d'un simple retard de réveil ? Seule l'électro-encéphalographie peut répondre.

Je sacrifie mes heures de liberté à l'étude de cette technique. Puis me voici un jour en salle d'opération, munie d'un gros appareil et d'électrodes qui, pour la circonstance, sont réduites à la dimension d'aiguilles courtes qu'il me faut placer dans le cuir chevelu afin de détecter les courants émanant du cerveau. Je suis encombrante... on me le dit en souriant, le patron plaisante gentiment en me voyant poser mes « banderilles ».

J'obtiens des dizaines de mètres de tracés à interpréter. L'aide d'un médecin électro-encéphalographiste m'est précieuse. Le dimanche, nous travaillons chez elle. Mais nous ne tombons pas d'accord sur un point capital : elle prétend reconnaître des artefacts là où je vois des signes de souffrance cérébrale peroperatoire ; elle nie la réalité des images lentes qui coïncident avec les instants de brève interruption circulatoire en relation avec l'acte chirurgical. Elle m'apprend que ces images n'ont jamais été identifiées. Faisant fi de la théorie, je donne la priorité aux réalités : j'assiste à l'anesthésie, à l'acte chirurgical, j'en note les phases et remarque les coïncidences évidentes entre les phases opératoires et l'apparition de ces ondes.

Il s'agit, je l'affirme, de signes contemporains de l'apparition d'une souffrance cérébrale d'origine anoxique et non d'artefacts ! Mon amie demeure sceptique. Je contrôle de plus en plus le travail de l'anesthésiste afin de cerner les temps opératoires. Un jour, je me retrouve seule, pratiquant la surveillance opératoire, assumant les fonctions d'électro-encéphalographiste, puis les soins postopératoires. Je suis le témoin permanent des réactions du malade aux différents stades de son aventure. Prise au piège de la salle d'opération, j'assume un nombre d'heures de présence exagéré. Mais j'arrive à prouver que ces images superposables, répétitives, surviennent bien aux stades aigus de l'acte opératoire. Ces ondes étranges ne sont pas des artefacts mais une qualité d'ondes que les circonstances habituelles ne permettent pas d'enregistrer. Une fois de plus, je constate que le vécu compte bien plus que la théorie des manuels. A partir de ces travaux, l'électro-encéphalographie se généralise en chirurgie cardiaque et devient un examen systématique.

On a pris l'habitude de me voir en salle d'opération. On m'y admet d'autant plus facilement que l'on a vite compris que ma curieuse fantaisie pouvait être une source de publications pour le service. En outre, je comble un manque perpétuel de médecins anesthésistes. Aussi, un matin, Jean Vaysse me téléphone-t-il pour me demander de remplacer son anesthésiste personnelle souffrante. Je refuse net, je ne m'intéresse qu'à la réanimation, et je reprends mon travail de réanimateur. Jean Le Brigand disparaît progressivement de l'hôpital, il rédige son livre sur la réanimation, et, dès qu'il m'a communiqué l'essentiel de son savoir, me transmet ses pouvoirs.

Je collabore un peu plus avec le cardiologue du service. A son contact, je m'intéresse véritablement à la cardiologie. Si je compare son savoir au mien, il devient évident que pour tenter d'approcher de son niveau de connaissances, je dois préparer le certificat de cardiologie.

Si j'initie le Dr Ricordeau à la réanimation, je lui dois en retour d'être familiarisée avec les problèmes de la coagulation chez le cardiaque opéré, et tout particulièrement avec la prévention des embolies chez l'arythmique.

Nous établissons les prescriptions postopératoires dans une parfaite entente. Nous réussissons une collaboration efficace et sans nuage pendant plusieurs années, malgré nos personnalités respectives et nos caractères très affirmés. A cela, je ne vois qu'une explication : la recherche commune de la vérité médicale et le souci de l'intérêt du malade.

L'anesthésiste de Jean Vaysse, surmenée, est souffrante. J'accepte enfin de la remplacer, car mon mari est militaire en Algérie et je me vois privée de son salaire d'interne provisoire. Aux activités de réanimateur s'ajoute donc un travail régulier d'anesthésiste d'hôpital et de ville. J'abandonne mes autres attaches. Il faut quitter l'hôpital des Enfants-Malades où j'ai été externe et anesthésiste et fait ma thèse.

L'inflexible patronne, le Pr Louise Delègue, nous y a inculqué le respect du malade, exigeant que nous terminions toute anesthésie commencée sans jamais nous en décharger ; nous ne devions quitter l'enfant que lorsque celui-ci était ramené dans son lit et réveillé. Elle nous a appris que l'anesthésie et la réanimation se succèdent et se confondent ; il nous est possible, mieux qu'à quiconque, de sentir l'état du malade que l'on a eu plusieurs heures en main pendant l'opération.

L'enfant, le nouveau-né *a fortiori*, est fragile. La moindre hémorragie spolie sa masse sanguine et ses réflexes vasomoteurs sont encore mal accordés. Aussi nous a-t-elle mené la vie dure. Mais tous ses élèves sont marqués par ses principes, le sérieux de l'acte demeure à jamais enseigné, ainsi que l'oubli de soi face aux responsabilités.

J'ai dû aussi quitter le service du Pr Dubois-Poulsen aux Quinze-Vingts. Je travaille donc maintenant avec Jean Vaysse, directeur du Centre de recherches Claude-Bernard, le cercle est bouclé. Claude Bernard reparaît quand ma situation médicale s'établit vraiment.

Nous travaillons jour et nuit. Un volume ne suffirait pas à décrire ma vie à cette époque. Nous pratiquons la chirurgie de l'hypertension. La règle veut que l'on soit parcimonieux en matière de transfusion chez ces patients. J'affirme au contraire qu'il faut compenser strictement les pertes au début de l'intervention et la surcompenser l'intervention terminée, car le système sympathique a été altéré et la vaso-dilatation de certains territoires entraîne des morts par vasoplégie.

C'est l'époque des premières greffes vasculaires sur de gros vaisseaux et voilà que blanchit l'aube de la chirurgie à cœur ouvert. Pour gagner quelques minutes d'arrêt circulatoire, nécessité s'impose de réfrigérer le patient ; le refroidissement électif d'un organe n'est pas encore au point et de plus l'organe à protéger avant tout est le cerveau ; aussi plonge-t-on le malade dans une baignoire d'eau froide, à laquelle des glaçons sont ajoutés pour abaisser la température. Refroidis, les tissus consomment moins d'oxygène et l'arrêt circulatoire provoqué et contrôlé devient possible.

Bientôt nous expérimentons le cœur-poumon artificiel de Thomas. Il doit nous permettre théoriquement d'interrompre sans risque la circulation ; la pompe cardiaque artificielle est supposée en assumer les fonctions. L'expérimentation animale semble prometteuse ; nous faisons une répétition générale en salle d'opération sur un animal avant de travailler sur un malade pour coordonner nos gestes, car nous sommes dix-huit. L'équipe semble au point mais pas l'appareil ! J'assume l'anesthésie de jour et les suites opératoires houleuses de nuit. Quand les vacances arrivent, je m'écroule sur une chaise longue tant je me sens fatiguée et n'en bouge guère ; ce travail m'a épuisée.

Puis c'est la série des drames hémorragiques survenant au cours des grosses interventions trop longtemps prolongées. Tout à coup, le saignement augmente, toute la plaie opératoire suinte, on accélère la transfusion, mais l'hémorragie s'amplifie et c'est la course de vitesse pour compenser les pertes, et obtenir le sang nécessaire à travers Paris. L'hémorragie ne s'arrêtera jamais car si le caillot se constitue, il se dissout presque aussitôt et infailliblement le malade meurt. Après des heures de travail pour réparer la malformation et l'améliorer, la mort survient, inexorable. J'essaie en vain d'intéresser le transfuseur de l'hôpital à ce problème. Je prends rendez-vous avec mon maître, Robert André, qui m'envoie un spécialiste pour m'aider à reconnaître ce syndrome. Le Dr Vergoz met en évidence, sur nos malades, le syndrome fibrinolytique, déjà identifié par les Américains.

Si j'éprouve pendant ces drames un sentiment d'impuissance absolue, je sais maintenant garder mon calme. La maîtrise du chirurgien, sa sérénité m'aident à conserver mes moyens pour réfléchir et agir. Les connaissances acquises en cardiologie

69

sont précieuses. J'assume mes fonctions en toute confiance dans ce merveilleux service.

Je reste pourtant vulnérable à la mort de mes patients. Cette époque, qui voit se préciser les indications opératoires et les limites de la tolérance du cœur et du cerveau, est lourde de décès. Quand la catastrophe s'annonce, j'ai la sensation de me trouver dans un avion en chute libre. Nous nous retrouvons au sol, vivants, mais choqués, le malade, lui, est mort. Il faut savoir nous remettre de l'épreuve pour oser recommencer et revivre cette menace de mort avec celui auquel nous sommes liés et qui dort. Il faut savoir mourir plusieurs fois dans une semaine ! Quand il s'agit d'un enfant, ma réaction atteint les limites du tolérable. Je pense aux miens, et je pleure en débarrassant le petit corps des sondes, trocarts, électrodes qui l'encombrent. Bientôt je ne vais plus dans le service d'enfants, je ne veux ni les connaître ni jouer avec eux en passant faire la visite. Je me contente de voir les dossiers. Mes études de cardiologie me permettent de centrer l'intérêt sur « le cas » et non plus sur l'enfant. Je me protège ainsi, et commence l'anesthésie raidie contre tout attendrissement. L'important réside dans l'efficacité. Il ne convient ni de s'apitoyer ni de perdre son sang-froid.

Sans doute puis-je faire ici le point sur la difficile profession de médecin anesthésiste dont personne ne parle sauf à l'occasion d'un accident qui l'accable. La chirurgie et la médecine doivent nombre de leurs progrès à cette discipline. La vulgarisation de l'intubation, de la respiration artificielle, le maintien de l'équilibre hydro-électrolytique, la réanimation parentérale, toutes les thérapeutiques qui assurent la survie pendant le temps d'une crise dérivent de cette spécialité qui fut longtemps à l'avant-garde des progrès médicaux. Grâce au médecin anesthésiste, les hôpitaux de Paris et de province ont vu non seulement un matériel et des techniques s'implanter, mais aussi une nouvelle façon de penser et de considérer la maladie. Auparavant, la médecine vivait sur des idées figées. Notre travail a contribué à ouvrir des horizons, à dynamiser les techniques médicales contemplatives et descriptives. Entre autres exemples, je choisirai une observation faite alors que déjà anesthésiste et réanimateur, j'étudiais la cardiologie. Il existait un syndrome décrit sous le terme « d'œdème résistant aux diurétiques » et aux tonicardiaques, c'était une entité reconnue. Durant une visite, on nous le décrit, j'observe la malade, très pâle qui semble anéantie, elle repousse son assiette sans même y toucher. Tandis que mes collègues s'éloignent vers le lit suivant, je m'approche d'elle pour l'encourager à s'alimenter. Elle n'a pas faim. J'évoque mes brûlés. Je sais que lorsqu'ils étaient anémiés et que leur équilibre protidique était perturbé, ils ne voulaient plus se nourrir et entraient dans un cercle vicieux que seul compensait la transfusion. J'en parle au Dr Coblentz, responsable de la chambre, homme bon, ouvert, auquel je peux m'adresser en toute confiance. Nous regardons le dossier. « La numération n'est pas si basse », dit-il. J'évoquai l'hémoconcentration, la diminution de la masse sanguine pour expliquer cela. « Le taux de protides se révèle satisfaisant ! » ajoute-t-il. Je suggère pourtant un examen simple : le rapport albumine/globuline. Un taux de protides normal ne signifie rien en soi, car la baisse des albumines peut être compensée par une augmentation du taux des globulines et leur addition donne un taux global de protides normal.

Quand on sait que chez le cardiaque le taux d'albumine est prioritaire puisqu'il commande la pression oncotique qui a le pouvoir de ramener l'eau des tissus au sein des vaisseaux sanguins, on comprend son importance chez un malade porteur d'œdèmes.

L'examen de laboratoire montre que je ne me trompais pas. Il existait une diminution des albumines compensée par une augmentation des globulines. Je propose d'alterner pendant quelques jours une perfusion de sang puis d'albumine concentrée et les œdèmes fondent comme le syndrome qui n'était qu'une fable.

A cette époque, plus que maintenant, il ne faisait pas bon pour un élève de voir juste. Je suis redevable au Dr Coblentz qui osa se montrer mon meilleur défenseur le jour de l'oral du certificat de spécialité en cardiologie, passage difficile, spécialement pour les femmes, qui s'en voyaient pratiquement exclues.

Aujourd'hui, dans ma nouvelle quête de la vérité, j'ai besoin, pour résister aux agressions, de me souvenir de ce jour, où je « transfusais » un cardiaque dans un des plus grands services parisiens, où la toute jeune femme que j'étais redressait une erreur admise par toute une génération de distingués cardiologues. Cela représentait une révolution. Et si aujourd'hui, j'avais encore une fois raison !

Quand on me dit : « Si les guérisseurs c'était vrai, les

Américains l'auraient démontré », alors je me souviens de cette visite que je rendis au Pr Cara pour qu'il me permette, par une astuce, de mesurer la consommation d'oxygène du malade sous respirateur artificiel, et plus particulièrement des malades soumis au cœur-poumon artificiel. Je soupçonnais la circulation collatérale de certaines maladies congénitales d'être encore fonctionnelle par les anastomoses et de permettre un léger apport d'oxygène par l'assistance ventilatoire en cas d'incident de pompe. Nous fîmes un travail qui fut publié à la Société d'anesthésie. Deux ans plus tard, un élève du Pr Cara, parti en Amérique, terre des recherches avancées, vit mettre à son programme de travail ce que nous avions découvert depuis longtemps. Il m'écrivit pour se faire expédier nos articles.

J'ai eu besoin de reprendre confiance en bien des circonstances, car ce qui paraîtra bientôt une évidence criante, peut sembler encore délirant. J'évoque ces souvenirs qui sont autant de jalons posés sur le chemin de mon apprentissage. Non pour convaincre, j'ai rapidement compris que ce serait peine perdue, mais pour me permettre d'accomplir mes propres révolutions intérieures successives et de modifier mes conceptions préétablies en n'écoutant que mon intuition.

Mon travail à Broussais se double d'incursions à l'extérieur chez le Pr Jean Hamburger. Jean Vaysse pratique des greffes de rein sur ses malades. L'expérimentation sur l'animal a cours depuis plusieurs années, mais on veut en venir à la greffe prélevée sur un donneur. Notre équipe alors se joint à l'équipe Hamburger. J'endors et réfrigère les donneurs, pour Jean Auvert (son anesthésiste n'était pas habituée à cette pratique) ; deux anesthésistes de Broussais endorment les receveurs pour Jean Vaysse qui réalise la greffe. Le froid protège les cellules rénales du donneur pendant le temps nécessaire à l'extraction et à la greffe sur le receveur. Entre des mains entraînées, cette méthode ne présente pas de risque particulier (mais on préfère maintenant réaliser un refroidissement sélectif du rein).

Le résultat de la greffe dépend de la compatibilité entre donneur et receveur. Le premier succès sera obtenu avec des jumeaux, qui vivent encore. Mais je me souviens d'une opération une nuit de réveillon de premier de l'an et de ses suites ! Le téléphone sonne au petit matin ; c'est le Pr Hamburger qui me souhaite, le premier, une bonne année ! Je pense qu'il s'agit d'une mauvaise farce, car nous avons travaillé tard dans la nuit pour réaliser la greffe ! Mais non, Jean Vaysse lui a demandé de m'appeler car le malade urine plus qu'il ne faut. Il se déshydrate, il est en hyperglycémie. Quelqu'un, étonné par mes prescriptions postopératoires, ne les a pas suivies et entre autres choses, a diminué la quantité d'insuline de la perfusion. Le malade déjà urémique est de plus devenu diabétique. La pression osmotique est considérable et le fait émettre une quantité impressionnante d'urine. Fort heureusement, la délicatesse opératoire de Vaysse permet au transit digestif de se rétablir très vite. On donne à boire de l'eau pure et tout s'arrange !

Tout cela est actuellement simplifié car le rein artificiel préopératoire permet d'opérer le patient en équilibre hydro-électrolytique. N'oublions pas ce que l'on doit à la chirurgie et aux anesthésistes.

Mais déjà se profile ma future aventure.

Le directeur du Centre de recherches Claude-Bernard n'est pas seulement un grand chirurgien, prodigieusement habile, mais aussi un disciple de Gurdjieff. Il rêve de m'associer à son travail. (Je baignais dans le paranormal depuis mon plus jeune âge, ma grand-mère m'annonçait le matin les événements de la journée, et la conscience qu'il était impossible d'en parler en dehors de la maison déjà m'habitait ; intuitivement, j'avais perçu la notion d'interdit et restais muette sur la vie mystérieuse que ma grand-mère partageait avec moi.) A Broussais, on n'ignore pas que les forces inconnues intéressent Vaysse. On sait que la voie des concours lui est barrée pour cette raison. On en parle à mots couverts. On m'en prévient par des paroles ambiguës. On prétend que ceux qui touchent à ce monde risquent de tomber dans la déchéance ou de sombrer dans la folie. Ces mystères m'effraient, car je découvre à mon corps défendant qu'ils ne sont pas aussi anodins que le monde de la voyance dans lequel m'avait fait vivre ma grand-mère. Ce monde-là recèle des forces, des pouvoirs, dont je fais parfois les frais. De temps en temps, Jean Vaysse me dit quelques paroles pleines de sous-entendus. Le temps et le courage me manquent pour m'informer davantage. Je suis fatiguée. Je prends des gardes au service « Porte » de Broussais, et passe mes nuits à réparer avec le chirurgien de garde les ventres lacérés par des coups de couteau entre Nord-Africains. S'y ajoutent les gardes de Cœurs-Ouverts, puis les appels nocturnes en ville des urgences de Vaysse. Je suis responsable d'un enfant, d'un appartement, d'un mari mobilisé en Algérie, dont le moral est défaillant. Cette médecine de pointe est trop prenante ! mes nuits de repos trop écourtées ! Malgré la présence continue de Jean Vaysse à mes côtés, je résiste à son emprise : mon temps libre est consacré à ma famille. Je suis émerveillée par ma petite fille qui grandit trop sans moi, et mes parents absorbent mes dimanches. Je leur dois bien cela. Oui, ma famille représente l'essentiel de ma vie. Le travail terminé, point de temps pour autre chose.

Puis j'attends un second enfant qui naîtra... à l'issue d'un cœur-ouvert ! Dans un livre écrit par Jean Eparvier, *La Grande Aventure du cœur*, on me devine, sur une photographie, alourdie par cette grossesse. Les nuits de garde me sont alors épargnées car des crédits se sont débloqués pour rétribuer mes successeurs, moins bénévoles de tempérament.

Cette seconde naissance va me faire prendre un peu plus conscience de l'attitude destructrice que Vaysse exerce sur moi par certains côtés. Je ne tolère plus ses éternels retards, qui me privent des joies de la maternité. Une heure de retard le matin m'empêche de donner le bain quotidien du bébé. Une heure de retard l'après-midi me prive de rentrer voir l'enfant entre deux séances opératoires.

S'il ne veut pas prendre en considération, pour prévoir ses horaires, ni ma vie personnelle ni ma santé, comment accepter de le suivre dans une direction nouvelle où je ne dispose d'aucun repère, d'aucune défense ?

Pourtant, je suis sensible à l'égalité d'humeur de cet homme, à son calme, à sa sérénité, à sa politesse exquise. Point n'est besoin de parler dans les moments difficiles, nous sentons, nous savons, nous agissons en symbiose parfaite, sans même avoir besoin d'échanger un regard.

Cette symbiose précisément m'inquiète quand il s'agit des phénomènes parapsychologiques qu'il provoque. Je pressens qu'il veut me diriger vers un monde qui m'est inconnu, dans lequel il sera le maître.

M'apportera-t-il quelque chose, ou bien m'exploitera-t-il encore un peu plus ? J'ai l'impression de ne plus exister en tant que moi. Je suis à la merci de mon chirurgien, de mes malades, de mes enfants auxquels je veux assurer le confort. Je me culpabilise à l'égard de mon mari qui n'est jamais satisfait d'aucune de mes actions. J'envie le sort du garçon de salle qui, à midi tapant, quoi qu'il arrive, ose déjeuner, qui, à 5 heures, ose rentrer chez lui. Parfois, je vois trois équipes se succéder et je suis toujours là, près du malade. Nul ne prend soin de moi, ne se soucie de ma santé, de mon bonheur ou de mes désirs. Ils me prennent tous pour un être indestructible. Que va-t-il se passer si je me laisse aller dans ce monde des sensations, des perceptions paranormales ? Que restera-t-il de moi ?

Jean Vaysse me crée encore un autre genre de difficultés : en contact avec les services de cardiologie, je reçois, en permanence, leurs doléances quant aux retards des comptes rendus opératoires ! Vaysse ne veut ou ne peut admettre l'importance que les cardiologues attachent à ce courrier. Pourtant, l'équipe médicale a besoin de confronter les données du compte rendu opératoire aux hypothèses précédant l'intervention. A partir de ce travail comparatif, elle saura établir un diagnostic préopératoire exact dans l'avenir et porter des indications thérapeutiques précises. C'est une chose à régler avant la sortie du malade. Je me trouve en situation difficile.

Cette absence de rigueur dans certains domaines, la certitude que Vaysse m'épuise physiquement sans le moindre scrupule me font douter de lui.

Trop souvent, je redoute ce que je sens ou perçois quand je suis seule chez moi. Je sais qu'il y est pour quelque chose. Je comprends la peur de ceux qui rejettent l'ésotérisme et ses pratiques. Je continue à vouloir tout ignorer, à ne pas lui poser de questions, à vivre comme si de rien n'était. J'imagine ainsi m'accrocher à ma seule planche de salut. Pourtant sa secrétaire me prête, de sa part, un livre sur Gurdjieff et m'engage à le lire. J'hésite mais obtempère et trouve une certaine explication des phénomènes vécus qui me rassure un peu.

Cet été-là, j'accepte de lui rendre visite alors qu'il passe ses vacances à quelques dizaines de kilomètres de chez moi. Il me propose une promenade en forêt et m'entretient alors plus clairement de ces problèmes. « Nous possédons plusieurs corps qu'il faut apprendre à faire vivre et ceux qui ne le comprennent pas mourront, telles des larves, pour n'avoir pas su les développer pendant leur vie. »

Je souris à ces propos, mais je réalise bientôt tout en marchant près de lui qu'il tente d'exercer sur ma personne une action magnétique. Je résiste.

En rentrant chez moi, une série de phénomènes, très difficiles à vivre, se manifeste. Je suis, sans le vouloir, entrée dans une expérience de « l'éveil » des corps contre laquelle je lutte.

Bien qu'en vacances, le sommeil me quitte, ainsi que l'appétit. Période atroce, pendant laquelle j'arborerai pour ma belle-famille (à laquelle j'accorde le plaisir d'être avec ses petits-enfants) un masque quotidien. L'enfer s'entrouvre, des manifestations paranormales, écriture automatique, voix, m'assaillent... Seule, dans l'impossibilité d'en parler, de me faire aider, ou rassurer par quelqu'un d'averti, je me sens « isolée » chez moi et cernée par des beaux-parents hostiles.

Je connais deux vies parallèles, l'une que mon entourage peut observer, et qui, je l'espère, paraît normale, car je me contrôle au maximum ; l'autre, solitaire, face à des forces inconnues, aux manifestations de l'invisible, que je ne veux pas accepter !

Mon mari me rejoint. J'essaie de lui expliquer que je vis quelque chose d'inquiétant, que Vaysse est en cause, que je souhaite voir un prêtre qui peut-être m'indiquera les moyens de dominer cette crise. Il me répond que celui du village n'y entendra rien, et trouve plus simple de me bourrer de neuroleptiques. Le corps terrassé par les médicaments, je suis enfermée dans ma chambre, maintenue dans l'obscurité. Mon esprit travaille toujours, conscient ou en rêve. Le soleil brille au-dehors. J'éprouve le désir de le retrouver, de toucher l'eau et le sable pour me rassurer au contact de réalités concrètes et fuir cet invisible qui occupe la totalité de mon champ de conscience. Je perds le contrôle de mes gestes et de mes paroles. Je le sais. J'en ai conscience, mais je ne puis rien maîtriser. C'est l'enfer !

Mon mari m'annonce qu'il va arracher le lierre qui court le long des murs du jardin. Cette phrase me sauve, j'y vois un symbole, en même temps qu'il arrachera ce lierre, il arrachera les forces obscures qui s'accrochent à moi. Je veux croire que cette opération de dégagement aboutira. J'essaie de faire le travail mental inverse de celui qui m'a amenée à cet état. Petit à petit, je me libère. Je me retrouve, simple mortelle, simple corps physique, avec les seules possibilités de voir et de sentir ce que perçoit le commun des mortels. Plus jamais je n'accepterai de voir Jean Vaysse en dehors des heures de travail.

Je rentre à Paris, en septembre, bouleversée. Je lui demande une brève entrevue à la clinique pour lui annoncer qu'il m'est arrivé « quelque chose ». Je doute, lui dis-je, que mon esprit soit assez vigilant pour assumer les responsabilités habituelles. Il me répond laconiquement : « Tout ira bien maintenant, vous avez gagné vingt ans dans votre évolution. » Ainsi j'ai la confirmation de ce que je soupçonnais. Il connaît mon vécu, il en est le responsable. Je me demande à quoi peut correspondre cette évolution dont il parle et me hâte de tout oublier en prenant mes distances. Je ne veux pas apprendre à manipuler ces forces.

Si notre collaboration professionnelle a atteint la perfection, notre amitié se trouve compromise. Je sais que l'un et l'autre nous jouons le tout pour le tout en restant sur nos positions.

Deux ans plus tard, une brutale séparation met un terme la veille des vacances à notre association. Je ne voulais qu'une aventure médicale à ses côtés. Depuis sept ans il espérait me faire découvrir autre chose. Au cours d'une ultime explication sur ces corps invisibles à développer et sur tout ce qui me menace dans l'au-delà si je n'en prends pas soin, je refuse sa façon de vouloir me sauver en me précipitant dans la tourmente.

Notre rupture s'accompagne de mon départ de l'hôpital Broussais. Je quitte les amis avec lesquels je collaborais, le plus célèbre des services parisiens, une sécurité financière, alors que mon mari n'est pas encore installé.

Je suis la voie qui me paraît celle du devoir et du bon sens. Je m'accroche à mes réalités : mari, enfants... et un vide immense s'installe. Je suis comme déshabitée et perds, je le sens, une certaine dimension. Je vois mon mari d'un œil neuf. J'ai l'impression de vivre près d'un étranger. Il n'émet aucune chaleur, ne m'apporte aucun réconfort, n'anime pas ma vie comme le faisait Vaysse. L'image positive de lui, que je portais en moi, se révèle illusoire. Je souhaite une séparation qu'il refuse... Le devoir, les enfants, il part effectuer des remplacements de chirurgien en province. Ces séparations artificielles et transitoires me permettent de passer le temps aigu de la crise. La peur de l'irrationnel me fait tout perdre et sombrer dans une existence ordinaire et sans surprise. Je vis par habitude. Mes enfants m'émerveillent encore. Mais ce sont eux qui m'enchaînent à cette vie stupide.

Le perfectionnisme auquel Vaysse m'a habituée n'aura plus cours là où j'irai. Ses gestes magnifiques, sa façon de caresser la matière qu'il opérait, l'élégance des mouvements, je ne les retrouverai jamais plus. Mais l'extraordinaire entraînement que j'ai suivi me permet de temps en temps de sortir un malade d'une situation périlleuse.

Ainsi dans cette clinique neuve, je dois pratiquer une première anesthésie. Il s'agit d'un malade jeune, porteur d'une fracture du poignet. Il est à jeun. Je prends sa tension, écoute son cœur, tout est normal. Je m'assure que le service de vérification des gaz anesthésiques a bien contrôlé le branchement des obus d'oxygène et de protoxyde d'azote dans les sous-sols qui en abritent les réserves. Tout a été fait, le chirurgien me le certifie.

J'injecte doucement le mélange de penthotal et de curare d'action semi-rapide qui permettra d'endormir le malade et de réduire la fracture. Le malade s'endort peu à peu, sa respiration se ralentit normalement. Je fixe ma seringue et vais à la tête du patient pour l'oxygéner pendant que le curare agit. J'utilise le mélange d'oxygène et de protoxyde à 50 %, mais pour gonfler le ballon, j'appuie sur le by-pass qui distribue un gros débit d'oxygène. Tout à coup, le malade bleuit. Une fois encore, j'appuie sur le by-pass pour mieux ventiler. Il bleuit davantage. Très vite, je fais le point de la situation : à jeun, trachée libre, poumons qui s'emplissent bien, cœur ausculté et tension normale, donc une seule cause subsiste. Dans cette clinique neuve, c'est une mauvaise vérification par les spécialistes du branchement des gaz anesthésiques. J'accomplis le geste inverse du réflexe que l'on doit avoir quand un malade donne des signes d'asphyxie : j'enlève le masque et demande au chirurgien de pratiquer une respiration artificielle thoracique. Le malade rosit. Il s'agissait bien d'une erreur de branchement des gaz.

Ce n'est qu'après, lorsque le malade respire seul et réagit bien que la peur m'envahit. Un tremblement nerveux me secoue. J'ai dû tant contracter mes muscles avant de faire le choix du geste décisif que mon corps en est douloureux plusieurs jours. On imagine le prix de l'erreur — une mort d'homme — et pour les chirurgiens qui travaillaient de tout leur cœur à construire une clinique moderne, des débuts dramatiques.

J'ai failli pâtir d'une incompétence aussi grave des installateurs dans une clinique rodée, très célèbre, à laquelle on venait d'ajouter une salle d'opération que nous inaugurions par une césarienne. Fort heureusement, l'appareil d'anesthésie, portatif, avait un petit obus d'oxygène de complément, ce qui nous sauva, la mère, l'enfant et moi, car je fis le diagnostic par élimination très rapidement !

Je partage mon temps entre mes enfants qui me voient davantage, les cours que je prends ici et là et les hôpitaux dans lesquels j'assume de petites vacations pour garder la main et rendre quelques services. Je me sens en quête de quelque chose mais je ne sais de quoi. Je veux oublier ce que j'ai perdu et surtout l'irrationnel.

Plus tard, le hasard nous met en présence, Jean Vaysse et moi. Il s'ennuie, dit-il. Moi aussi, mais je me tais. Je suppose que l'un et l'autre, nous nous sommes aperçus de notre erreur. Peut-être eût-il pu mieux utiliser l'avantage des dix années qui nous séparaient pour comprendre mes difficultés, mais je reconnais que je ne lui facilitais pas les choses.

Il est mort quelques mois avant que je parte aux Philippines pour la première fois, afin de reprendre avec Tony Agpaoa le chemin qu'il voulait me voir suivre.

« Vous êtes restés », me dit sa secrétaire au téléphone quelques heures après sa mort, « vous êtes restés sur quelque chose d'inachevé. »

Près de quinze ans après notre mariage, mon mari, qui a terminé ses études, s'installe définitivement dans la région parisienne, en contractant des dettes. Le public imagine-t-il ce que représentent les concours d'internat successifs, le service militaire, le temps d'internat dans la région, le temps de recherche d'une situation avant de se voir reconnu chirurgien ? Le voici près de moi, nous sommes comme des enfants qui auraient grandi ensemble mais parlent un langage différent. Il se demande ce que je veux, ce que je cherche, ce qui me manque ; je lui suis plus étrangère que la première venue.

Un jour, l'anesthésiste de Broussais, perdue de vue, m'apprend au téléphone qu'un concours est annoncé pour un poste de chef de service dans l'hôpital voisin de celui où mon mari s'installe. En fait, il s'agit d'un « faisant fonction de chef de service », car les anesthésistes demeurent encore hors des circuits habituels. Je suis nommée en 1965.

Je vais me trouver dans une étrange situation. On m'a convaincue de passer ce concours et engagée à prendre de réelles responsabilités. En toute bonne foi, j'essaie d'organiser un service et d'y faire appliquer les règles de sécurité médicale. Mes conceptions heurtent tout le monde. Cet hôpital moderne semble promis à un grand avenir chirurgical, croit-on. Mais il succède à l'hospice, sans transition, et l'idée qu'on se fait ici des normes de travail diffèrent totalement des miennes. Plus j'organise, et plus on me contre. On prend mes exigences, héritées des grands services de pointe, pour des fantaisies personnelles. Mon tort est d'être l'épouse d'un chirurgien établi dans la ville voisine, dont l'équipe jouit d'une solide réputation. Etant en relation avec une équipe rivale je deviens une suspecte.

Je travaille pourtant avec plaisir avec un excellent accoucheur et un orthopédiste de grand talent, deux spécialités qu'il me faut découvrir. J'organise le ramassage des blessés sur l'autoroute. Je participe à la mise au point d'un projet d'agrandissement de l'hôpital. J'enseigne un peu et suscite également une réunion amicale à laquelle assistent mes confrères hospitaliers ou ceux travaillant en clinique : chaque mois, chacun de nous apporte ce qu'il connaît au groupe, quelques confrères spécialisés nous visitent en toute amitié.

Mais tout cela ne comble pas mon attente. Je ne puis faire la recherche clinique désirée. Je suis trop absorbée par des problèmes d'intendance.

Le manque de personnel médical m'oblige à une présence quasi permanente. Dans l'impossibilité de m'éloigner du téléphone, les réunions familiales, le concert, le cinéma, même une simple promenade me sont interdits.

Une collaboratrice m'est enfin adjointe. Nous nous aidons autant que faire se peut. Mais je m'installe dans ce ronron quotidien qui me déplaît. Je m'ennuie. En outre, on commence à me considérer comme un « dangereux personnage » car, sur mes instances, les infirmières anesthésistes ne travaillent plus que quarante heures par semaine, y compris les gardes de nuit. A mon arrivée, on considérait les gardes de nuit comme un service pratiquement gratuit ; comme partout du reste en France.

Le directeur finit par comprendre que j'ai besoin de troupes fraîches pour assurer le fonctionnement des salles d'opération, en toute sécurité. On crée alors des postes supplémentaires d'infirmières anesthésistes.

J'établis le régime des huit heures. Bientôt les panseuses le réclament, puis la nouvelle se répand dans les hôpitaux voisins. Je suis devenue, face à l'administration, un danger public, une révolutionnaire, moi qui n'ai jamais participé à la moindre action politique et qui ne lis même pas les journaux.

Quelques années plus tard, le directeur de la Santé téléphonera à la clinique où je travaille deux matinées par semaine pour garder la main, et avertira le responsable stupéfait qu'il abrite dans ses murs « une personne dangereuse » : c'est moi !

Mais je ne renie pas cette révolution-là qui relevait de la

médecine du travail appliquée, tout simplement, autant le dire, d'une médecine préventive. Comment accepter de confier la vie de malades accidentés, dans un état grave, à un personnel épuisé qui n'est pas en possession de tous ses réflexes ? Pourquoi amener ce personnel hautement spécialisé à démissionner parce que les conditions d'exercice sont inhumaines ? Quant aux médecins, ils restent les seuls héros de notre époque, face à ce travail de forçat.

Vraiment, je m'ennuie chaque jour un peu plus dans cet hôpital.

C'est alors que ma mère généralise un cancer, opéré douze ans plus tôt, donc apparemment guéri si l'on en croit les normes admises. Ses souffrances sont atroces et résistent aux analgésiques. Je suis en quête du miracle. Le meilleur ami de Jean Vaysse, Jacques Donnars, m'envoie une invitation pour un congrès de sophrologie à Barcelone. J'ignore tout de la sophrologie mais en parcourant le dossier, j'apprends qu'elle exerce une action puissante sur la douleur. C'est une ouverture qui me sauve du désespoir. Je prends le risque de partir avec mon père et ma mère en avion pour Barcelone. Nous sommes en 1970.

2. LA SOPHROLOGIE

Le Congrès international de Barcelone me fait découvrir cette discipline nouvelle.

L'ouverture du congrès se fait en grande pompe : le prince Juan Carlos prononce le discours d'ouverture. La sophrologie améliore, et même guérit, nous disent les orateurs, nombre d'affections : obésité, hypertension, hyperthyroïdie, ulcère d'estomac. Elle permet des interventions chirurgicales sans anesthésie. J'en conclus que son impact thérapeutique puissant peut aider ma mère.

Je souhaite aussitôt rencontrer Caycedo, l'homme qui a créé la technique et lui a donné ce nom. Quand je le croise enfin et lui explique le but de ma visite, il me répond que l'organisation du congrès ne lui laisse pas un instant de libre. J'essaie, en vain, de joindre ceux qui sont supposés savoir. Il ne me reste qu'une solution : apprendre la technique afin de l'appliquer.

J'assiste à toutes les communications. Mais ce congrès, tout en éveillant la curiosité, ne donne aucune clé thérapeutique.

Je cherche toujours le magicien qui aidera ma mère. Je vis sa douleur, j'en guette les signes, j'en soupçonne l'intensité à la moindre crispation du visage. J'assiste impuissante à son affaiblissement. Je suis confrontée à l'inefficacité des analgésiques ambulatoires. Je sais que l'anesthésie locale qui pourrait répondre au besoin d'une analgésie sans perte de conscience est inapplicable, car d'effet transitoire. Quant aux drogues plus puissantes, elles provoquent une dépression respiratoire et des modifications tensionnelles. Je suis en quête de l'impossible.

A mesure que le congrès s'avance, la sensation que je me suis fourvoyée dans un monumental abus de confiance se précise : je suis en face d'une affaire commerciale exploitant la crédulité et la désespérance. Les exposés sont évasifs, emphatiques, parsemés d'erreurs de physiologie et de physiopathologie. Seuls, ceux qui relèvent de la psychologie ou d'une approche philosophique des problèmes me paraissent dignes d'intérêt. Je m'étonne de ne pas entendre relever les erreurs commises par les orateurs. Au sein de nos sociétés d'anesthésie ou de cardiologie, elles auraient provoqué un scandale et les assistants auraient hué l'orateur qui n'aurait pu conclure. Ici, chacun est félicité, congratulé, applaudi pour des inepties. A entendre celui-ci, qui prétend faire des recherches dans un laboratoire des Etats-Unis, confondre les courbes du pouls avec un tracé électro-cardiographique, et les commenter à sa façon, la tête me tourne.

Pour reprendre contact avec la réalité, je lève le doigt, je l'agite, pour protester puisque personne ne le fait, mais je ne puis attirer l'attention du président. J'abandonne toute tentative d'intervention et me joins à l'eau dormante de la salle. A tout prendre, ces erreurs n'ont aucune importance si la technique est efficace.

Un stage pratique est organisé à Sitgès. Je m'inscris, ainsi que mes parents, espérant que les secrets y seront dévoilés car jusqu'ici j'ai entendu parler de quelque chose qui n'a jamais été défini.

J'assiste aux cours de Caycedo, qui parle espagnol puis redit d'une voix lente sa phrase dans un mauvais français. Nous sommes là depuis des heures, l'enseignement n'avance pas. Je suggère que les cours en français et en espagnol soient séparés, ce qui donnerait à chaque groupe la possibilité de profiter de la plage ensoleillée. Je ne suis pas entendue. Sans doute préfère-t-il parler dans une salle comble ? Je me tais. Je ne veux indisposer personne et veux bien entendre Caycedo toute la journée si cela est utile à ma mère. J'ai quelques compensations. Jacques Donnars est là. Roland Cahen m'initie d'une façon simple et schématique aux grandes lois qui régissent l'inconscient. Pourtant, dans les théories de Caycedo, l'inconscient n'existe pas ! Je décide de ne pas m'attarder sur les détails, de ne considérer que les résultats. J'accepte ce qui m'agrée et glisse sur ce qui me semble, par intuition ou par connaissance, erroné.

Les exercices pratiques sont intéressants. J'apprends la technique du Neiti Kria. Tout se passe autour d'une pièce d'eau. Des bassines d'eau chaude et d'eau froide, des assiettes de sel marin sont disposées. Nous sommes revêtus d'un survêtement bleu et en possession d'un instrument qui ressemble à un petit arrosoir blanc. L'instrument est rempli d'eau tiède, salée à notre convenance. La tête inclinée sur le côté, penchée en avant, nous introduisons l'eau dans notre narine à l'aide du bec. Il faut apprendre à faire ressortir le liquide par l'autre narine, crachant, riant ou pleurant. Tout est évacué dans la mare aux poissons rouges. Nous excitons ainsi, nous explique-t-on, notre hypophyse, et nous nous préparons à la séance de relaxation debout et couchée, par des méthodes qui ressemblent à celles de Schultz et de Jacobson. Tous ces exercices, inspirés des techniques orientales, ont pour but de nous faire prendre conscience de notre corps et d'éprouver divers états de conscience.

Une barrière floue sépare l'état de veille de l'état de sommeil en état sophrologique. C'est le niveau sophroliminal. Là se situe le travail du sophrologue. Le langage utilisé est le *terpnos logos*. La qualité et le timbre de la voix, joints au choix des mots, permettent un discours d'une qualité particulière, qui plonge le patient dans l'état de relaxation.

Tout cela m'est nouveau. Caycedo, après un séjour de deux ans aux Indes et au Japon, a eu l'idée de rationaliser les techniques méditatives de ces pays et de les traduire en langage pseudo-scientifique acceptable pour les Européens. Il valorise deux notions : la motivation et la notion d'image du corps. Il démystifie et désacralise les techniques orientales et les rend acceptables à nos esprits cartésiens. Il exclut l'hypnose de sa technique, astuce heureuse, car il peut rallier tous ceux qu'ont bercé depuis l'enfance les craintes des pouvoirs inconnus.

Jacques Donnars explique bien que l'hypnotiseur fait imaginer au patient qu'il détient un pouvoir alors qu'il ne fait qu'utiliser à son profit les états de conscience de ce dernier.

Le sophrologue, au contraire, valorise le Moi de celui qui est en face de lui, en lui révélant les divers états de conscience qu'il peut connaître, et l'usage qu'il en peut faire. Il valorise l'individu, l'hypnotiseur l'asservit. Le sophrologue lui montre comment la projection d'images positives, d'actes réussis dans un certain état de conscience, lui permet de lever ses inhibitions et ses blocages fantasmagoriques.

Je prends conscience de ce qu'est la motivation dont on parle : c'est elle qui m'a permis de demeurer des journées entières dans la salle du congrès de Barcelone, d'écouter, à Sitgès, pendant des heures, Caycedo parler d'une voix monotone et dire en une heure ce qui pourrait s'exprimer en cinq minutes, tant ses phrases sont creuses. Oui, il fallait que ma mère fût à ce point souffrante pour que je supporte de rester en dépit de mon esprit critique et de mon impatience.

Je prends conscience de la notion d' « image du corps ». Pour ma mère, son corps n'est plus que cette colonne vertébrale douloureuse et ce membre inférieur torturant. Je devine maintenant qu'il faut valoriser l'image du reste de son corps pour modifier la perception de ces régions douloureuses.

En regardant vivre Caycedo et quelques-uns de ses élèves, je devine ce que produit la représentation d'actes réussis, la « positivation ». J'en observe les avantages et peut-être les risques ! J'entends avec stupéfaction, à de nombreuses reprises, affirmer que nous vivons des moments historiques ! Caycedo délivre des certificats, et, en fonction du nombre de présences, il distribuera ultérieurement des diplômes de professeur, nés du seul pouvoir qu'il s'arroge.

Bientôt, il parlera de la création d'une ville dont les rues et les places porteront les noms de ses principaux collaborateurs ! Il gratifie, honore, couronne avec une aisance qui me confond.

Caycedo ne s'intéresse pas à ma mère qui ne comprend pas comment ni pourquoi toutes ces belles promesses ne sont pas utilisées à son profit. Pourtant, elle fait avec nous les exercices, et un dentiste tentera de s'occuper d'elle. De retour à Paris, Jacques Donnars la fera bénéficier de quelques séances thérapeutiques interrompues par son entrée à l'hôpital ; mais elle commencera à savoir se servir de ce qu'elle a appris. C'est un grand étonnement pour moi de la voir, de temps en temps, bloquer elle-même quelques grandes crises douloureuses car c'est un difficile travail sur soi qu'elle réalise.

Pendant quelques années, je vais continuer de suivre l'enseignement de Caycedo, ce qui me permet de préciser un certain nombre de connaissances, mais je conserve mon esprit critique. Il est difficile de suivre une voie nouvelle et abstraite quand les éléments contrôlables de l'enseignement ne sont pas corrects. J'avais déjà douté de Jean Vaysse... dont l'honnêteté scientifique ne faisait aucun doute.

Un jour, pourtant, en fin de stage, j'éclate. Je dis mon étonnement d'entendre un enseignement de si mauvaise qualité sur certains points accepté par l'auditoire. Je suis déchaînée, ne me rendant pas compte combien mon attitude est déplacée sous le ciel d'une Espagne franquiste. Je prétends diviser l'assemblée en trois groupes : ceux auxquels il restait un peu de bon sens sont déjà partis ; le second tiers est hypnotisé et le dernier anencéphale... Caycedo blêmit, les membres de la table d'honneur se regardent, stupéfaits, un silence s'établit. J'ai fait, me semble-t-il, ce que mes maîtres français auraient fait à ma place : démystifié les imposteurs. Quand il reprend ses esprits, Caycedo dit calmement : « J'ai remarqué que les esprits critiques deviennent les meilleurs sophrologues. »

Il n'a pas tout à fait tort ; si je suis transformée en furie, c'est bien parce que je pense que la sophrologie peut constituer un apport considérable à la médecine, et navrée de ne pas revoir mes collègues médecins d'une année sur l'autre. Ils sont tout naturellement tentés de rejeter, avant de l'avoir expérimentée, une méthode qui laisse apparaître dans son enseignement tant de notions erronées.

Mais certains dentistes, les kinésithérapeutes, les psychologues qui n'ont jamais su ou ont oublié ce que connaît un médecin, sur le plan théorique demeurent fidèles. En outre, pour certains, les diplômes que distribue le maître font un bel effet dans leur salle d'attente.

Mme Caycedo me fait sentir, bien entendu, l'année suivante, que ma présence n'est pas très souhaitée. Je suis pourtant fidèle jusqu'au moment où je cesse de me révolter ! Je me sens alors en danger ! Je quitte le groupe.

Caycedo continue son œuvre. Il vit encore « des moments historiques ». Il tente de gagner à sa méthode le continent américain et fait paraître la « Déclaration de Recife » inspirée des Droits de l'Homme.

Je suis pourtant acquise à ses idées. J'obtiens par sa technique des résultats probants. Je vais donc tenter l'inventaire des enseignements qui tournent autour de cette méthode.

Depuis, les différents services de neurophysiologie, pour ne pas être en reste sur l'énorme mouvement créé par Caycedo, ont repris ces données en les démarquant, en les rendant

scientifiques par l'introduction d'appareils enregistreurs, intermédiaires entre médecin et malade. Ainsi par étapes successives, les techniques orientales sont démarquées et perdent
leur finalité : l'éveil spirituel.

A la suite de cet enseignement (mon esprit critique restant
sans cesse en éveil pour ne pas me laisser piéger), une conception nouvelle de la vie et de la maladie m'apparaît. Des pans
entiers d'idées toutes faites s'effondrent. Ces idées neuves et
les constatations personnelles que je puis faire ne me sont
plus transmises par les maîtres de l'hôpital ni de la faculté.
Elles me sont transmises par des éducateurs médiocres quant
à leurs connaissances médicales, mais qui savent mettre en
valeur une dimension thérapeutique ignorée dans nos milieux.
Ils sont efficaces et communiquent réellement un savoir. Ce
paradoxe d'ailleurs me trouble et m'oblige à une profonde
remise en question de mes conceptions de la médecine et de
son exercice. Cela bouscule mes idées sur la définition même
de la maladie. Je me trouve propulsée dans un monde qui exerce
une thérapeutique sauvage, en dehors de la légalité. Mon orgueil
de caste en est blessé, et pourtant, je partage avec mes nouveaux
confrères ce certain mépris qu'ils ont pour un corps médical
qui « n'a rien compris », pratique l'autosatisfaction et se couvre
de titres et de médailles qui ne valent pas plus, quand on est
sorti du cercle, que ceux conférés par Caycedo.

Je voudrais alors faire savoir à mes amis et confrères
que notre profession est en danger, qu'il est temps de nous
reprendre et de voir le malade d'un regard neuf. Je suis
partout très mal accueillie. Mais Caycedo et ses assistants m'ont
« positivée » en quelque sorte, et, face aux sourires narquois qui
m'entourent, je proclame que « j'ose exister » et continue mon
chemin, butinant les notions qui m'intéressent ici et là.

Peu après notre retour d'Espagne ma mère entre à l'hôpital.
Elle y reçoit une chimiothérapie anticancéreuse et meurt de
complications liées à ce traitement en lequel j'espérais naïve-
ment.

J'essaie, pourtant de toutes mes forces, de l'arracher à la
mort alors qu'elle agonise. Je transfuse, administre des vaso-cons-
tricteurs, pratique une intubation trachéale et fais une respiration artificielle, essayant même de masser son cœur arrêté.
Mais je reste impuissante. La vie s'en va, et cette mort me semble
injuste, incompréhensible... Le désespoir s'installe.

Alors tout ce que j'ai appris devient dérisoire. Je tire de

l'épreuve mes conclusions : le cancer a peu à voir avec les virus, il relève avant tout d'une cause psychosomatique, car je sais quelle épreuve a subie ma mère l'an passé. Les drogues anti-cancéreuses tuent les cellules malades mais peuvent aussi altérer gravement les fonctions des cellules saines. Les analgésiques n'ont pas l'efficacité que je leur attribuais. La voix de Jacques Donnars a davantage contribué au soulagement de ses douleurs que tous les médicaments.

Médecin, je ne sais pourtant pas à quoi sert la vie, à quoi servent la mort et toutes les épreuves que nous devons affronter. Je ne sais d'où je viens, ni où je vais... à quoi sert cette comédie. Qui me l'apprendra ?

Une fois encore, je tente de faire face et je travaille. Les gestes que je fais, le matériel que je touche, tout me ramène cruellement à la mort de ma mère.

Un jour je me foule la cheville, une immobilisation plâtrée s'impose. Cela me coupe de mes habitudes, me sépare de l'hôpital. Alors je démissionne. Et remets tout en question. Une longue et douloureuse mutation va devoir être accomplie afin de trouver la réponse à mes interrogations. Je vais faire un long chemin, accompagnée par ceux rencontrés à Sitgès : Caycedo, Jacques Donnars, Roland Cahen, chacun, à sa façon, me trace une voie. Puis d'autres me feront pénétrer, plus tard, dans le monde invisible et présent dans lequel j'avais refusé d'accompagner Jean Vaysse.

3. LA RECHERCHE DE SOI

En quittant ce monde, ma mère m'oblige à renaître.

Je déifiais jusqu'à ce jour la science. Mes nouveaux maîtres, mes amis et ces douloureux moments m'incitent à pécher contre elle. Nul besoin de matériel lourd, onéreux, de collaborateurs, ni de crédits pour avancer dans la nouvelle voie. L'intuition, l'écoute attentive du corps et des sens permettent de passer la porte étroite. Là se trouvent le calme et la sensation que l'on existe vraiment. On devine à l'intérieur de soi une vérité qui ne s'enseigne ni au lycée ni en faculté. Mais tout est à découvrir. Comment ? Je ne puis établir un programme de recherches et me fie au hasard, aux rencontres, aux sollicitations imprévues. Je ne refuse aucune voie, à l'exception de celle de la science officielle et matérialiste. Je vais vivre ainsi une suite d'expériences étonnantes qui vont me transformer et modifier le seuil de mes perceptions.

A Paris, le plus simple consiste à suivre Jacques Donnars. Notre vieille amitié et, en filigrane, le nom de Jean Vaysse nous lient. Par erreur ou à dessein, il reçoit chez lui un enseignant appartenant au milieu officiel, qui donne ce soir-là une conférence intitulée « La sophrologie existe-t-elle ? » Programme alléchant s'il en fut, et nous sommes nombreux, suspendus à son discours. Il commence à parler. Le temps passe, l'introduction, d'allure littéraire, se prolonge. Soudain, le doute s'installe dans mon esprit. Roland Cahen, non loin de moi, me lance un coup d'œil complice et demande à l'orateur de bien vouloir passer au vif du sujet.

« Mais je traite le sujet », rétorque ce dernier. Je lui pose à mon tour les questions qui me brûlent les lèvres :

— Avez-vous déjà sophronisé un malade ?

— Avez-vous été sophronisé vous-même ?

Aux deux questions, la réponse est « non ». Je rencontrerai trop souvent de ces pseudo-scientifiques qui s'arrogent le droit de pérorer sur des sujets dont ils ne possèdent ni le vécu ni l'expérience !

J'assiste pendant un temps à toutes les séances de relaxation sophrologique et dynamique données tôt le matin chez Jacques Donnars. Le soir des groupes de travail se constituent, des conférences nous réunissent.

J'accepte ces expériences sans difficulté. Tout est dit au grand jour, expliqué, commenté, avec une logique interne qui me rassure. Je participe encore à des séances de psychodrame : nous sommes là, assis tous en rond. On choisit un thème. Un état sophrologique léger est induit par la présence du directeur de groupe, au travers de ses silences et de l'image que nous recevons de lui. Puis une véritable pièce de théâtre est improvisée : le premier à entrer en scène sélectionne parmi nous ceux qui ressemblent aux personnages liés à son problème. Très vite, une étincelle affective jaillit entre les deux ou trois protagonistes maintenant debout. Elle se propage aux différents membres de l'assistance qui peuvent intervenir en tant que « voix de la conscience » et exprimer ce qui est pensé et non verbalisé. D'étincelle en étincelle, le feu s'allume et gagne le groupe qui vivra, à l'échelon individuel, en harmonie, ou en opposition avec les acteurs. Chacun vit en soi la scène qui se déroule, en fonction de sa constitution, de son passé et de ses fantasmes. Dans l'action ou dans le silence intérieur, des souvenirs revivent, des énergies sont mobilisées, des blocages sont dévoilés.

L'une des variations les plus éprouvantes mais des plus intéressantes consiste à se mettre dans un coin, dos tourné à l'assemblée et chacun exprime alors l'opinion qu'il se fait de vous à l'issue du psychodrame.

Je tire de ces expériences un enseignement utile. J'apprends à regarder une situation conflictuelle du dehors, comme si je me trouvais au théâtre et non impliquée dans le conflit. Je prends conscience de la façon trop spontanée avec laquelle je m'engageais jusque-là — dans l'action — à la moindre sollicitation, et de tout ce que mon entourage tire de mon énergie alors que je m'épuise. Si je transpose les remarques faites au sein de ce groupe en ce qui concerne ma vie professionnelle ou familiale, le schéma qui me caractérise fonctionne encore. J'apprends donc à placer quelques barrières de protection, et si l'on m'abuse, si l'on m'exploite, j'en suis consciente.

Petit à petit, j'apprends à me désengager et à aller de groupe en groupe sans adhérer à aucun afin de rester disponible pour l'expérience suivante.

Le temps passe et je comprends les usages pratiques que je peux tirer de l'enseignement de Caycedo. La notion de schéma corporel me semble une notion capitale. La représentation du corps au niveau de cerveau, que les physiologistes découvrirent, nommèrent « l'homonculus » et qui n'avait pas, à ma connaissance, reçu d'application pratique en dehors de la neurochirurgie, me semble essentielle.

Pour rétablir un équilibre corporel, il convient par un mouvement actif de faire vivre successivement les diverses parties de cette représentation. La technique diffère de l'exercice physique qui enchaîne les mouvements. Il faut ici faire suivre chaque mouvement actif d'un temps de repos pendant lequel on prend conscience des sensations déclenchées par la tension préalable ; il convient d'établir une comparaison entre tension et relaxation. Ainsi, par un travail systématique, peut-on réaliser l'équilibre de la représentation de chaque partie du corps au niveau du cerveau. Cet exercice, réalisé dans le calme, modifie l'état de conscience. Si, dans cet état, l'on visualise une image positive c'est-à-dire bénéfique, on n'est pas loin de l'état de méditation.

Bientôt, je pratique avec Jacques Donnars un travail de recherche sur l'imagerie mentale. Dans un état de parfaite détente, « aux portes du sommeil », expression chère à Caycedo, des images apparaissent. Elles sont exprimées, puis commentées par le groupe. Bientôt j'interromps cette technique de connaissance de soi, quand ayant probablement vidé le stock d'images qui affleuraient à ma conscience, je « vois » ce qui s'est passé dans la journée chez celui qui nous accueille !

Je reprendrai cette idée pour en faire, en la modifiant, un procédé thérapeutique nouveau.

J'essaie la transterpsychothérapie : à une musique faite de rythmes d'Amérique du Sud, d'Afrique, ou de chants grégoriens, on ajoute une légère hypnose. Le sujet vibre en accord avec la musique et cesse de se contrôler. Ceci l'amène à opérer des lâcher prise, cela lève des blocages fruits de l'éducation et lui permet de retrouver son état constitutionnel. Je revis avec étonnement mes joies enfantines ; je pars en grands éclats de rire en retrouvant le plaisir du jeu.

Enfin, je découvre la bio-énergie. Reich en fut l'initiateur. Pour lui, le caractère se devine à l'attitude physique. Car celle-ci dépend de l'état de contraction de nos muscles. Nos tensions musculaires sont localisées dans les muscles qui tendent à nous protéger. Cette autoprotection porte aussi bien sur les agressions que peut nous infliger l'entourage que sur nos propres impulsions dont nous nous défendons. Les émotions refoulées peuvent donc se convertir en tensions musculaires. Ainsi se constituent des blocages et des rétentions d'énergie au niveau de ces zones. Cette énergie n'est plus disponible pour les fonctions physiologiques.

Reich invente la « végétothérapie caractéro-analytique » destinée à libérer ces tensions musculaires, pour libérer l'énergie emmagasinée par des mouvements respiratoires et des techniques corporelles.

Ce lâcher prise peut être brutal et Reich décrit des états voisins de ceux que j'ai dépeints sous le terme de mort symbolique. Curieusement, ces lâcher prise, souvent impressionnants, se soldent par une sensation de mieux-être.

Son élève, Lowen, en fait la bio-énergie. Il valorise non plus l'intervention des centres végétatifs sympathiques et parasympathiques, mais le niveau émotionnel.

S'il est vrai que les émotions sont « engrammées » dans les muscles, la logique veut qu'elles se manifestent alors que l'énergie est remise en circulation. C'est exactement ce qui se produit : des cris, des pleurs, des manifestations impressionnantes accompagnent la libération émotionnelle.

Après la crise, un mieux-être, une meilleure perception des couleurs, des odeurs, des sons, une impression de force récupérée traduit la remise en circulation de l'énergie bloquée.

Ces expériences, didactiques et thérapeutiques, me permettent d'assumer les difficultés qui surgissent dans mon entourage scandalisé par ma mutation. Je me sens bien dans ma peau, indépendante, et l'hostilité n'entame ni ma foi ni la certitude qu'il me faut partir à la recherche d'un ailleurs. Je ne vois, dans le comportement des miens, que l'attitude d'êtres affolés par une évolution qu'il leur faudrait faire et qu'ils n'ont pas le courage d'accomplir.

Pourtant, j'avais imaginé que l'amour et l'amitié pouvaient vivre indépendamment des convictions.

Ce n'est qu'en allant au Guatemala, quand j'apprends que les prêtres tuaient il y a quelques années les sorciers qui se cachent dans la montagne, que je comprends la terreur, donc la haine que l'inconnu déclenche. Je parais d'autant plus inquiétante que j'affiche une bonne santé, un raisonnement apparemment sain, et fus, semble-t-il, un bon médecin !

Mais, plus que cette révélation de mon moi, ce travail m'aide à découvrir l'importance des affects dans le déclenchement des maladies. De nombreux malades souffrent simplement de n'être pas aimés. Ces groupes où l'on se retrouve permettent de vivre quelques heures ou quelques jours entre gens qui se comprennent et qui font la même recherche ; des amitiés véritables et profondes y naissent. La thérapeutique médicamenteuse n'apportera jamais cette connaissance de soi, cet apport affectif, ce supplément d'énergie, donc de vie, que chacun espère. Et c'est la grande leçon que je tire de l'étude de toutes ces techniques, écoles d'éveil, de connaissance de soi, de mutation. Leur enseignement m'aide à sortir du marasme dans lequel m'a plongée la mort de ma mère et à échapper aux maladies psychosomatiques qu'auraient pu entraîner les déceptions entraînées par le comportement de ma famille et de mes amis.

4. EN QUÊTE DE LA CONNAISSANCE

Côtoyant les adeptes de la sophrologie, je les écoute et les regarde vivre. Ils s'expriment en des termes qui ne me semblent pas accessibles. Ces non-médecins, donc non soumis aux impératifs de notre profession, ont néanmoins une clientèle, et paraissent satisfaits de leurs résultats. Ils mélangent magnétisme, acupuncture, homéopathie et sophrologie. Je me demande alors le pourquoi de mes années d'études, de mes diplômes ! Ignorante de ce dont ils s'entretiennent, je m'inscris à trois écoles d'acupuncture pour comprendre plus vite. On me parle de méridiens le long desquels l'énergie circule, méridiens qui ne suivent pas les voies du système nerveux. Sur leur trajet, existent des points aux propriétés quasi miraculeuses. Cependant, il est impossible encore de faire la preuve scientifique de ces propriétés. On a bien découvert qu'une différence de potentiel existait entre le point d'acupuncture et un point quelconque de la peau, mais cela ne peut tout expliquer. Nous sommes en 1971-1972. On se réfère à une théorie vieille de cinq mille ans, toujours efficace. Le véritable problème semble être de pouvoir remonter aux sources et de retrouver les plus anciens textes pour pratiquer la meilleure acupuncture. Par quelle voie mystérieuse les Anciens ont-ils donc pu établir ces lois ?

J'assiste pendant une année aux consultations données dans un dispensaire par le Dr Martiny. Cette dernière a collaboré avec Soulié de Morant, ancien consul de France en Chine, mort en 1955, et acupuncteur lui-même. Mes tentatives pour apprendre le nom des points en chinois absorbent trop de mon temps, mais je parviens à localiser les points essentiels et retiens quelques bonnes recettes. Dans d'autres écoles, des numéros désignent les points, et pour rendre la théorie plus accessible, on la rationalise. Elle devient une réflexo-thérapie. J'ai la sensation qu'on la maquille. Elle perd de son mystère, de son illogisme apparent, de son inexplicable. Elle devient moins efficace et je n'en comprends pas pour autant le mécanisme. Mais à la voir pratiquer dans des conditions correctes, j'ai l'honnêteté de constater qu'il ne peut s'agir d'un effet placebo, quand, sous l'effet d'une puncture, le malade dit sentir qu' « il passe quelque chose » précisément sur une ligne qui dessine le trajet d'un méridien. Je n'oserais pas du reste juger quelques milliers de thérapeutes à l'aide de ma faible expérience, et penser que tous ne songent qu'à exploiter la crédulité publique. Je veux apprendre la technique avant de la juger. Mais où et comment ?

Je pars un mois en Chine. Je veux y apprécier la réalité de l'anesthésie acupuncturale. J'assiste donc à un certain nombre d'opérations qui me convainquent de son efficacité, sans pour autant que j'arrive à faire la part de l'effet analgésique de l'acupuncture et de l'effet sophronique de l'ambiance. Je rencontre aussi, dans les services de médecine, quelques très vieux acupuncteurs trop savants pour moi, près desquels j'aurais aimé travailler pour apprendre la belle acupuncture traditionnelle. Je suis déçue par la démarche dite scientifique des acupuncteurs modernes chinois qui piquent cent malades porteurs d'une maladie apparemment semblable (identifiée par notre système médical occidental), en certains points, puis cent autres en d'autres points et comparent ensuite les résultats sous forme statistique. Plus encore que nos réflexothérapeutes français, ils perdent « la voie ».

Comment admettre cette énergie qui entre ici, passe là, ressort ailleurs, sans qu'on puisse me la montrer, sans que je puisse la toucher, sans que je puisse la saisir ?

A mon retour, j'entends parler de Lavier, un dentiste qui donne une instruction par petits groupes, à Montpellier. J'y cours !

Lavier, qui a appris le chinois dès son enfance, m'explique que, dans les manuels français, les textes chinois souffrent la plupart du temps d'une mauvaise traduction. La pensée occidentale et cartésienne se révèle incapable d'exprimer réellement la pensée des Anciens qui est une forme de pensée symbolique. Il avoue qu'il se livre à un travail de retraduction monumental. Sa version des faits exprime ce que je ressentais mais étais incapable d'expliciter. Je connais désormais le travail que je dois accomplir : les points, les méridiens, les aiguilles ne représentent pas l'essentiel car l'essentiel réside dans l'acquisition d'un nouveau système de pensée qui m'ouvrira les yeux sur un monde différent.

Lavier me dévoile cet essentiel. Il existe un mode de pensée symbolique auquel nous ne sommes pas éveillés en Europe.

Comment y accéder ? J'essaie d'étudier le *Yi King*, le plus vieux livre de la Chine. Tout m'y semble hermétique. Je lis des livres traitant de la symbolique, m'aide de dictionnaires. Mais je n'éprouve pas cette sensation particulière que donne un texte que l'on a le bonheur d'assimiler et de vivre. Je me trouve devant une muraille et m'en veux d'être aussi imperméable à cette forme de pensée.

Je vais pourtant de librairie en librairie, feuillette, achète, les livres s'entassent mais je reste toujours au même point d'incompréhension. Une porte m'est décidément fermée qui m'empêche d'accéder à quelque chose. Quand un jour, ô miracle, je tombe sur un petit opuscule dont l'auteur a un nom étrange : Omraam Mikhaël Aïvanhov. Dans un style simple, il explique cet « autre chose » et je comprends. C'est la révélation !

Il explique, par exemple, que le prisme décompose la lumière blanche en sept couleurs et que sous ce phénomène se dissimule un grand secret. Symboliquement, les trois côtés du prisme peuvent représenter les trois principes qui sont en l'homme : intellect, cœur et volonté, mais en même temps, pensée, sentiments, action. Et aussi le père, la mère, l'enfant ou l'acide, la base, le sel ; la longueur, la largeur, la hauteur. En physiologie, explique-t-il, l'inspiration est l'équivalent du phénomène lumineux et le poumon est le prisme qui va renvoyer l'air en le transformant en sept forces qui seront distribuées dans l'organisme pendant l'expiration.

Une lecture régulière de ce texte me porte où je désirais aller. Progressivement, je transforme mon système de pensée analytique en un système de pensée symbolique. Une vraie joie m'habite. Cet enseignement ésotérique strictement livresque me suffit provisoirement. J'imagine que ce maître bulgare, dont le texte des conférences date de vingt ans, est inaccessible. Peut-être même est-il mort : des photos montrent un beau vieillard. Par lui tout s'éclaire, y compris le message transmis par les contes de fées : Blanche Neige et les Sept Nains, le Petit Poucet et ses frères... Je saisis le fil d'Ariane qui va guider mes recherches et me faire comprendre le principe de l'acupuncture. J'accède à un plan différent de la compréhension humaine, je passe de l'autre côté du miroir.

J'admets donc que l'énergie peut exister sous trois aspects qui prennent le nom d'énergie Yong, d'énergie OE et d'énergie Tsing. Ces énergies circulent le long de lignes fictives qui parcourent le corps, sans rapport direct avec le système nerveux. Je prends bien soin d'éviter les ouvrages modernes d'acupuncture scientifique pour ne pas troubler ma toute nouvelle acquisition : la pensée symbolique.

L'énergie Yong, de qualité Yin — c'est-à-dire de fonction négative — parcourt les grands méridiens en vingt-quatre heures, temps de la rotation de la Terre sur elle-même. L'énergie OE est Yang, de qualité positive et défensive. Elle chemine en surface, le long d'équivalents méridiens qui se nomment ici les Tsing-Kann. La troisième énergie se nomme Tsing, c'est l'énergie ancestrale. Elle englobe toute l'énergie héréditaire qui nous est transmise à notre naissance et représente notre capital, elle ne se renouvellera pas. Bipolarisée, elle est à la fois Yin et Yang. Il me fallait parvenir à admettre cela, je l'admets enfin !

Des « synchroniseurs externes » vont permettre au corps d'utiliser cette énergie. Ce sont l'éclairement, les champs magnétiques terrestres, l'orientation par rapport aux points cardinaux, le temps qui passe, les rayonnements cosmiques, les saisons, etc.

Borsarello explique que si l'on plonge un individu tout entier dans une eau à température idéale, en lui assurant une ventilation pulmonaire normale, il devient fou en sept à huit heures. Il lui manque un synchroniseur : la capacité de s'orienter. Des animaux enfermés dans une cage de plomb meurent de ne plus subir les rayonnements cosmiques.

La médecine classique ne tient pas assez compte de ces faits. Je découvre l'importance de notre bonne intégration au cosmos.

La suppression d'un synchroniseur entrave l'utilisation de l'énergie. Le moteur, constitué en quelque sorte par le système producteur d'énergie Yong, n'a plus de rendement. L'énergie qu'il est capable de fournir n'est plus « transductée » en une énergie spécifique utilisable par les organes et les viscères. En quelque sorte, le fonctionnement du prisme de Mikhaël Aïvanhov est altéré. Au contraire, si tous les synchroniseurs externes sont présents, l'énergie Yong, d'origine alimentaire, monte se purifier au niveau des poumons vers 3 heures du matin. Elle se dirige alors vers le cœur et se distribue, d'une part, vers les méridiens principaux et leurs branches secondaires, d'autre part, vers les « merveilleux vaisseaux » qui sont le Tou Mo, le Jenn Mo et le Tchrong Mo. Ces vaisseaux assureront la distribution de l'énergie aux organes et aux viscères, suivant un rythme qui tient compte des vingt-quatre heures et des cinq saisons qui correspondent aux cinq éléments.

Il est évident que ma formation de cardiologue et de réanimateur ainsi que l'intérêt tout particulier que je porte à la physiologie et à la physiopathologie ne me disposent pas à adopter aisément ce système de pensée. Mais Mikhaël Aïvanhov m'a beaucoup aidée, en expliquant à sa façon, par des équivalences, les différentes fonctions de l'organisme. Ainsi, la nourriture est le faisceau lumineux qui tombe sur le prisme représenté par le tube digestif, les sept couleurs qui émanent du prisme sont représentées par les énergies disponibles grâce à la digestion et qui se distribuent ensuite dans les méridiens et merveilleux vaisseaux.

Je commence à sortir du gouffre dans lequel me plongeait la pensée symbolique. Je reste admirative devant les maîtres chinois qui élaborèrent ce système voilà quelque cinq mille ans, et devant maître Aïvanhov qui, en quelques pages d'un texte clair, m'en a donné la clé.

Je sens les douze pouls chinois du poignet. Je m'étonne que des générations de spécialistes en cardiologie ne les aient pas perçus. Comment, avec les cathétériseurs, ne sûmes-nous pas découvrir ces finesses, munis que nous étions d'un matériel de plus en plus sophistiqué, aussi bien dans les services de chirurgie que de cardiologie des professeurs Mouquin, Lenègre, Soulié... ?

Un homme exceptionnel va me faire encore progresser. Je le rencontre au Congrès annuel d'acupuncture auquel j'assiste. Il relate des guérisons spectaculaires en piquant l'oreille. Je n'arrive pas à le croire. Quand il annonce les dates de ses réunions de Lyon, je pense qu'il profite du congrès pour se faire une énorme publicité. Il se nomme Paul Nogier.

Pourtant, un de ses élèves m'entraîne à Lyon pour un week-end. De nouveau, j'entends relater des guérisons miraculeuses. Des élèves entourent Nogier, venus des quatre coins de France, de Suisse, d'Italie. Tous semblent convaincus par ce qu'il énonce. Est-ce ma raison qui vacille ou la leur ?

Sceptique, mais conquise par la gentillesse ambiante, je m'inscris cependant au GLEM (Groupe lyonnais d'études médicales). Chaque mois je viens travailler à Lyon durant le week-end, ce qui ne m'apporte pas grand-chose car le patron invente sans cesse un nouveau procédé, alors que je n'ai pas encore assimilé le précédent. J'éprouve la même impression de blocage intellectuel que lors de mes débuts en acupuncture. Je vais stagner ainsi durant des mois. D'autres peuvent suivre, moi pas. J'attends et retrouve la sensation bien connue d'être incurablement stupide.

Un week-end, en arrivant à Lyon, ma voiture tombe en panne et m'immobilise. Je me fais connaître du Dr Nogier. J'étais jusque-là restée anonyme dans la salle. Je lui demande la permission d'assister à sa consultation privée du lundi. Il n'accepte pas d'emblée. Le lendemain, je téléphone, et j'insiste, n'envisageant aucune autre façon de m'occuper pendant les trois jours qu'exige la réparation, dis-je pour le convaincre. Il veut bien me recevoir quarante-huit heures.

En fait, il me recevra pendant un an.

Je le vois réaliser des améliorations spectaculaires ; familiarisée avec la notion d'énergie, j'apprends à la détecter à l'aide d'un pouls (différent des pouls chinois). « L'effet Doppler » n'a permis de le mettre en évidence que ces derniers mois *.

Des migraines s'envolent, des sciatiques disparaissent, des asthmes s'évanouissent, des tumeurs se résorbent. J'apprends comment reconnaître le point d'agressivité, celui de la joie, du chagrin, etc. Je crois rêver. Je peux repérer, en palpant le pouls, un point vibrant d'énergie qui bouge, s'arrête, repart et interrompt son circuit en une zone où siège un blocage de l'énergie.

Le principe de la méthode repose sur une loi déjà évoquée à propos de la sophrologie et du schéma du corps miniaturisé sur la circonvolution pariétale ascendante. La miniaturisation considérée ici est celle de l'oreille. On peut, avec un peu d'imagination, admettre qu'elle revêt la forme d'un embryon ren-

---

* Pourtant, le Dr Albert Leprince citait déjà les expériences d'un médecin anglais qui avait remarqué que si l'on présentait à une personne les sept couleurs du spectre, le pouls réagissait différemment pour chacune d'entre elles.

versé. Une observation attentive permet de déterminer que, d'une certaine manière, chaque partie du corps est représentée par un point sur l'oreille. Mais cette représentation n'est qu'un aspect de la découverte, un guide en quelque sorte, qui permet une thérapeutique élémentaire, et un diagnostic de localisation du blocage de l'énergie. Il faut aller plus loin.

Mon excitation grandit quand je m'aperçois que Paul Nogier a reconnu l'oreille comme lieu de projection de sept sortes de vibrations qui correspondent à sept couleurs différentes — l'équivalent du prisme de Mikhaël Aïvanhov.

Je pénètre insensiblement dans les mystères du monde invisible. Ce dernier devient présent, palpable, manipulable grâce à des aiguilles d'or et d'argent. Au contact de mon maître, en le suivant pas à pas dans ses recherches, je participe à cette extraordinaire aventure de l'essor de la théorie de l'auriculomédecine. Petit à petit, j'assimile ce qui, quelques mois plus tôt, me paraissait totalement inaccessible.

Je suis fascinée par son étonnante créativité, et sa grande bonté. Puis, il réalise que j'ai, moi aussi, mes idées. Nos chemins divergent. Chef d'école, sa mission consiste à prodiguer un enseignement logique, et à présenter de la façon la plus rationnelle, la plus rassurante possible, ce qu'il veut transmettre à des médecins de formation cartésienne.

Je suis individualiste. N'étant pas chef de file, n'ayant rien à prouver, ne faisant depuis longtemps plus partie de la médecine officielle et ne souhaitant pas y retourner, je décide d'évoluer seule en insistant sur la compréhension symbolique. Paul Nogier comprend mon désir. Nos rencontres deviennent maintenant très rares, mais j'évoque cette période avec émotion et reconnaissance.

Mon attitude vue de l'extérieur pouvait paraître incompréhensible : quitter un service hospitalier, un métier, une sécurité financière pour voyager en quête de l'inconnu, partir à Lyon chaque semaine rejoindre Nogier en empruntant les trains de nuit, puis y louer un appartement pour éviter des fatigues, investir des sommes considérables dans des voyages et des livres... plutôt que d'être « rentable »... Il me fallait être folle pour oser organiser ainsi une vie. C'était la réaction normale d'un monde conventionnel. Si j'essaie d'expliquer ce que je découvre et relate les guérisons auxquelles j'assiste, cela devient plus grave encore. Je ne m'entoure pas de toutes les précautions oratoires nécessaires, comme le fait le patron. Lui sait se montrer prudent et progressif afin d'éviter un réflexe de protection, un rejet de son système de pensée ou des accidents, car certains élèves présentent des désordres psychiques en recevant cette révélation de la réalité de la force mystérieuse qu'est l'énergie, que j'essaie de connaître et qui remet toute la médecine en question.

Quant à moi, désormais accoutumée à l'insolite, la méthode me permet de contrôler mes idées et, en quelque sorte, de rationaliser l'invisible et l'impalpable. J'intègre cette méthode dans un système logique que je me trouve en passe de construire. Je transpose ces informations sur un canevas à base ésotérique et pénètre seule dans un univers fantastique. Pour moi, l'auriculomédecine relève de la symbolique la plus pure et obéit à la plus grande loi de l'ésotérisme : « Le Tout est dans Tout et Tout est dans le Tout. »

Certains savent reconnaître l'image du corps dans la main, le pied, l'œil, le nez et les lois de la somatotopie expliquent cette représentation. L'auriculomédecine séduit plus que tout par l'élégance de sa technique. Il convient naturellement pour se rendre accessible à ces évidences de bien vouloir franchir le pas du microscope électronique, fût-il à balayage et d'admettre ou de percevoir au-delà des limites imposées par les appareils les plus perfectionnés une réalité non encore identifiée par la science. Démarche difficile, qui conduit à une remise en question si brutale qu'elle constitue une agression dangereuse pour l'équilibre mental de qui n'est pas préparé à la recevoir. Mes errances, mes pauses, mes incompréhensions passagères, tout le travail réalisé sur moi en France, en Espagne, en Suisse, puis la présence du Dr Nogier à mes côtés m'ont rassurée, reconstruite, et me permettent maintenant d'avancer.

J'admets une nouvelle physiologie du corps et sa représentation sur l'oreille. Ce corps est composé de sept plages répondant chacune à l'une des sept vibrations correspondant à l'une des sept couleurs. Il existe une localisation spécifique physiologique pour chacune de ces plages. L'équilibre est réalisé quand chacune d'entre elles vibre à son rythme : quand chaque vibration habite sa « maison ». Pour moi, chaque maison représente non pas un organe, mais une grande fonction physiologique.

Mais parfois, la vibration spécifique d'une maison peut se propager dans une autre. Si ce n'est que transitoire, elle ne fait que donner un certain goût, une autre teinte qui enrichit celle-ci.

Ainsi, les cellules de chaque plage, pour bien se porter, doivent être excitées, animées, bercées par une vibration, une couleur, un son qui leur soit spécifique. Soumises à une vibration étrangère, elles s'en accommodent momentanément, mais quand celle-ci se prolonge, elles en souffrent et sont atteintes d'un dysfonctionnement qui sera passager, donc réversible, s'il est intermittent.

En revanche, si ce dysfonctionnement n'est pas corrigé et devient permanent, les lésions deviennent irréversibles. On aboutit alors au stade organique de la maladie cellulaire, la seule pratiquement reconnue par la médecine classique.

Les résultats parfois si spectaculaires de l'auriculomédecine prouvent la réintégration des vibrations normales dans leur plage. Les signes de souffrance cellulaire disparaissent, à la fois dans la plage normalement réhabitée et dans la plage déshabitée de vibrations parasites. Les cellules qui habitent ces deux plages sont maintenant soumises au système vibratoire qui leur convient. Mais les résultats ne sont pas toujours aussi immédiats et définitifs, ils sont parfois décevants. Je suppose que, dans ces cas, le chemin des déviations énergétiques est tracé et nécessite plusieurs traitements avant d'être définitivement dérouté de la mauvaise voie. Il devient nécessaire de répéter les séances.

Je me construis ainsi une théorie d'allure simpliste qui me convient parfaitement. A cet égard, c'est Lavier qui m'avait, quelques années plus tôt, enseigné un principe rentable et permis de comprendre l'importance du symbole en tant qu'élément technique de recherche. Le tout tient dans une courte histoire sur laquelle j'ai souvent médité : « Il y a deux façons de connaître les objets qui sont sur cette table : on peut à la façon d'une tortue l'explorer patiemment, on peut, comme le ferait un aigle, la survoler et tout connaître d'un regard. »

J'ai compris ce jour-là la différence entre la pensée analytique qui nous est habituelle et l'attitude synthétique qui exploite la pensée analogique, symbolique et conduit à l'ésotérisme.

Le principe des sept plages utilise un chiffre cher au monde ésotérique et me satisfait, car il me permet de commencer à faire une synthèse des divers enseignements qui se recoupent parfaitement.

L'application à la clinique de ce symbolisme a un réel intérêt car elle permet de soigner avec de plus en plus de simplicité et une efficacité accrue. J'utilise la voix pour la sophrologie, quelques aiguilles pour l'auriculomédecine. Je suis étonnée de constater qu'avec quelques principes simples, je soigne des affections qui échappent aux domaines des spécialités les plus avancées. Tel malade arrive plié en deux par une sciatique, il sort en position verticale, un autre entre avec un strabisme, il sort avec des yeux momentanément symétriques ; tel autre avait un voile devant les yeux qui disparaît, une chanteuse retrouve sa voix, un membre paralysé se fléchit doucement, un insomniaque retrouve le sommeil perdu depuis de nombreuses années. Il n'en n'est pas toujours ainsi. Il convient bien souvent de répéter le traitement et même parfois d'entretenir à intervalles réguliers l'amélioration. Mais le champ thérapeutique s'est considérablement élargi par rapport aux données classiques, sans l'intervention d'aucun médicament.

Bien entendu, il faut, pour réaliser ces transferts d'énergie, une bonne sensibilité et un certain savoir.

Ainsi je tire une récompense de ce regard neuf que j'ai voulu porter sur chaque chose.

Il ne suffit pas de poser ici et là quelques aiguilles sur des points détectés à l'aide d'un appareil quelconque pour pratiquer avec bonheur la manipulation de l'énergie. Il faut beaucoup travailler pour trouver les « clés », elles ne figurent pas toutes dans les livres. Les maîtres ne publient qu'une vérité parcellaire, ils se réservent de transmettre oralement les éléments les plus importants de leur savoir. C'est une des grandes lois de toutes les connaissances initiatiques. Cette réserve m'a souvent scandalisée, comme m'a scandalisée le fait d'apprendre par Lavier que certaines erreurs étaient volontairement écrites pour dérouter certains... et puis, je l'ai admis et compris.

A ce stade, toujours indisciplinée ou tout simplement libre, j'ai modifié un certain nombre de données que le Dr Nogier m'a enseignées pour que mon système thérapeutique soit plus logique et conforme à ce que je ressens. Mais quelque chose m'inquiète et m'échappe : traitant quelque malade grave, je suis parfois saisie de vertiges, des sueurs apparaissent, j'ai l'impression de recevoir la douleur, la fatigue, le trouble dont souffre mon malade. En même temps, j'ai l'impression que mes forces s'écoulent vers lui, et je suis contrainte de récupérer après l'avoir traité.

Je suis sans parade véritable quand je sens glisser mes forces vers l'autre qui s'en va satisfait, alors que je suis contrainte de m'allonger. Je ne peux guère m'en expliquer avec mon entourage, même s'il sympathise. « Hystérie, psychopathie », ne sont pas loin d'être évoquées devant ces malaises. Plus tard, Tony Agpaoa m'en donnera l'explication et la parade, mais je suis pour longtemps seule à les affronter.

Je demeure ainsi sans explication plausible, jusqu'au jour où une malade souffrant d'un membre fantôme m'est confiée.

Cette femme, amputée depuis deux ans d'une jambe, continue d'en souffrir et de la sentir vivante. Je ne sais quelle curiosité me porte à examiner le membre restant plutôt que l'oreille, et à le tester par le réflexe auriculocardiaque de Nogier, en jouant des sept couleurs, à l'aide d'une lampe lumineuse et colorée. J'en projette les faisceaux lumineux sur la jambe présente, et recueille au pouls les informations provoquées par ces excitations. Dans un geste maladroit, le faisceau lumineux dévie vers la place qu'aurait occupée la jambe absente. Je reçois une excitation. Je pense avoir commis une erreur et effectue un contrôle. Je m'aperçois ainsi que je recueille des vibrations de ce membre absent, qu'il m'est possible même d'en dessiner les contours. Seule une vibration manque, celle que j'attribue dans les conditions normales à ce membre.

Le corps visible est absent, sa vibration physiologique (tout au moins dans mon système personnel) est absente. Les autres vibrations sont là, irrégulièrement distribuées, mais le tout affecte la forme du membre amputé ! Je suis très impressionnée, je sais que j'ai mis en évidence un corps invisible ; cette femme le sent et elle en souffre, bien qu'il ne soit plus là. Je me retourne alors vers l'oreille, l'examine, et tout émue, commence à traiter. A peine ai-je mis une aiguille que la femme annonce : « Ma jambe change de forme... » Peu après : « Je n'ai plus mal... Je ne sens plus rien. »

A l'examen de l'emplacement du membre absent, je ne sens maintenant plus rien. Il n'y a plus de membre inférieur palpable au pouls.

Tout en étant avertie depuis longtemps des manifestations de l'invisible, cette observation et toutes les conclusions qu'elle implique me laissent pensive. Je ne peux mettre en doute mes constatations. Mais à quoi rattacher ce phénomène ? Je dors peu cette nuit-là : les explications d'ordre neurologique n'expliquent pas ce phénomène.

J'ai entendu ici et là parler de l'aura. On prétend même que certains individus sont capables de la voir. Je commence à imaginer que cette aura existe, que je l'ai perçue dans une condition pathologique, et que peut-être ma fatigue face à certains malades peut être liée au fait que les auras sont capables de communiquer, qu'elles sont la manifestation d'une certaine qualité énergétique, et que le thérapeute doué peut faire passer son énergie à son patient et, réciproquement, en recevoir l'énergie malade.

Je commence à lire quelques ouvrages sur des sujets auxquels je n'avais pas envisagé de m'intéresser. Je lis Rudolf Steiner, je m'intéresse à la théosophie, j'apprends qu'il existerait toute une série de corps se superposant à notre corps physique et que l'on connaît cela dans d'autres religions que la nôtre. Pourquoi ne nous l'a-t-on pas dit ? Pourtant, Jean Vaysse...

Je retiens, comme hypothèse de travail, notre première doublure : le corps éthérique, et je suppose avoir palpé ce dernier lors de cet étonnant examen. J'imagine que les sept couleurs entrent dans la constitution du corps éthérique et que la technique de l'auriculomédecine telle que je la pratique, en jouant sur les transferts d'énergie, est un traitement de ce corps invisible, lequel anime et donne la vie à notre corps organique. Si l'aura est perturbée, le corps organique vit mal et présente des manifestations pathologiques.

Tout cela m'incite encore à me poser des questions sur notre devenir après la mort. Le membre fantôme porte-t-il bien son nom ? Les fantômes existent-ils ? Serait-ce ce corps invisible que j'ai perçu et qui, dans certaines conditions anormales, pourrait persister et donner lieu à quelques manifestations ? Les manifestations spirites, sous forme de moulages réalisés par le Dr Geley seraient les preuves de matérialisations en présence de médiums. Faut-il y croire ? Par un hasard étrange, je rencontre le gendre du Dr Geley, lui aussi médecin, qui m'explique que son beau-père est mort dans un accident d'avion, mais que les moulages de plâtre réalisés au cours de manifestations spirites et qu'il emportait avec lui ne se sont pas cassés alors que l'avion avait été détruit.

Je trouve étonnant que la pratique de la médecine telle que je la conçois me mène dans ces eaux-là.

J'envisage avec inquiétude le futur qui m'attend. Jusqu'où vais-je devoir aller dans mes expériences ?

J'ai eu la chance de rencontrer à Lyon, lors des week-ends de travail de Paul Nogier, le célèbre Dr Schmidt, qui vit en

Suisse, l'un des plus grands homéopathes. Ses cours m'ont intéressée, mais je les ai entendus comme on entend une belle histoire. Je n'ai pas à l'époque décidé d'étudier sérieusement l'homéopathie.

Au fait, qu'est-ce que l'homéopathie, si ce n'est le traitement des maladies les plus diverses par RIEN ? En effet, les dilutions de la teinture mère les plus puissantes sont les plus hautes dilutions, indosables, et ces corps indosables sont les plus efficaces dans leurs effets. L'idée me vient que l'homéopathie agit sur une réalité invisible grâce à une autre réalité invisible, c'est-à-dire par l'intermédiaire des vibrations. Elle fait donc partie des phénomènes à examiner.

A Paris, à Lyon, en Belgique, en Angleterre, je me présente aux réunions des différentes écoles. Chacune prétend être la meilleure. En fait, chacune permet une approche par une voie différente d'une même réalité. Le but est le même : choisir le médicament homéopathique le mieux adapté aux signes que présente le malade et retrouver le médicament qui, administré à dose pondérale à un sujet sain mais sensible, donnerait les signes (en totalité) dont le malade considéré se plaint.

Certains estiment qu'il faut faire cette recherche avec une minutie suffisante pour ne devoir administrer qu'un seul médicament homéopathique, lequel bien choisi et bien administré fera disparaître tous les signes à la fois : ce sont les kentistes. D'autres, moins puristes, moins élégants, soignent chaque signe avec un médicament différent.

Il existe, hors de nos frontières, une association de quelques médecins qui détectent le médicament utile par le pendule, à partir d'une goutte de sang. « Le Tout est dans Tout. » La technique, très fine, fait appel à un grand nombre de connaissances physico-chimiques et me séduit, bien que je ne la pratique pas encore. Le maître, ancien officier de l'armée des Indes, me dit qu'il travaille sur le corps éthérique et confirme ainsi mon hypothèse.

Précisons que l'homéopathie a été « inventée » par Hahnemann au siècle dernier et son livre princeps, l'*Organon*, fut écrit en 1811. En lisant Hahnemann je découvre que je ne suis pas la seule à penser que la vie du corps organique vient d'ailleurs. Elle n'est pas en lui-même, mais peut être dans cette autre chose qui est le corps éthérique détenteur du principe organisateur de l'énergie. Bien entendu, Hahnemann ne le dit pas exactement en ces termes, mais quelque chose de ressemblant peut être deviné en filigrane. « Sans force vitale, l'organisme matériel est incapable de sentir, d'agir et de maintenir sa propre conservation.

« Quand l'individu tombe malade, cette énergie vitale immatérielle, active par elle-même et partout présente dans son corps, est, dès le début de la maladie, la seule qui ressente l'influence dynamique de l'agent morbide hostile à la vie. » En d'autres termes, les troubles énergétiques apparaissent avant les troubles organiques et j'apprends avec bonheur que Hahnemann a découvert, il y a bien longtemps, ce que je pense être la vérité toute simple.

Hahnemann explique encore que ce principe vital, s'il est désaccordé, provoque la maladie. Cette phrase exprime pour moi les désaccords possibles entre les vibrations et leur plage originelle, phénomène évoqué plus haut.

« Etant invisible par elle-même et reconnaissable seulement par ses effets dans l'organisme, cette entité énergétique ne peut s'exprimer et révéler son dérèglement que par des manifestations pathologiques qui sont seules accessibles " aux sens " de l'observateur, c'est-à-dire au médecin... Cette énergie vitale est distincte du monde physique. » Cette phrase pourrait bien s'appliquer, me semble-t-il, à mon observation du membre fantôme.

Je médite sur la qualité des dilutions homéopathiques : ces dilutions successives d'une seule goutte de teinture mère d'un produit dans 99 autres gouttes. Puis, d'une goutte de ce mélange agité suivant certaines règles (c'est-à-dire dynamisé) dans 99 autres gouttes et ainsi de suite. Le produit de base ne laisse aucune trace susceptible d'être détectée au-delà de la 10e ou la 12e dilution. On peut l'utiliser à la 30e, 50e, 100e dilution ! Il agit donc par sa seule présence, son état vibratoire est capable d'entrer en résonance avec certaines vibrations du corps invisible. D'ailleurs, pour soigner une maladie donnée, il faut appliquer la règle d'analogie, chère à l'ésotérisme : établir une correspondance entre les vibrations du malade et celles du produit homéopathique.

Au terme de toutes ces réflexions, je voudrais poser ici des conclusions précises qui résumeraient la situation.

Ainsi, il existe des techniques comme l'auriculomédecine et l'acupuncture, qui permettent de tester l'état énergétique d'un sujet. Il est donc possible de faire un diagnostic des troubles énergétiques ! Ce stade, éminemment réversible, permet de traiter rapidement, efficacement, de multiples troubles et de prévenir, dans la plupart des cas, le passage à l'état organique. On imagine la qualité de cette médecine préventive et ses conséquences financières.

Régulièrement pratiquée, la régulation énergétique permettrait d'éviter l'apparition de troubles mineurs, parfois majeurs, et préviendrait les aggravations cycliques de troubles chroniques.

Ce qui me paraissait une injustice monstrueuse — les anciens médecins chinois n'étaient-ils pas décapités lorsqu'ils laissaient survenir la maladie de leur empereur au lieu de la lui éviter ? — me semble un principe riche d'enseignements : préférer la prévention en admettant qu'elle est possible. Ne pas agir en fonction de cette vérité est un crime... (Qui ne mérite cependant pas la mort !)

Ceci me ramène pratiquement à mon point de départ : la civilisation chinoise. Peut-être suis-je capable à ce stade de la comprendre mieux et de tirer de nouvelles conclusions, en relisant le *Yi King*.

5. LES GRANDS PRINCIPES

J'ouvre donc à nouveau le *Yi King* espérant y découvrir ce qu'est cette énergie manifestée et pourtant invisible, à laquelle nul ne fait réellement allusion en médecine classique. Je veux savoir ce que l'on peut retirer de la règle ésotérique « ce qui est en haut est comme ce qui est en bas », et de la formule « le Tout est dans Tout » et réciproquement. Vais-je enfin comprendre ce qui me semblait hermétique au début de ma quête ? Et acquérir une notion plus élargie de l'homme, de son destin, et des lois de la nature ?

Je me remémore les principes essentiels que Mikhaël Aïvanhov exprime dans l'opuscule qui traite du langage symbolique : « Grâce aux symboles, le disciple peut lire et déchiffrer le langage de la nature. Il travaille avec les symboles comme le chimiste avec des lettres qui représentent les différents corps ou éléments, ou comme le mathématicien avec les chiffres.

« Tout est symbole, tout est symbolique, que ce soient les couleurs, les notes de musique, les chiffres et les lettres, car c'est le langage universel.

« Tous, donc, utilisent des symboles : ils avancent, progressent et font des découvertes grâce à eux, mais quand on leur propose un autre symbolisme, le symbolisme ésotérique, ils sont effrayés, ils ne veulent ni l'accepter ni le comprendre. Mais ce symbolisme est le langage universel que la nature elle-même a créé et non les humains. Les autres symbolismes sont des inventions. Les notes, cela n'existe pas dans la nature, ce sont les hommes qui les ont inventées. Tandis que les couleurs existent...

« Si vous méditez longtemps, très longtemps sur un problème, vous verrez que dans votre subconscient ou votre super-conscient se cristallisera une forme géométrique, un symbole qui correspond absolument à l'idée, à la pensée, à la vérité qui vous préoccupe. C'est ainsi que travaille la nature, et comme l'homme est un résumé, un condensé de la nature, dans l'homme aussi les choses se cristallisent sous forme de figures géométriques ou d'images.

« Cependant, le langage des images n'est pas encore le langage symbolique absolu. Le langage symbolique absolu est géométrique. Les images, c'est encore un peu de chair, de la peau et des muscles. Les rêves sont des formes habillées. Il faut voir les symboles dans leur forme squelettique, et pour cela, il faut aller beaucoup plus loin et beaucoup plus haut, là où ils sont complètement dépouillés, où ils sont réduits à des principes, à des formes géométriques.

« Ainsi, j'ai compris que les symboles que les Initiés nous ont transmis n'ont pas été inventés par eux mais qu'ils étaient une réponse que leur donnait la nature entière, une réponse condensée, cristallisée, dépouillée, réduite à l'essentiel. Il existe un grand nombre de symboles, mais en réalité il y en a seulement quelques-uns qui résument tous les autres. »

Munie des armes fournies par ce maître, que je ne connais pas, j'aborde donc le *Yi King*. Tout y est simplement expliqué. Tout s'accorde avec ce que Mikhaël Aïvanhov exprime dans son opuscule, et je suis prête à recevoir ce que ce texte a mission de transmettre.

Je dois me souvenir qu'en philosophie chinoise, l'homme est un trait d'union entre le ciel et la terre. Il est composé d'une partie supérieure, la tête, qui l'unit au ciel, d'une partie inférieure, qui l'unit à la terre ; la partie centrale du corps est le point de rencontre.

Le monde est constitué de deux forces : l'énergie masculine (—) et l'énergie féminine (- -) qui, réunies, représentent l'unité : (⚌). Pour devenir créatrice, cette unité doit, tout comme la cellule, se dédoubler avant de s'associer. Cette union donne naissance à deux figures en quelque sorte géométriques d'une simplicité extrême : (⚏) (⚎). En se dédoublant et s'unissant à nouveau, elles peuvent donner naissance au trigramme, qui évoque pour moi la figure géométrique qu'est le prisme.

Les deux forces primitives, après dédoublement et conjugaison, peuvent donner naissance à huit trigrammes différents qui symbolisent huit principes.

Le groupement de ces huit trigrammes donne naissance à soixante-quatre hexagrammes qui expriment toutes les possibilités du monde symbolique. Ce mode de pensée m'est devenu familier et il me délivre dans la pratique médicale d'une foule d'informations parmi lesquelles il est facile de s'égarer (l'informatique utilise ces principes sur lesquels Leibniz s'était déjà appuyé). Si l'on déploie ces soixante-quatre hexagrammes en une rosace, l'expression même de la dynamique de la vie surgit.

Car la dynamique de l'énergie est celle de la vie et de la destinée. Cette rosace exprime et déploie les différents états par lesquels nous devons passer au cours de notre destinée. Elle dessine, à l'aide de signes géométriques élémentaires, la suite de nos mutations nécessaires et laisse deviner le passif qui menace l'individu qui refuse sa transformation, sa mutation et les expériences que nous impose le ciel. On peut intuitivement comprendre la différence qui existe entre ce que nous appelons les fatalistes et les sages. Devant l'épreuve les premiers diront : « C'est un mauvais coup du sort auquel il convient de se résigner », et les seconds : « C'est un signe que le ciel m'envoie et qui signifie que je dois changer quelque chose à ma vie. Je dois franchir une nouvelle étape de ma destinée. » Quant à celui qui refuse la mutation et s'accroche au passé, bien souvent, il bloquera à un niveau quelconque de son corps la circulation énergétique, et ce sera la maladie, peut-être la mort.

Faut-il encore comprendre les signes et les symboles qu'expriment les éléments de la rosace, et savoir remettre de la chair, des muscles et de la peau sur ces symboles, puis les habiller pour qu'ils deviennent vivants et compréhensibles ! Le *Yi King* nous y aide. Ainsi, le K'ien, composé de six traits, exprime l'énergie positive, le créateur, la puissance, la force lumineuse, etc. Le K'ouen, composé de six doubles traits, exprime l'énergie négative, la terre, la mère, le réceptif.

Les soixante-quatre symboles expriment ainsi tout ce qui peut exister, être pensé, créé, réalisé, dans le cosmos.

« Il y a deux processus : la condensation et le développement. Vous pouvez donc diminuer, condenser, cristalliser les choses jusqu'à les réduire à quelques lignes ou à une graine. mais vous pouvez aussi les étendre, les développer, les amplifier jusqu'à embrasser tout l'univers, dit Mikhaël Aïvanhov. Le disciple doit s'exercer dans ces deux domaines. Les Initiés considéraient que c'était tellement important, tellement utile et nécessaire qu'ils y travaillaient toute leur existence. Condenser et ensuite diluer. Cristalliser, symboliser et ensuite introduire la vie, la faire croître et circuler. Ce sont, si vous voulez, les deux principes : *Solve* et *Coagula*. Dissoudre et condenser. Lorsque Pythagore voulait éprouver ceux qui voulaient devenir ses disciples, il les mettait dans une pièce avec seulement une petite cruche d'eau et un morceau de pain, et il leur donnait un symbole à déchiffrer : un triangle ou un cercle, par exemple. Il savait que, si on connaissait les méthodes, on pouvait s'élever très haut et voir la correspondance d'un symbole dans le monde des idées. »

Je ressens une tendresse et une admiration immense pour ce maître inconnu mis par hasard sur mon chemin car il m'a transmis la possibilité de comprendre et de donner vie, à ma façon, à la pensée chinoise ainsi qu'au système de pensée ésotérique.

J'apprends plus tard, dans un ouvrage de cosmobiologie chinoise, comment autrefois les Chinois réalisaient l'ordre sur la terre, en fonction de celui du ciel, pour vivre ici même leur symbolique. Car, si l'ordre établi sur la terre est à chaque moment le même que celui qui règne au ciel, l'harmonie règne par définition sur la terre. Pour la réaliser, ils construisaient des temples à l'image de ce qu'ils connaissaient du cosmos : dans cet endroit privilégié, ils pouvaient méditer, vibrer en harmonie avec l'univers, et réaliser leur mission qui consistait à être le trait d'union entre le ciel et la terre.

Les anciens temples Ming Tang ou temples de lumière étaient sphériques en haut pour imiter le ciel, mais carrés sur la terre, en rappel des quatre points cardinaux. Leurs huit fenêtres symbolisaient les huit vents. Neuf appartements symbolisaient les neuf districts du pays. Douze compartiments imitaient les douze lunes, trente-six portes les trente-six pluies et soixante-douze fenêtres les soixante-douze vents.

Pendant la dynastie des Tchou, cinq appartements étaient réservés aux planètes : à l'orient, la maison de Jupiter. Au sud, celle de Mars. A l'ouest, celle de Vénus. Au nord, la maison de Mercure et au centre celle de Saturne.

Tous les temples de lumière font face au levant et ce sont des édifices publics où chacun peut venir méditer.

La grande règle ésotérique « ce qui est en haut est comme ce qui est en bas » est ainsi respectée, vécue et matérialisée. La méditation pratiquée dans ces conditions permet à l'homme de mieux s'intégrer dans la réalité cosmique, et de deviner le sens de la vie. Car ce n'est pas la science, mais la méditation, qui permet à l'homme de connaître ce qu'il est et ce qu'il est destiné à accomplir. De quelle puérilité font preuve les scientifiques qui se permettent de songer à une autre éventualité. La méditation, à travers les règles simples du *Yi King*, permet de se repérer par rapport aux soixante-quatre étapes de son évolution. L'humble acceptation de participer au cycle universel des choses amène l'homme à accueillir sans révolte les situations successives auxquelles il est confronté. Elles font partie de l'ordre des choses. En le reconnaissant en nous, nous acceptons les lois de l'évolution et le cycle des transformations. Il convient alors d'appliquer notre intelligence à cette situation, et d'en tirer le meilleur enseignement.

Le *Yi King* donne encore sa raison d'être à un art sur lequel il est intéressant de s'arrêter un instant : l'art divinatoire. Si le macrocosme est à l'image du microcosme, si ce qui est en haut est comme ce qui est en bas, et si l'homme est l'intermédiaire entre le ciel et la terre, on peut admettre que certains êtres privilégiés, les médiums, peuvent, à l'aide de signes, de symboles, exprimer en manipulant au gré de ce que l'on appelle le hasard, la réalité du moment. En l'occurrence, les baguettes du *Yi King* qui deviennent les signes géométriques qui véhiculent les symboles que l'on peut appeler absolus. (Les images du tarot, elles, sont revêtues de chair, de peau, de muscles.) Mais il va être nécessaire — et c'est là toute la difficulté — de savoir « habiller » et rendre vivants ces symboles pour qu'ils deviennent parlants.

Il est possible d'imaginer que les Anciens, en Extrême-Orient, pouvaient, au cours de la méditation, découvrir des lois de l'univers, et tout particulièrement des lois de l'énergie, ce qui leur a permis d'établir celles de l'acupuncture. Lois et principes que la science moderne n'a pas encore été capable d'expliquer et qu'elle a méprisés jusqu'à ces dernières années. Elle est contrainte de les tolérer grâce aux journalistes qui ont eu le mérite de pratiquer une information tapageuse à l'occasion des analgésies réalisées par l'acupuncture et permettant des interventions chirurgicales sans adjonction de drogues.

Mais les anciens Chinois avaient encore une autre façon de découvrir les lois et les desseins du ciel : ils l'observaient, et leur connaissance était très avancée.

Je me tourne donc vers cet art. Négligeant l'astronomie, je préfère m'intéresser à sa version abstraite et symbolique : l'astrologie. Vivant au xxe siècle, je fréquente les astrologues de mon temps et choisis au hasard d'une publicité un enseignement dont le programme me séduit. L'enseignant, ancien acteur, familiarisé avec la vie des grands écrivains, me prouve qu'il existe des relations indiscutables entre le ciel de naissance d'un auteur et la façon dont se déroule non seulement sa vie, mais aussi le contenu de son œuvre, les mots qu'il utilise, les titres de ses ouvrages. Chose plus étrange, la survie de l'œuvre est liée aux transits affectant le thème de l'auteur au-delà de la mort.

Pendant six mois, deux soirs par semaine, on me démontre que les aspects du ciel astral de naissance se projettent sur la Terre, et que les planètes, au cours de leur rotation permanente, éveilleront par des aspects harmoniques ou dysharmoniques ces données primitives.

Les planètes, symbolisées par une représentation graphique, émettent en quelque sorte chacune une énergie spécifique qui se projette sur la Terre.

Les Chinois représentaient par des temples les « maisons de la terre » accordées avec le ciel. Elles sont pour nous symbolisées par les douze maisons du zodiaque. Ces maisons, personnalisées grâce à un calcul qui tient compte du jour, de l'heure, du lieu de naissance et des données des éphémérides astronomiques, permettent d'interpréter le thème dans la pratique. On devine comment les vibrations de chaque planète peuvent s'harmoniser ou se combattre en fonction du jour et de l'heure de naissance, et comment en fonction du temps qui passe les différentes facettes de la symbolique de chaque planète peuvent s'éclairer, chaque éclairage prenant une allure particulière suivant la maison où se réalise cet aspect.

La position de ces maisons résulte du lieu et de l'heure. Il est donc possible de transférer un événement dans une maison ou une autre en changeant de lieu. On peut échapper à un destin en vivant son anniversaire dans une ville du monde éloignée de la sienne.

Cet astrologue me communique ses convictions. Je m'imagine qu'il défend avec sincérité et honnêteté cette discipline méprisée.

Quelques mois plus tard, une association composée de prix Nobel signe un manifeste contre l'astrologie !

Au terme de six mois d'études, j'ai suffisamment d'expérience pour être convaincue de leur erreur. Comme le professeur qui faisait un cours sur « La sophrologie existe-t-elle ? » sans jamais l'avoir pratiquée, ces prix Nobel n'ont fait précéder leur opinion d'aucune étude préalable. Je m'apitoie sincèrement sur les pseudo-princes du savoir.

Qu'importe. J'ai accompli un progrès réel et je fréquente maintenant la Société d'astrologie de M. Paul Colombet, où je rencontre quelques figures connues et une étonnante jeune femme discrète sur son nom et qui, au moment le plus imprévu, annonce dans le creux de votre oreille : « Il vous arrivera telle et telle chose la semaine prochaine. » Puis la réunion terminée, on se réunit au café voisin pour terminer la discussion. L'ingénieur côtoie le pharmacien, le médecin, l'inspecteur des finances, pendant que Saturne, Pluton, Jupiter, Uranus nous accompagnent, sans oublier Neptune et la Lune, Vénus et Mars, et Mercure, le dieu des échanges.

Exception faite des ouvrages du Dr Emerit aujourd'hui introuvables, je n'arrive pas à tirer profit des livres d'astrologie médicale actuellement dans le commerce. Ils essaient, en surimpression, et *a posteriori*, de faire coïncider un diagnostic médical, pur produit de la pensée rationaliste, avec une image symbolique. Ce n'est qu'un jeu de société intéressant : le fait de connaître le nom de baptême final d'une maladie, et éventuellement l'aspect conflictuel contemporain de l'affection, ne constitue pas des prémisses nécessaires et suffisantes à la thérapeutique telle que je la conçois.

Je prends le parti de monter le thème de chacun de mes patients. J'examine le conflit qui préside à la naissance, les forces qu'il possède pour affronter ses difficultés d'être, je distingue les éléments de connaissance de lui-même qui affleurent à la conscience (et lui sont donc perceptibles) des éléments de « l'insu », qu'il ne peut soupçonner ni même connaître par la voie de la simple conversation. Je le situe, je sais « qui » est en face de moi. Puis je regarde la position actuelle des astres et les aspects qu'ils forment avec les planètes de naissance. Ainsi, je possède l'ossature des forces de l'individu et connais les points critiques.

L'examen des maisons me permet de définir la nature de la crise subie par le malade sur le plan du vécu. Très vite, le médecin qui travaille dans ces conditions devient celui qui sait. Il est capable d'éviter les grossières erreurs du scientifique qui conclut : « Vous n'avez rien » à l'issue d'une consultation, alors que son malade vit un enfer. Il est aisé de deviner, par exemple, sans grand risque d'erreur qu'un passage de Pluton entraîne un bouleversement dans les finances, la vie familiale ou affective, suivant le chiffre de la maison où se fait le transit, et que la santé en pâtit.

La maladie peut se vivre de multiples façons : ce peut être une quête spirituelle qui ne sait se réaliser, faute de maître initié, et qui se résout par une fuite dans la drogue légale ou illégale. Neptune est en jeu. Ce peut être une maladie affective en relation avec des conflits amoureux s'exprimant par une maladie dont le maître symbolique est Vénus. Ce peut être une réalisation incomplète de l'individu sur le plan du travail, les maisons VI, VII, le Soleil, Saturne, Jupiter seraient en cause. Ce peut être tout simplement une méconnaissance de soi-même, car les planètes du malade sont au-dessous de la ligne d'horizon et toute la richesse de son inconscient doit lui être révélée. Je livre là pêle-mêle quelques éléments approximatifs simplement pour exprimer que le symbolisme planétaire peut orienter non seulement le diagnostic, mais encore prévoir la gravité, voire la durée du trouble par l'étude des transits. Car tous les conflits planétaires créent des troubles de la circulation de l'énergie dans notre corps. Ainsi se trouvent réalisés des blocages énergétiques, déjà évoqués dans la bio-énergie de Reich ou de Lowen puis dans l'acupuncture et l'auriculomédecine.

Comment se servir de l'astrologie en thérapeutique ?

Par mes techniques, je pourrai lever quelques barrages placés sur les voies de circulation de l'énergie, rectifier quelques aiguillages, placer en meilleur équilibre vibratoire les sept plages déjà évoquées. Je vais en quelque sorte blanchir un passif. Mais les conflits profonds en rapport avec le thème de naissance et actualisés par le passage d'un ou plusieurs astres sur les points névralgiques échappent à mon action. C'est au malade de travailler !

Les premières minutes de conversation prouvent qu'il vit

les aspects conflictuels de son thème : il en subit les aspects négatifs et en néglige les points forts. Il faut lui faire connaître ces derniers, lui apprendre à vivre les aspects positifs sur lesquels il doit s'appuyer pour supporter ou utiliser s'il en est capable les forces contraignantes en présence. Les techniques de Caycedo vont intervenir à deux niveaux : celui du corps physique et celui de la conscience plus subtile, celle que pour ma part je nomme dans le travail courant le corps imaginaire (terme que je dois à Jacques Donnars) et qui ne prête à aucune polémique.

Pour le corps physique, il convient, à mon sens, d'en faire prendre conscience par la technique indiquée au chapitre traitant de la sophrologie, sans nommer la partie malade. Une vérification par la technique des plages de couleur avant et après ce travail sophronique montre un certain « nettoyage » des plages parasitées par les couleurs qui avaient fui leur domicile pour se rassembler dans la région malade. Il faut valoriser le corps physique et ses zones saines, oublier dans le premier temps la zone malade. Plus tard, tout sera permis.

Au niveau du corps imaginaire (le corps physique étant relaxé), le travail consiste à visualiser une image simple, bénéfique car positive, dont les vibrations (qu'elle engendre par suggestion) renforceront le psychisme dans un sens favorable. Cet exercice peut être réalisé plusieurs fois par jour et permettra au malade de se « positiver ». Ce travail peut être fait à l'aide d'une cassette enregistrée par le médecin qui CHOISIT LES MOTS ET LES IMAGES CONVENANT A CHAQUE PATIENT.

Malheureusement, bien souvent, au fond de l'inconscient, persistent encore des forces obscures qui font obstacle à l'évolution. Dans ces cas, il est bon d'utiliser les vertus de l'imagerie mentale.

Il est étonnant de constater les relations étroites qui existent entre les données du thème et la première image symbolique exprimée par le patient : invariablement le conflit astrologique le plus évident surgit au cours de la première séance ! Je termine celle-ci par une suggestion positive dictée par les aspects harmonieux évoqués par le thème. Ainsi, c'est à partir des forces latentes qui sont en lui (non exprimées ou totalement méconnues) que le malade, progressivement, prend la voie de la guérison naturelle.

Ainsi, à partir des différentes techniques apprises ici ou

là, en les modifiant au gré de mon intuition ou des nécessités de l'instant, je me construis un schéma thérapeutique logique qui respecte la constitution et l'individualité de chaque patient.

Je ne prends habituellement pas en charge les malades en psychanalyse, laquelle appuie trop et trop longtemps sur les éléments négatifs de l'individu. Pourtant, certains, à forte tendance masochiste, ont intérêt à l'expérimenter, quand bien même cette thérapeutique durerait des années, car tout individu doit vivre son thème, c'est la meilleure façon pour lui de se réaliser totalement.

Bien qu'il soit difficile d'être lucide quand on est face à soi-même (c'est la « loi de l'aveuglement spécifique » chère à Roland Cahen !), la lecture d'un petit ouvrage m'éclaire sur mon destin. C'est grâce à Georges de Villefranche, docteur ès sciences, ancien officier de marine, ingénieur physicien d'un centre international de recherches nucléaires qui publie sous un pseudonyme pendant sa période d'activité, que je me découvre.

A propos du signe des Gémeaux et de la médecine, il explique que les Gémeaux Castor et Pollux furent des guérisseurs, et que leur méthode reposait sur la communion de l'homme avec le cosmos : « Les Gémeaux mettent en relation les choses et les êtres avec tout l'univers, grâce à la compréhension initiatique des harmonies universelles. » Il s'agit de la guérison spirituelle par la remise en ordre de la grande harmonie entre le sujet et le monde, par un sentiment spontané et primitif d'inspiration mystique. C'est en quelque sorte une guérison par l'extérieur.

En lisant ce texte, j'ai l'impression qu'il analyse ma démarche thérapeutique telle que je l'ai très spontanément conçue... Mon ascendant étant en Gémeaux, je ne fais que vivre un des aspects de mon thème !

Plus loin, il explique que le signe opposé aux Gémeaux est le Sagittaire, mi-cheval mi-homme : il se nomme Chiron, c'est le maître de la médecine, il a formé Esculape et Achille auquel il donna la lance magique. Chiron soigne par les plantes et par la chirurgie (médecine des mains, car la racine du nom Chiron est *kheir* : main). Cette médecine est immédiate, elle vise à être radicale dans ses effets, alors que la médecine des Gémeaux s'attache à réintégrer le malade dans son milieu relationnel.

Ces remarques sont en conformité avec l'orientation de

ma vie. Le Sagittaire est pour moi en maison VII (maison des associations et du mariage). J'ai épousé un chirurgien, travaillé avec des chirurgiens... et collabore actuellement avec « les chirurgiens aux mains nues ». J'ai utilisé les plantes opium et dérivés, d-tubocurarine et dérivés, etc.

Faisons encore quelques remarques que seuls les astrologues pourront comprendre ; bien que le fond du ciel soit dans mon thème en Lion et conjoint à Neptune, l'axe Poissons-Vierge est très valorisé par le nombre de planètes qui s'y trouvent. Mercure en Vierge et Jupiter en Poissons sont là en bonne position et me communiquent certainement la force de réaliser mon destin de médecin et de guérisseur malgré les difficultés qui surgissent, en étant au service des autres.

Ces constatations me redonnent du courage dans les moments de doute ; aussi j'aime constater que d'autres scientifiques s'intéressent à l'astrologie. L'intuition et la raison nous y amènent tout naturellement.

Je rencontre, à la Société d'astrologie, les deux cerveaux d' « Astroflash », André Barbault et Henri Le Corre. Ils me révèlent l'intérêt de la comparaison des thèmes. Dans un premier temps, j'étudie, grâce à leurs commentaires, les thèmes comparés de couples choisis parmi mes amis et m'aperçois de l'intérêt du procédé. Puis, l'appliquant à quelques patients en complétant les indications de l' « Astroflash » qui ne tient pas compte de tous les éléments du thème, j'établis les rapports de force existant entre deux êtres. Il devient possible alors de préciser la qualité de ces relations, d'en révéler les points forts, d'en déceler les faiblesses et les niveaux d'incompréhension. Il ne s'agit pas de culpabiliser l'un ou l'autre des membres du couple mais simplement de savoir qu'il existe un état de fait qu'il faut savoir accepter, peut-être contourner...

Parfois, hélas, on constate qu'il n'existe aucune issue valable, même à long terme. Il faut alors savoir admettre qu'il est vain d'espérer une vie commune satisfaisante, et préférable d'espacer les contacts pour éviter de se détruire mutuellement.

Il est souvent utile de passer par l'éclairage de la vie privée pour permettre la guérison d'une affection psychosomatique, dont l'élément déterminant est lié à une perturbation dans les rapports affectifs. Si les conditions de vie ne peuvent être modifiées dans l'immédiat, encore faut-il savoir qu'il est souvent possible de prendre un certain recul sur les événements et adopter une position de neutralité qui permettra une amélioration des troubles.

Puis, l'idée me vient d'établir une comparaison des thèmes médecin-malade. La projection du thème du thérapeute sur celui de son malade est un élément important à considérer dans les prévisions quant à l'issue du traitement d'une maladie gravissime. J'évalue les chances dont je dispose en projetant sur le thème du malade mes aspects bénéfiques. Pourront-ils renforcer les éléments trop faibles de son thème et contrecarrer les éléments conflictuels ?

La notion de communication entre le médecin et le malade, au-delà de la rencontre physique, au-delà du verbe, prend alors un sens. Je devine l'explication de mes pertes soudaines d'énergie au contact de certains patients, l'apparition sur mon corps de leurs symptômes douloureux dans les heures qui suivent la consultation ; je devine que leurs troubles les quittent, mais qu'à mon tour je vais devoir m'en dégager. Je commence à savoir reconnaître les signes de « vampirisation » de mes forces par le patient. La notion d'aura me permet de comprendre le phénomène. Il s'établit une communication entre celle du patient et la mienne. Les thèmes comparés m'apportent une confirmation de cette éventualité.

Je sais pourquoi je ne veux soigner que quelques patients, le plus souvent des amis. Je ne sais pas encore me protéger, et cette sensibilité particulière, qui me mène sur les chemins d'une médecine passionnante, est encore une faiblesse.

Peut-être n'était-ce pas toujours ma science mais ma présence qui aidait certains grands malades à survivre lors de ma carrière de réanimateur. J'avais constaté que si je restais près d'eux au cours de la nuit qui suivait de grosses interventions, ils avaient davantage de chances de survivre ; souvent la mort venait quand, épuisée, j'allais dormir. Certaines infirmières, c'est un fait, enregistrent pendant leurs gardes moins de décès que d'autres.

En acceptant la notion de corps éthérique et d'aura, en utilisant les notions fournies par l'astrologie, la médecine prend une dimension nouvelle.

Si les classiques se sont penchés sur les biorythmes, c'est que les cycles planétaires sont assez évidents pour que cette notion de rythme puisse s'imposer. Ce travail est le fruit d'une observation patiente, conjuguée avec la statistique éclairée par la pensée mathématique, mais dans laquelle on néglige la cause première qui est le rythme du cosmos et des astres. On considère les résultats en oubliant les éléments déterminants. Les Chinois, par l'étude des cycles liés aux « cinq éléments », l'avaient découvert bien avant les scientifiques et appliqué à l'acupuncture. Un même point n'est pas utilisé de la même façon suivant la saison, et cette règle est aussi valable en auriculomédecine ; je m'applique à la mettre en évidence.

6. L'ÉPREUVE

Revenue depuis quatre mois de chez Tony Agpaoa, je ne songe plus à ce dont il m'a parlé : ce problème à régler, cette expérience à vivre, cette mort symbolique à subir. Je reviens d'un week-end prolongé passé chez des amis.

Je sors du métro pour reprendre ma voiture. Je dois traverser la rue mais j'attends la décision que prendra un automobiliste arrêté au croisement, en face de moi, et qui n'a pas signalé de quel côté il allait s'engager. J'attends encore un peu, puis je décide de passer. A cet instant, regardant à droite, le chauffeur tourne à gauche, le véhicule bondit sur moi.

Ma tête heurte l'angle du pare-brise. La sensation de tournoyer en l'air. Plus rien.

J'ai l'impression de revenir de très loin. Des voix, la sirène d'une voiture de pompiers. J'ai eu un accident ! J'entends, donc je suis vivante. Je m'explore. Mes bras bougent. J'ouvre les yeux. Je vois des visages penchés vers moi. « Entrez quelques instants, j'habite à côté », dit gentiment une dame. Je veux me lever car je suis dans le caniveau. J'aperçois ma valise, loin là-bas. Je ne peux pas m'asseoir. Je veux prendre appui sur mes jambes, c'est impossible. Le conducteur de la voiture m'observe, anxieux. J'essaie de lui dire que ce n'est sans doute pas grave, que ce n'est ni sa faute ni la mienne, que c'est comme ça, tout simplement.

Je demeure allongée là où je suis, sans forces. J'ai vu, il y a quelques minutes, en sortant du métro, une affiche annonçant un récital de Rostropovitch. Je ne sais pas si je pourrai y aller.

L'ambulance arrive. On me glisse doucement sur une civière. Je me rends compte qu'il ne s'agit pas seulement d'être privée d'un concert. A la moindre secousse, ma tête, mon corps me disent que c'est plus grave que je ne le croyais. Le réanimateur me signale qu'il vient de mon ancien service, qu'il a beaucoup entendu parler de moi. Je souris semi-inconsciente, mais ce qu'il évoque semble appartenir à un autre monde.

On me dépose à la clinique. Je cherche aussitôt un visage connu qui va m'aider, créer le lien dont j'ai besoin entre le passé et le présent, combler ce vide, ce précipice vers lequel je dérive lentement.

Je me retrouve seule dans la pièce voisine de la salle d'opération. J'attends... j'ai besoin d'une présence affectueuse près de moi, pour me donner la main, pour m'aider à réintégrer mon corps, car je me sens à distance de lui.

Une inconnue entre, me tâte un peu brutalement, prend ma tension et s'en retourne. Après cet examen, je sens une douleur sourde. Une infirmière passe à qui je réclame des radios. Je veux savoir ce que j'ai, si je peux bouger, si j'en ai le droit.

« Plus tard », me dit-on. J'espère toujours ce visage connu. Personne ne vient. Je pense que d'un instant à l'autre, la porte de la salle d'opération va s'entrouvrir et qu'un mot du chirurgien me rassurera, m'enlèvera cette sensation horrible de glisser ailleurs. Nul n'apparaît. Pourtant, je sais qu'il est urgent d'agir.

Puisque l'on ne m'aide pas, il faut que je me prenne en charge avec les faibles moyens dont je dispose encore car mes forces s'en vont et ma vigilance a des défaillances. Je prends dans mon sac, avec des mains tremblantes, des aiguilles d'acupuncture. Je cherche mon pouls, saisis au hasard une aiguille et la présente à mon oreille. Désespérément, j'essaie de concentrer mon attention sur mes sensations, pour percevoir cette modification dans l'intensité du pouls qui m'indiquera l'endroit où piquer. Je prends une aiguille, puis deux, au hasard, or ou argent, et les pose. Quelques gouttes de sang perlent sans doute à mon oreille car mes doigts reviennent tachés. Voilà un bon signe, j'ai touché des points efficaces ! J'agis à la fois sur les deux éléments dont parle l'acupuncture, le sang et l'énergie. Le brouillard s'estompe un peu, ma tête est moins pesante, je deviens plus lucide. J'émerge. J'éprouve un sentiment de satisfaction intense. Ainsi, il existe une fabuleuse technique, que tous on voulu ignorer dans le lieu où je me trouve, qui, à cet instant, m'aide à sortir d'une mauvaise passe. J'établis mon bilan. J'ai subi un gros traumatisme crânien, une fracture du péroné, et quelque chose d'assez important se situe au niveau des vertèbres lombaires. Une radio préciserait les dégâts.

Une infirmière arrive, m'annonçant qu'elle va m'installer dans une chambre. Je refuse, je veux une radio et voir mon chirurgien. « Il opère, madame, il est occupé. » Les ordres sont donnés, je dois être installée dans un lit.

Tout mon corps devient douloureux et réagit aux mouvements du chariot et à la montée de l'ascenseur. « Glissez-vous dans le lit », me dit-on. Je regarde l'infirmière, stupéfaite. J'en suis incapable, ne le voit-elle pas ? Je me protège, je me défends, je ne devrais pas être mobilisée sans un examen radiologique préalable de ma colonne lombaire. On me glisse sur le lit à l'aide du drap.

Je me sens abandonnée, mais ne veux pas sombrer. J'ai mon sac, donc mes aiguilles à ma portée. Je me soigne. Je commence par supprimer la douleur refusant les calmants que l'on me présente. Je veux rester vigilante ; et ces drogues me plongeraient dans le brouillard dont je viens d'émerger.

Ma douleur dominée, j'attends. Des marteaux piqueurs défoncent la rue, retentissent dans ma tête. Je me pose une aiguille, en tremblant, désespérément, utilisant mes dernières forces. J'ai la sensation de me noyer et par un effort surhumain, de venir respirer un peu d'air à la surface quand une aiguille bien posée lève l'opacité qui m'encercle.

A plusieurs reprises, j'aurai la sensation de me perdre, mais par chance chaque aiguille réussit à contrôler la situation et m'aide à recouvrer la conscience qui s'échappe. Puis j'émerge nettement. La situation se stabilise, il me semble avoir passé le cap critique.

Voilà bientôt deux heures que j'attends, et réclame le chirurgien. « Il opère, madame. » Il apparaît enfin, manifestant un optimisme paradoxal si je le compare aux sensations que je viens de vivre. A voir la décontraction affichée ici, je suppose qu'il est difficile d'admettre qu'un médecin puisse s'offrir le luxe d'être malade, et ma réputation de santé « indestructible » n'incite personne à s'inquiéter de moi.

Enfin des radios sont faites, mon diagnostic était bon. J'ai une fracture articulaire du péroné et des fractures des apophyses transverses des vertèbres lombaires. Je demande une radio du crâne. « Inutile. Si vous aviez quelque chose au crâne vous n'auriez pas cette tête-là. » J'insiste, ma tête a heurté en premier la voiture, je me souviens de ce choc ! On refuse. Faut-il m'excuser de ne pas avoir la tête qui convient, en expliquant que c'est grâce au traitement que je viens de pratiquer... Ce serait trop fatigant, on ne me croirait pas. Je me tais, et laisse le chirurgien faire un plâtre de jambe.

Je veux rentrer chez moi, je ne supporterais pas le bruit des marteaux piqueurs. Le chirurgien n'appelle pas d'ambulance, il me glisse à l'arrière de sa voiture, me tire, me pousse comme il peut, malgré la douleur lombaire qui s'intensifie et le poids de ma jambe plâtrée. Puis, une fois arrivés, il m'extrait de la voiture, me porte sur son dos, me tenant par les bras. Je vis un calvaire, ma tête est bousculée, ma vue se brouille, les muscles de mes vertèbres lombaires sollicités me font atrocement souffrir, ma jambe plâtrée pend et tire sur ma colonne vertébrale, mes muscles des bras et des épaules n'en peuvent plus. Je n'ai plus la force de m'accrocher.

Nous montons ainsi deux étages. Il m'assied sur une chaise, au milieu de la pièce, et s'en va, me laissant entre les mains d'une nouvelle employée réunionnaise, arrivée ce matin.

Je pleure de douleur, de déception. Comment n'a-t-il pas deviné ce que je ressentais, ce dont j'avais besoin ? Ce que j'attendais de lui ? Car cet homme, ce chirurgien, c'est mon mari !

J'apprends que l'on peut se trouver désarçonnée face à la douleur, l'angoisse, la mort. Que la pitié n'existe pas. Je ne suis pas faite pour être une malade, ni être aidée. Dans toutes les circonstances, je dois faire face sans appui.

S'agit-il du fameux problème à régler ? De la mort symbolique évoquée par Agpaoa ?

Je vais maintenant savoir qui sont mes amis, ceux qui m'aiment vraiment ou qui savent retourner les services rendus.

Je ne sais pourquoi mon père ne vient pas. J'ai tant besoin de lui ! Ma fille aînée n'apparaît pas.

Fort heureusement, Yvette, ma nouvelle employée, calme, dévouée, et quelques voisines compatissantes m'entourent. Ma cadette, en période d'examen, arrive, affectueuse, compréhensive. Nous sommes sur la même longueur d'onde.

Chaque jour, je me soigne et viens à bout de mes douleurs. Ma tête me gêne lorsque je la bouge sur l'oreiller, j'entends des craquements. J'ai l'impression de souffrir d'une disjonction des os du crâne ; si je la pose sans la tenir entre mes bras croisés et relevés, ma vue se brouille, je demande un bandage compressif qui ne remplace pourtant pas mes mains, ni mes bras relevés et croisés.

Subjectivement, je vais assez bien en position assise et j'ai l'impression de m'en sortir à bon compte. Au bout d'une semaine, j'interromps mes soins, ne sachant ce que peut entraîner un traitement d'auriculomédecine réitéré ! Je crois la partie gagnée, et accepte de soigner une dame qui me demande du secours, car elle souffre depuis huit jours d'une crise de tétanie subintrante qui échappe à toute thérapeutique. J'ai pitié d'elle, et installée sur une voiture roulante prêtée, on me mène à mon bureau. Je commence l'examen, puis le traitement. Quand je manipule la couleur rouge, une étrange sensation m'envahit. Je m'effondre. Je me retrouve à la place de ma patiente sur la table d'examen, mon cœur bat vite et fort, je ne sens que lui dans ma poitrine qu'il ébranle à chaque battement, une constriction angoissante étreint ma poitrine, je ne peux plus respirer. Je vais mourir. J'essaie de dire qu'il faut appeler une amie, réanimateur de l'hôpital voisin. Elle ne peut se libérer. Elle envoie ses assistants et avertit mon mari. Il survient, chasse tout le monde, m'accuse de jouer la comédie et me porte dans mon lit.

Je ne peux plus rien pour moi, n'ayant plus la force de prendre mon pouls, ni mes aiguilles.

J'ai la sensation de me « détisser », de me disperser en petits morceaux dans la pièce, en même temps apparaît au-dessus de mon lit et à droite un ovale lumineux, qui flotte et m'attire, on doit y être bien, j'en ai la certitude. C'est un endroit heureux. Vais-je m'y laisser glisser ? Si oui, il va m'emporter, je le sais. C'est une partie de moi-même qui y est déjà, ce doit être mon âme. Pendant que mon corps se défait, elle m'apparaît pour m'accueillir, me dire que nous allons partir ailleurs, et que tout se passera bien. Mais je n'ai pas le droit de me laisser partir, ma fille est trop jeune, tout ce que j'ai à lui transmettre n'est pas à jour ; mon travail non plus sur le carnet noir où j'ai commencé à inscrire ce qui ne doit pas être perdu. Je cherche un point d'appui où m'accrocher, me reconstituer. Elle appelle : « Maman, maman, maman ! » En grattant la paume de ma main. A cet endroit, naît une force qu'elle crée, qui rassemble progressivement le puzzle dispersé dans la pièce. Je suis presque réunie. Je lui fais signe de continuer à gratter la paume de ma main, je me retrouve, l'ovale lumineux s'efface.

Quelques jours s'écoulent ainsi. Après une série de signes prémonitoires que j'apprends à connaître et qui partent du ventre, le même phénomène se reproduit. Ma fille est là et m'aide, mais il faut faire quelque chose, il faut me traiter !

Elle convainc son père d'appeler un neurologue qui vient rapidement m'examiner. Il inventorie mes réflexes, déclare que tout va bien et insiste pour me faire une piqûre de valium auquel je ne puis me soustraire. Hélas, c'est là tout ce que le médecin classique peut pour moi. S'il pouvait faire davantage, il le ferait, il m'est sincèrement dévoué.

Tout se brouille alors encore un peu plus. L'appareil à tension à mon bras marque un chiffre de plus en plus bas. Je parviens à l'aide de signes à faire comprendre qu'il faut me surélever les jambes, mettre ma tête à plat, geste classique en réanimation. J'ai peur d'assister à la détérioration de mon cerveau. Si je survis, je ne veux pas d'un cerveau altéré. Sous l'influence du valium, je deviens un être végétatif. Ma respiration est difficile. Mon cœur bat irrégulièrement.

Je ne suis plus qu'une bête malade et si je dois mourir, je ne veux pas que ce soit dans ces conditions. J'ai le droit de mourir en être humain. Je veux vivre ma mort en me laissant glisser consciemment dans ce doux ovale lumineux que je voyais auparavant.

Le valium ayant terminé son effet, je ne me souviens d'aucun nom, d'aucun fait. Je ne trouve plus mes mots pour m'exprimer. Mais je suis capable de penser dans l'abstrait, et je garde curieusement ma lucidité en ce qui concerne mon métier, comme si c'était là l'essentiel de ma personne. J'existe par ce métier, il touche aux plus profondes racines de mon être, c'est mon essence.

Cependant, je n'en puis plus de lutter seule contre les malaises répétitifs. Il faut appeler quelqu'un qui viendra en l'absence de mon mari pratiquer une autre médecine. Un médecin efficace, qui ne se contentera pas de faire l'inventaire de mes réflexes. Je ne veux pas de cette comédie de Molière, de cette médecine dérisoire. Il faut faire autre chose que d'examiner l'état des réflexes.

Le Dr de Tymowski arrive dans l'heure qui suit. Il prend mes pouls chinois, fait un bilan des troubles énergétiques, me traite. Je sens qu'un point « d'appui » en mon corps apparaît. Le puzzle se reconstitue. Mon énergie se remet à circuler. Je la perçois. Il explique encore à ma fille comment pratiquer un massage dès que les signes précurseurs de la crise se manifesteront.

A partir de là, les crises s'espacent, le cycle énergétique est relancé.

Dans quel état est mon cœur après ces épreuves ? Va-t-il me permettre de reprendre mes activités sportives ? J'imagine dans mon innocence que tout sera rapidement possible. Je demande l'avis de mon ancien complice de l'hôpital Broussais, le Dr Ricordeau, cardiologue. Il fait le point de la situation, excellente du côté cardiaque. Sa visite m'est bénéfique. En le revoyant, je renoue avec autrefois. J'ai la sensation de récupérer une partie de mon passé ; de renouer avec ma vie de souvenirs dont j'étais coupée. Passé et présent se relient. Je retrouve la notion du temps, j'avais, depuis l'accident, l'impression que je n'étais que l'instant présent, qu'une fraction de seconde. Je récupère le sens de ma continuité.

Un matin, je me réveille, étonnée. Je me sens réinstallée dans mon corps. Pendant quelques minutes, j'ai même l'impression de disposer d'un capital d'énergie. La sensation est merveilleuse mais ne dure pas. J'ai pourtant l'impression de renaître et les jours suivants de croître en énergie. Un jour, je me lève et m'aventure dans l'escalier. Magnifique, je vais redevenir bientôt indépendante. Ouvrir le réfrigérateur et prendre un verre d'eau, seule, me paraît aussi beau, aussi victorieux qu'atteindre le sommet de l'Everest. J'ignorais qu'il pouvait en être ainsi pour un acte qui me semblait autrefois banal.

Paul Nogier, qui vient d'apprendre mon accident, propose de prendre l'avion malgré le travail qui le presse pour venir me soigner.

Mes amis me prennent en charge, les uns après les autres, pour assurer ma convalescence dans les meilleures conditions.

Je suis tout d'abord accueillie à Angers, chez mon amie Sylvie Mercier. Je vis dans l'ambiance de sa musique et de son art. Son père est peintre. Tout ici est calme et beau.

Puis, Yury Boukoff et sa femme m'accueillent dans une Haute-Provence parfumée et silencieuse.

Enfin, je retourne au Rayol, dans le jardin paradisiaque quitté la veille de l'accident, mais où je me retrouvais dans mon sommeil de malade par des rêves compensateurs. Francine Distel et sa mère m'y reçoivent.

Mon retour à la vie s'effectue ainsi dans des cadres privilégiés, mon cerveau ne reçoit que des empreintes harmonieuses et positives. J'accepte, assez bien, dans ces conditions, le travail du temps. Il en faut plus que je l'aurais imaginé pour récupérer mes fonctions cérébrales. Je note mes progrès car une douleur crânienne aiguë attire mon attention chaque fois que je suis capable de reprendre une activité physique ou mentale nouvelle. J'ai l'impression qu'un circuit se dégrippe douloureusement au niveau des localisations cérébrales concernées.

En réalité, j'ai l'impression d'avoir vécu plus une expérience qu'une maladie, tant j'ai découvert de sensations et d'états nouveaux ! J'ai, en même temps, appris à évaluer le prix d'une présence, d'un sourire, d'une fleur, lesquelles, quand on n'est plus qu'une chose infiniment vulnérable, vous communiquent une sensation très douce. C'est comme une caresse qui passe sur un pauvre corps malade, lui insuffle un peu de force, panse les plaies invisibles, le relie à une source de vie située dans un monde subtil. Ne serait-ce pas là un des miracles de la communication par l'aura ?

Je comprends maintenant combien Tony Agpaoa peut aider par l'ambiance positive amicale créée par les chants, les prières, les fêtes qu'il organise. Je reçois d'affectueuses lettres de Jean Noël qui travaille toujours là-bas.

Doucement, je redeviens presque moi-même. Je dis presque car toutes mes perceptions sont exacerbées et j'éprouve une extrême sensibilité au bruit et à toute espèce de vibrations. Si je tente de me mêler à la vie de mon entourage, je dois protéger mes oreilles avec du coton ou des boules Quiès. Je sais que je pourrai retourner aux Philippines. Agpaoa m'y attend. J'ignore encore que cette hypersensibilité va m'être utile pour travailler à ses côtés. Mon cerveau a beaucoup oublié. Mais sur cette cire maintenant presque vierge, va pouvoir s'imprimer sans résistance... un autre savoir !

Sans doute l'épreuve fait-elle partie du cycle initiatique. Tout est dans « l'ordre des choses »...

7. DÉPART POUR LE SECOND VOYAGE

L'accident a eu lieu le 31 mai. Fin juillet, je décide d'effectuer une première sortie dans Paris pour réserver ma place d'avion. Rien n'est facile. J'ai l'impression de venir dans la capitale pour le première fois, je ne reconnais pas les rues et suis obligée de me repérer laborieusement sur un plan. J'aborde les feux rouges avec les plus extrêmes précautions pour éviter un malaise sous l'effet d'un arrêt brusque au stop. Je négocie l'arrêt bien à l'avance et freine en douceur. Je parviens au but et optimiste retiens une place sur un charter pour le 5 octobre.

Hélas, quatre mois sont insuffisants pour assurer mon complet rétablissement. Les mouvements les plus simples s'enchaînent encore difficilement. Avant d'agir, je dois chaque fois me concentrer, prendre mon élan comme un coureur de compétition. Le bruit, ou toute espèce de vibration, entraîne l'apparition d'un malaise viscéral et d'un état brumeux. Ma propre voix me gêne, j'écourte mes phrases, j'évite de parler, je préfère me mettre à l'écoute des autres. Je conserve heureusement la compréhension symbolique des choses et garde intactes mes connaissances professionnelles. Mais mon savoir m'a quitté. Pour ne pas trop souffrir de ma déchéance, je prie ma fille de ne pas me poser de questions et je lui offre une encyclopédie !

Je compte sur Baguio pour guérir, mais serais-je assez vigilante pour m'assumer pendant le voyage ? Pour ne pas oublier un sac, un bagage dans l'avion, le taxi, le car ? En un mot pourrais-je me rendre seule à l'autre bout du monde, alors que vivre en situation connue est un problème ?

Chaque jour, je note cependant un léger progrès. Aussi ne suis-je pas désespérée, simplement affectée. Et puis, je sais qu'Agpaoa m'attend, une correspondance me l'affirme. Il me conseille d'appeler une de ses secrétaires en arrivant à Manille pour qu'elle me vienne en aide.

Je n'ai pas revu mon père depuis l'accident. Nous nous téléphonons, mais il ne vient pas me voir. Ce serait trop compliqué de lui demander pourquoi et je n'ai pas le courage de le savoir.

Un jour, fin septembre, il m'apprend qu'il est « tout jaune ». C'est une hépatite virale confirmée par les examens de laboratoire, cela me rassure car j'ai craint un moment un cancer du foie ou du pancréas. J'évoque la possibilité de retarder mon départ aux Philippines. « C'est inutile », me répond-il.

Quelques jours avant mon départ, je me sens capable d'affronter les feux rouges et vais l'embrasser. Nous sommes heureux de nous voir. Je me sens toujours réticente à l'idée de lui demander pourquoi cette absence quand j'avais tant besoin de sa présence et de son affection (Maman, elle, n'aurait pas quitté mon chevet) et lui conseille de bien se reposer. C'est un homme vif et nerveux. Je crains qu'il ne s'agite, lui explique que tout effort physique doit être évité, qu'il faut garder le lit.

En d'autres circonstances, j'aurais annulé mon voyage mais n'ai pas la force de repenser la situation, de faire de nouvelles démarches, de prévoir autre chose. Il me dit de partir, je laisse aller.

Au matin du 5 octobre 1977, je réunis avec application mes papiers et répète plusieurs fois les mêmes gestes. Ici mon passeport, là mon argent, dans cette poche mon billet d'avion. Je note le numéro du vol, l'heure du rendez-vous.

J'ai fait hier mes adieux à mon père, et n'ose l'appeler de nouveau car le téléphone n'est pas dans sa chambre.

Son médecin m'appelle : les derniers examens de laboratoire ne montrent pas d'amélioration sur les précédents. Inquiet, il préfère que mon père soit hospitalisé dans l'hôpital où travaille mon mari. En larmes, j'appelle ce dernier : « Je ne peux partir et laisser mon père dans cet état ! » Il me rassure, toujours optimiste dans les moments les plus graves, me dit que notre confrère ne veut pas prendre de responsabilités en

131

mon absence, et « ouvre le parapluie », ce n'est qu'une hépatite à virus, lente à régresser.

J'espère une demande de la part de mon père. Il refuse de me parler au téléphone sous le prétexte que l'ambulance va venir et qu'il prépare ses affaires. Si j'annule mon départ sans qu'il m'y invite... C'est sous-entendre que son état est critique ! Je laisse aller ! Une grande inquiétude au cœur. L'ambulance l'emporte au moment précis où je quitte l'appartement pour l'aéroport. On pourrait croire qu'à cet instant nos destins se séparent.

Dans un état nébuleux et angoissé, je monte à bord. Je bois une coupe de champagne qui m'endort.

La première étape est Bangkok. Je retrouve mes bagages. Un porteur les dépose dans un minicar qui m'emmène à l'hôtel.

La température extérieure est douce. Mes compagnons de route sont de jeunes Européens qui font, sac au dos, la visite de l'Extrême-Orient.

L'hôtel est simple, le ronronnement de l'air conditionné gênant. Je m'endors sans dîner, pour compenser le décalage horaire.

Sollicitée dès la sortie de l'aéroport, par un employé d'une agence locale qui voulait organiser ma journée, je me promène le lendemain, dégagée de toute responsabilité. Ce que j'aperçois de la ville m'émerveille. Cette majesté des temples et des bouddhas, ces jardins peuplés de statues sereines m'apaisent. Angoisse et difficultés semblent s'estomper. Quelque chose de neuf commence à vivre en moi au contact de l'Orient. Les commentaires sont en anglais : il va me falloir m'habituer à vivre au son d'une autre langue.

Le lendemain, départ pour Manille, dans le raffinement des avions thaïlandais : confort, prévenances, beauté des hôtesses, orchidées offertes à bord, tout me réconforte. En Thaïlande, oui, seulement là, je commence à vivre.

Depuis l'hôtel familier de Manille, je téléphone aux secrétaires de Tony Agpaoa. Elles viennent toutes deux me souhaiter la bienvenue, m'étourdissant de leurs bavardages et de leurs rires. L'une d'elles me propose de l'accompagner en ville. J'accepte avec reconnaissance. A peine sommes-nous dans le taxi qu'elle me confie à mi-voix : « Nous allons au casino du port, connaissez-vous ? » Non, je ne connais pas. Elle avoue jouer, avoir beaucoup perdu et espère se procurer ainsi de l'argent. A demi rassurée, je déambule à ses côtés, sur un

132

quai, à la nuit tombante. D'un pas sûr, elle nous dirige vers un bateau blanc. Je dois présenter mon passeport. Elle montre sa carte d'identité en interpellant allégrement chacun.

Le luxe règne à bord : moquette, décoration soignée, personnel élégant. Des yeux sont braqués sur moi quand je parais, je ne peux plus me confondre dans la foule. Je suis blonde, les yeux bleus, la peau blanche et vêtue à l'européenne. Je ne suis plus anonyme. Ma compagne choisit une salle, une table. Nous avons une chaise pour deux. Déjà elle se met à jouer, pendant que je sors de mon sac les obturateurs d'oreille les plus sophistiqués pour ne pas entendre le bruit infernal qui accompagne les mises et j'assiste alors à un film muet digne des années 30.

Je suis perdue au milieu d'hommes jaunes dans l'autre monde. Visages inconnus, étranges, dont certains me mettent mal à l'aise. L'Oriental raffiné côtoie l'énorme homme d'affaires vulgaire, le trafiquant au regard vif ou le pauvre angoissé qui vient jouer son dernier sou. Tous défilent sous mes yeux. Je refuse de jouer, préférant surveiller mon sac à main. Je n'ai pas encore déposé mes dollars dans le coffre de l'hôtel.

Ma compagne accumule les jetons, gagne, dit que je lui porte chance. J'essaie de la convaincre qu'il serait raisonnable de s'arrêter maintenant, sans prendre de risques. Dans son intérêt, mais aussi dans le mien, je sens qu'il vaudrait mieux quitter le bateau.

Ces visages étranges, ces mouvements de va-et-vient fébriles me mènent inexorablement au malaise. Au milieu de cette fumée, bien qu'apparemment protégée du bruit, mon cerveau enregistre les vibrations sonores et je commence à vaciller sur mon coin de chaise. Je lutte, respire largement, contracte les muscles de mon ventre d'où part le malaise. Que va-t-il se passer. Vais-je m'écrouler ? Mon sac va disparaître, avec lui le billet de retour, papier, argent ! Je prends mon pouls, teste mon oreille, essaie de réaliser un massage là où sous le doigt monte une perturbation. Qu'importe le ridicule de la situation. Doucement, tout s'arrange.

Résistant à mes sollicitations, ma compagne joue. Elle jouera une heure et demie durant, et ne s'arrêtera que les poches vides. Je paie le taxi qui la ramène chez elle.

A 6 heures du matin, sa collègue me prend en charge et me met dans le car de Baguio. Dès que sont dépassés les faubourgs de la ville, nous côtoyons des rizières dans lesquelles travaillent hommes et buffles, traversons quelques rivières gonflées d'eau car c'est la fin de la saison des pluies, puis la montée vers les Hautes Terres s'amorce. La nature est superbe, nous passons dans des gorges pleines de cascades. Les lacets de la route m'étourdissent, je m'endors pour ne me réveiller qu'à Baguio, vexée et frustrée d'avoir raté les trois quarts du paysage.

Un taxi me conduit au sommet de la ville, au Diplomat Hotel où travaille Agpaoa.

La grâce incarnée en la personne de Vilma m'accueille et m'appelle par mon nom. On pourrait imaginer que je suis partie hier. Je m'avance à l'intérieur. Assis dans la cafétéria Tony se lève, s'avance et m'embrasse. Oui, je suis attendue et acceptée. Je note le changement de comportement du maître, habituellement distant. Peut-être sait-il combien je suis affectée par la maladie de mon père, la précarité de ma santé, la peur de l'avenir et des épreuves qui m'attendent au cours de cette initiation. Je sais combien il est difficile de passer par la porte étroite. Mais son accueil signifie qu'il est là et que j'ai son appui.

8. TOUT COMMENCE

Après avoir pris possession de ma chambre et déjeuné, je fais part aux aides, June et Angelo, de mon intention de vivre dans une petite maison calme et bon marché, ils me chercheront un logement. Je croise Fred, le guitariste et assistant d'Agpaoa, et lui explique les raisons de ma présence. « En ce moment, dit-il, pas de malades ! Seulement quelques Allemands. »

J'ai l'impression qu'il voit sans plaisir mon installation à Baguio.

Les aides sont les intermédiaires entre les guérisseurs et les malades. Ils contrôlent les entrées et les sorties de la salle de *healing* que nous appelons salles d'opération, nous, les Français, selon les rapports des journalistes.

Ils chantent Mantras et chants catholiques pendant le temps de la prière et du traitement. Ils passent l'eau et le coton au guérisseur, posent de chaque côté de la partie traitée les serviettes et du coton pour éviter que l'eau et le sang ne se répandent. Ils essuient les malades, pratiquent le massage final, donnent les onguents chinois que préconise parfois Tony. On les sent souvent mal à l'aise, car ils côtoient le *power* sans le posséder vraiment. Parfois, cependant, ils deviennent eux-mêmes guérisseurs. Ils sont là, en attente de ce *power* qui, je crois, est le résultat cumulé d'un don de naissance, d'une évolution personnelle et d'un travail que le maître contrôle.

Si le maître m'a invitée à venir, il m'offrira une partie du

135

temps qu'il peut leur consacrer, de l'énergie qu'il peut leur transmettre. J'imagine tout cela au cours de mes premiers contacts avec eux, et je pressens des difficultés de coexistence.

Après une bonne nuit, je passe un long moment au marché, y déjeunant de fruits exotiques.

Le soir, je m'installe seule à une table pour dîner, et pense à Jean-Noël, arrivé en janvier, demeuré huit mois près d'Agpaoa, et parti en voyage, le stage terminé.

Je rêve à ce qu'il aurait pu m'apprendre si nos chemins s'étaient croisés quelques semaines sous le ciel de Baguio. Il aurait su me faire connaître la ville et ses habitants, m'aider à comprendre ce que je dois faire sous la direction d'Agpaoa. J'ignore tout de l'enseignement qui m'attend. Certains qui m'ont précédée m'ont dit que je n'apprendrai rien. Je tente l'expérience proposée, en aveugle, en curieuse aussi, car je veux savoir le pourquoi de cette vision et de cette audition prémonitoires, en scientifique qui veut démonter un mécanisme d'action thérapeutique inexpliqué. Mais je suis infiniment vulnérable, seule dans un pays lointain, fragilisée par mon accident, inquiète pour la santé de mon père.

Quatre personnes, sans doute les Allemands dont Fred m'a parlé, entrent et s'installent. Je fixe mon assiette : je n'ai aucune envie de lier connaissance, ma solitude me convient. « *Please...* » Je lève la tête : une jolie femme (telle une star d'Hollywood, nez parfait, sourire éclatant, longs cils) m'engage à venir prendre place à leur table. Je refuse poliment, prétextant ignorer l'allemand. « Mais nous parlons anglais, et même français pour certains », insiste-t-elle puis elle ajoute : « Mon nom est Gerda. »

Sans doute a-t-elle déjà donné des ordres car mon filet mignon disparaît, puis verre, couverts, pain... Je dois donc rejoindre leur table.

Un seul d'entre eux, Hans, parle uniquement l'allemand. Mais pour Fred le guitariste, tous sont allemands puisque capables de s'exprimer en allemand. Quant à moi, si les Philippins admettent que je suis française, ils s'obstinent à dire (malgré mes véhémentes explications) que je parle belge.

Hans, Allemand distingué d'un certain âge, paraît fatigué. Il est entouré de mille soins. Il se fait apporter un nombre impressionnant de plats qu'il dévore. Gerda l'accompagne. L'autre couple est suisse.

On me précise que leur ami Edwin, qui parle français, est au lit, malade. Ils prolongent leur séjour pour lui tenir compagnie. Il m'a vue passer devant sa porte toujours ouverte et serait heureux de me connaître. Je réponds poliment que je serai ravie de le rencontrer.

Le dîner terminé, Gerda m'accompagne au chevet d'Edwin. C'est un gaillard brun aux yeux bleus, sa profession : guérisseur ! Il a assisté Hans pendant le voyage : en effet, ce dernier sort d'une longue hospitalisation pour cirrhose du foie au cours de laquelle il a maigri de trente kilos, ses médecins viennent de s'apercevoir qu'il s'agit d'un carcinome du foie mais Gerda lui a caché le diagnostic et l'a convaincu de faire ce voyage.

Pratiquement incapable de s'alimenter depuis plusieurs mois, il va beaucoup mieux depuis que Tony le soigne.

En peu de temps, je sais tout de leurs problèmes.

Edwin est plein d'humour ; il rit de lui-même : venu bien portant pour aider un malade et lui transmettre de l'énergie, c'est maintenant lui qui se trouve alité, faisant obstacle au départ du groupe. Très ennuyeux pour Hans, homme d'affaires, de ne pouvoir travailler qu'au téléphone. Je pense que ce dernier est beaucoup mieux à Baguio qu'ailleurs, mais je me tais.

La situation est cocasse : devant moi, ce beau gaillard de quarante ans cloué au lit par une phlébite (déclenchée par l'exposition de jambes variqueuses au soleil de Bauang, me dit-on), et à table un grand malade affairé à choisir des plats, mobilisant autour de lui une ronde de serveurs, tandis qu'à l'orgue sont joués ses airs préférés.

Gerda insiste lourdement sur la nécessité de se soumettre à l'autorité de Tony qui avait demandé que chacun se protège du soleil. Elle explique que même Hans, homme d'affaires important, observe ses conseils. Je soupçonne une « rivalité » de guérisseur. Peut-être Edwin a-t-il eu quelques difficultés à accepter la passation de pouvoirs et s'est-il fait fort de désobéir aux conseils de Tony.

En français, en anglais, tous m'assaillent et m'étourdissent d'informations. La soirée étant avancée, nous allons dormir. J'ignore, à ce moment, quels rôles ces personnages vont jouer dans ma vie.

Le lendemain matin, sortant de ma chambre, je vois par la porte toujours ouverte une femme blonde près d'Edwin. Les yeux clos, une main posée sur son front, l'autre sur sa poitrine, elle se concentre.

Je m'arrête un instant, étonnée, puis m'éloigne. Le malade m'appelle alors et me fait signe d'entrer, un sourire ironique

137

sur les lèvres. La femme ouvre les yeux. « Vous sentez-vous mieux maintenant ? » lui dit-il en anglais.

Elle pousse un petit cri offensé.

La cinquantaine, maquillée comme une poupée, un ensemble veste-pantalon à grands ramages, jeune et vieille à la fois, l'air intelligent, un peu puéril cependant, l'œil tendre mais décidé, elle m'évoque les dames de Miami et me déconcerte.

Elle se nomme Francis et m'annonce que cette vocation de guérisseur lui fut révélée quelques années plus tôt. Le *power* se manifesta tout à coup. Elle s'accorde, « *oh yes, a great power* », cela me fait sourire. Je la trouve un peu trop sûre d'elle. Elle vient chaque année depuis quatre ans. L'an dernier, une voyante lui a conseillé de venir avec davantage d'argent pour séjourner plus longtemps que d'habitude. Elle m'inquiète ! Faut-il tant d'années pour apprendre quelque chose ?

Faisant la démonstration de son *power*, elle pose les mains sur le front et la poitrine d'Edwin, ferme les yeux, et brusquement relève la tête en avançant le menton. Elle reste ainsi trente secondes, se détend puis recommence. Le malade plastronne, souriant, un tantinet moqueur : la démonstration vaut son pesant de comédie ! Celle-ci terminée il répète : « Vous sentez-vous mieux ? » Qui guérit, qui est guéri ?

Elle part, persuadée qu'elle assume un rôle important en ces lieux.

Edwin m'explique qu'il accepte les soins de toutes les bonnes volontés qui passent. Je prends cela comme une invite, mais ne lui propose pas de le traiter. Je n'examine pas sa jambe : il n'est pas sous ma responsabilité.

Ainsi, les personnages du scénario sont en place, quel sera mon rôle ?

Ce matin-là, je visite les appartements de deux villas sur la colline. Ils donnent sur l'autre versant de Dominican Hill sur laquelle se trouve l'hôtel, c'est-à-dire qu'ils regardent la vallée. Une gardienne surveille ces propriétés appartenant à des militaires américains rentrés dans leur pays. Je choisis l'appartement le plus confortable dans la maison qu'occupe la gardienne. Angelo et June, deux aides d'Agpaoa, portent amicalement mes valises. La très grande porte-fenêtre s'ouvre sur une forêt de sapins. La gardienne me désigne et me prépare le meilleur lit des quatre chambres. Mais le soir, alors que la nuit glaciale me voit rentrer de l'hôtel où Gerda et Hans m'ont invitée à dîner, je découvre que les draps et la couverture de coton sont trempés par l'humidité qui règne dans la pièce. Je cherche en vain dans les placards une couverture de laine et d'autres draps moins humides. On m'avait dit à Paris que les températures du jour étaient clémentes en cette saison, sans mentionner le froid des nuits. Je m'enroule, grelottante, dans mon manteau et découvre le lendemain que la chambre, en contrebas de la route, donne sur un jardinet inondé en cette fin de la saison des pluies.

Je vais au marché sous un soleil resplendissant, avide de faire quelques achats au paradis des fruits et des légumes. Tout à coup, à mon retour, surgit près de moi, venue de je ne sais où car la porte est fermée, une petite fille suivie d'un petit garçon et de ma logeuse. Tous trois assistent à la préparation de mon repas, puis à mon déjeuner. Nous partageons le dessert. C'est amusant, imprévu et sympathique, à condition que cela ne se renouvelle pas trop souvent.

La sieste terminée, je rejoins péniblement le Diplomat Hotel, empruntant la côte mal empierrée, ravinée par les eaux diluviennes de la saison des pluies. Sur les bas-côtés s'alignent d'élégantes villas et des jardins soigneusement entretenus. Un peu plus haut, la nature livrée à elle-même m'évoque les odeurs de Provence.

A l'hôtel, Vilma émerge de son bureau d'accueil pour me lancer un joyeux « Bon après-midi, docteur ! » Pénétrant dans la chambre d'Edwin, j'apprends qu'un homme parlant français vient juste de me téléphoner.

Je m'étonne alors que Vilma ne m'en ait rien dit. J'appelle le standard. Mais Vilma m'assure qu'aucune communication ne lui est parvenue au cours de ce dernier quart d'heure. Pourtant, ceux qui étaient dans la chambre ont bien entendu la sonnerie. Gerda a décroché et, reconnaissant l'accent français, a passé la communication à Edwin. Nous descendons au standard pour un supplément d'enquête : non vraiment pas d'appel.

Nous nous regardons les uns les autres, étonnés. Je pense à mon père : peut-être ne va-t-il pas bien ? Mon mari a-t-il essayé de me joindre ? Mais comment une communication peut-elle aboutir dans une chambre, sans passer par le standard ?

Je reste là une heure et demie, attendant que l'appel se renouvelle. Pendant ce temps, j'apprends comment Edwin est devenu guérisseur, le *power* s'est brusquement emparé de lui quelques années plus tôt. Il me raconte comment se sont développés pouvoir et sensibilité supra normale, comment il voit l'intérieur des corps de ceux qui l'approchent. Il peut ainsi faire le diagnostic du trouble qui les affecte.

De plus en plus bizarre. Seraient-ils tous fous ? Ou suis-je moi-même amputée des facultés de sentir et de percevoir ?

Ce téléphone qui sonne tout seul, cette voix qui me demande, cet homme arrivé bien portant et à présent malade, et cet autre, atteint d'un carcinome fatal, qui déborde d'activité, et ce pouvoir qui se déclare subitement, hasard, erreurs, délire ?

La présence d'Edwin me fatigue ; sa voix résonne dans ma tête, son corps immense me communique des sensations qui me rendent mal à l'aise. J'ai le sentiment qu'il va très mal. Je suis dans un état aigu de réceptivité et perçois son état pathologique. L'ambiance même de la chambre est insoutenable.

Je sors prendre l'air.

Je ne me suis pas réellement intéressée à son état de santé, ne voulant pas empiéter sur le terrain d'Agpaoa et du Dr Païsing, mais je suis persuadée que son état est sérieux. Je prends conscience, à cet instant, que je porte un jugement qui ne repose sur aucun examen clinique, aucun interrogatoire, simplement sur des perceptions extra sensorielles. Serais-je prise au piège à mon tour ?

Descendant à pied jusqu'au marché, je me replonge dans des réalités élémentaires.

Le dîner auquel je suis conviée par Hans et Gerda est sympathique.

Mais la nuit suivante survient un étrange et terrible rêve. Je suis encore à l'hôtel dans mon lit, quand des coups sont frappés à ma porte. Trois coups nets, lentement et distinctement cognés. Je m'assieds et crie : « Entrez. » La porte s'ouvre légèrement ; on n'entre pas. Je répète « Entrez. » Alors, comme dans un film au ralenti, mon père entre, il s'avance d'un pas noble, mains jointes, droit devant lui en direction de la fenêtre, sans me regarder. Il est vêtu d'un smoking noir, coiffé d'un haut-de-forme, le visage détendu. Je ne l'ai jamais vu aussi parfaitement calme et serein. Sur ses lèvres, un étrange sourire évoque celui de Mona Lisa, sourire énigmatique, lointain, heureux, le regard sur un autre monde. Il avance, il sait où il va. Je le regarde, et stupéfaite : « Mais papa pourquoi viens-tu ainsi accoutré ? » Alors il tombe sur le dos, il est raide, les mains sont toujours jointes, le chapeau a basculé et recouvre la moitié du visage ! Je me lève d'un bond pour l'aider à se relever car il demeure immobile ; je soulève le chapeau qui couvre toujours à moitié son visage, ma main frôle sa joue, elle est presque froide !

Mains toujours jointes, sourire figé sur les lèvres, il demeure telle une statue ! Je crie « Mais papa, tu es mort ! »

Mon cri, accompagné d'une douleur effroyable, me réveille. La douleur, intense, part du plexus solaire, diffuse à tout mon corps, à mes quatre membres. Tout est confondu, rêve et réalité, dans cette douleur suraiguë, intolérable, je hurle !

Tout à fait éveillée, je ne peux éviter de faire un rapprochement entre l'appel téléphonique fantôme d'hier et ce rêve. Est-ce le signe d'une aggravation de l'état de mon père ? Je calcule, en fonction du décalage horaire, à quelle heure je pourrai appeler chez moi, tôt le matin, ou tard le soir. Certes mon initiative sera mal accueillie, mon mari n'appréciant pas les manifestations affectives ni les dépenses inutiles. Comment lui dire que j'appelle après un cauchemar et une étrange histoire d'appel téléphonique ? Je l'entends déjà rétorquer que je suis folle, qu'il se demande ce que je cherche, ce que je fais aux Philippines et de conclure que tout cela finira mal pour moi un jour ou l'autre. Mieux vaut attendre une lettre. De toute façon, si quelque chose ne va pas, je serai prévenue.

Quelques heures plus tard, j'emprunte la côte qui conduit à l'hôtel. J'entends monter, depuis la ville, le chant des enfants de l'école. Je reconnais *Frère Jacques* en anglais, puis en tagalog. Je croise le poste de garde de l'hôtel, pénètre dans le parc. Aujourd'hui commence mon aventure.

Un groupe de Japonais arrivé d'hier est installé sur les bancs face à l'autel de Saint-François de Porres, patron des pauvres et des affligés. Frère Sunny commence la prière, puis nous entonnons les Mantras. Je chante, tout en imitant les gestes symboliques effectués par Sunny. Je suis derrière le groupe qui ne me voit pas, et veux savoir quelle est la portée de ces gestes. Quand je lève les deux bras en l'air, mains ouvertes, tout se passe comme si je recevais un énorme poids dans les mains, « cela » file dans les bras, s'insinue dans les épaules. Vais-je continuer à vivre cette étonnante sensation et garder les bras levés, ou vais-je l'interrompre ? Je suis ici pour aller jusqu'au bout de l'expérience, rien ne peut m'arriver en présence de Sunny. J'accepte l'énorme poids qui me vient du ciel.

La perception de cette sensation surprend car ce n'est pas la première fois que je lève les bras en l'air ! Rien de tel, jusqu'à présent ne s'était produit. J'ai conscience de me trouver à un carrefour de ma vie. Vais-je laisser s'exercer la censure de la partie rationnelle de mon être ? Vais-je accepter de vivre simplement les sensations qui vont se présenter ? Après un si long voyage, une seule attitude est logique : vivre les événements sans scrupule, sans opinion préconçue. N'ai-je pas décidé de me glisser à l'intérieur de leur système !

La prière terminée, tous se dirigent vers la salle de *healing* ou s'installent dans la salle d'attente. Un aide me fait signe d'entrer et appelle quelques malades.

Pendant qu'ils se déshabillent, je me souviens des recommandations d'Agpaoa enregistrées sur mon magnétophone : « Vous ne saurez pas en un jour, ni en une semaine. Vous avez besoin d'entraîner vos mains. Vous devez développer le toucher, et toutes choses concernant vos mains, il faudra " pratiquer avec elles ", être maître de vos mouvements. Vous devez, les yeux fermés, apprendre à vous élever, et savoir que faire pour chaque cas pris individuellement. Vous avez à devenir un maître, dans la discipline de vous-même.

« Vous devrez aussi reconnaître les anciennes voies de l'acupuncture et poser vos doigts et non des aiguilles.

« Il faut apprendre à séparer doucement les cellules les unes des autres, sans les déchirer, juste aux points d'acupuncture, grâce au pouvoir magnétique et, quand le " plasma " est sorti, éviter d'endommager la peau. »

On me fait signe d'approcher du premier malade, allongé sur la table. Sans dire un mot, un aide se place derrière moi, prend mes bras, les élève en les maintenant écartés, joint mes mains, puis les descend pour les immobiliser à plat, à dix centimètres au-dessus du corps du patient. Il me recommande de fermer les yeux et de me concentrer. J'exécute les ordres, mais par curiosité, de temps à autre, j'ouvre les yeux. « *Close your eyes...* » Régulièrement, Rudy qui soigne avec sa mère, Niéves, me rappelle à l'ordre. Pourtant, quand Tony Agpaoa se joint à nous, je m'autorise à regarder. Tout au long de la matinée, outre certains phénomènes déjà connus, je vois des choses insensées.

Un nourrisson cachectique, qui n'a plus que la peau sur les os, est amené. Tony prend une seringue, emplie d'un liquide qui provient, si j'ai bien vu, d'une cuvette. Il pique la cuisse droite du bébé. J'imagine que l'enfant qui criait lorsqu'on l'a déposé sur la table va hurler. Je pressens même que la cuisse amaigrie va gonfler sous l'effet de l'injection. L'enfant ne crie pas, la cuisse ne gonfle pas. Où est passé le liquide ? Je me perds en conjectures. Tony recommence de l'autre côté : même phénomène.

Voici maintenant un autre enfant. Tony enfonce une aiguille dans le rachis lombaire. La seringue est remplie d'environ dix centimètres cubes de liquide. L'enfant se tait lui aussi, mais je suppose que demain matin, il présentera à coup sûr une raideur méningée. J'ai envie de crier « Arrêtez ! »

— Vous ne serez jamais guérisseur si vous ne fermez pas les yeux pour vous concentrer, me répète Rudy.

Il ne peut pas comprendre mon ahurissement. Pour lui, tout ceci est normal. Je ferme les yeux et laisse mes mains au-dessus du patient. Quand je les ouvre, Tony a disparu. Il est entré puis sorti sans me saluer, sans me voir. J'espérais tout de même un conseil de lui, une explication, un exercice, une critique. En ce premier jour, je sais simplement que je dois fermer les yeux, et poser les mains à plat au-dessus du malade. C'est peu, je suis déçue par le peu de soins apparemment porté à mon enseignement.

Francis, la « guérisseuse » américaine, est là, bien concentrée, yeux clos, menton relevé, ses mains sont posées sur le patient, alors qu'on a placé les miennes à distance. Elle porte ce matin un deux-pièces fleuri et ses cheveux sont sagement bouclés, aurait-elle une perruque ?

Un « *Close your eyes !* » retentit. J'obéis un moment, et me concentre.

Les tables sont très larges, et pour garder les mains étendues au-dessus du malade, je dois me pencher en avant, contracter ma région lombaire, mes épaules, mes bras. C'est épuisant. Pendant un bref instant, j'entrouvre un œil car j'ai vu tout à l'heure une jeune fille de race blanche appuyée contre le mur. Elle est là, le regard lointain. Serions-nous trois en stage chez Agpaoa ? Je dois faire un gros effort pour garder mes bras en place et fermer les yeux.

Comme bilan de la matinée, je ne retiens que cette sensation d'inconfort, et cette frustration due à la nécessité de fermer les yeux. A quoi donc cela va-t-il me servir de faire cela tous les matins ? Francis me dit quelques mots gentils, l'autre jeune fille part sans me voir. Les aides m'interrogent sur ma première nuit. Mais, de ce qui vient de se passer ce matin, de cet apprentissage, nul ne souffle mot. Tout cela doit leur sembler banal.

Je suis éreintée ! La position adoptée toute la matinée m'a épuisée. J'amorce un rhume après le froid de la nuit. Il est bon de rentrer déjeuner chez moi et d'avoir l'après-midi pour me reposer. La gardienne passe et repasse dans l'appartement, les enfants accrochés à sa robe. Je m'endors sur un fauteuil recouvert de plastique moins humide que des draps, dès qu'elle interrompt son va-et-vient.

Sa voix angoissée me réveille : on m'appelle de l'hôtel, un ami est très malade ; je suppose qu'il s'agit d'Edwin. Je grimpe en courant la côte, munie de mon matériel de soins.

Francis est là, une main sur la tête du malade, l'autre sur sa poitrine. Son *power* est faible en la circonstance car le visage d'Edwin est pâle, couvert de sueur froide, le nez glacé, ongles et lèvres bleus, le pouls petit et rapide, signes de l'état de choc. Il cherche de l'air. J'entrevois immédiatement la possibilité d'une embolie pulmonaire. Je ne veux pas prendre ce malade en charge sans autorisation. « Où est le Dr Païsing ? »

Il est déjà passé, me dit-on, il a calmé un précédent malaise par l'acupuncture, puis est parti faire ses consultations. L'urgence prime. J'examine rapidement mon patient. Des varices, une inflammation locale, le mollet douloureux me confirment ma première impression : embolie pulmonaire, probablement consécutive à la phlébite. L'expérience que j'ai de ces problèmes me permettrait de traiter immédiatement et sans laboratoire, si j'avais quelques médicaments à ma disposition. Il est hors de question de mobiliser cet homme dont l'état est inquiétant, pour le transporter à l'hôpital. Seule, la certitude qu'il s'agit d'une embolie massive et la possibilité de réaliser une désobstruction chirurgicale justifieraient à la rigueur cette décision et encore ! Je ne dispose que de mes mains et de quelques aiguilles. Vais-je pouvoir lever le spasme et réduire le choc ?

Au niveau de l'oreille, je n'ose attaquer directement la représentation du poumon car je ne sais comment vont se faire les manifestations compensatrices de l'énergie actuellement bloquée que je vais libérer. Je travaille donc en douceur, stimulant dans leur foyer originel les diverses vibrations qui se sont toutes déplacées pour se concentrer au niveau de la représentation du poumon. En quelques minutes, le malade rosit, respire plus largement. Le pouls ralentit. Il est mieux frappé. Un sourire apparaît.

Je suis étonnée. Je m'estime satisfaite de la fiabilité de ma technique et pense en me flattant qu'il est préférable de « ratio-

144

naliser l'invisible » pour savoir s'en servir plutôt qu'effectuer les gestes aveugles de l'Américaine, guérisseuse au grand *power*.

A cet instant, je serais facilement mordante, vindicative, implacable contre ce pseudo-traitement aveugle face à la gravité du cas. Encore que... en certaines circonstances, il ne soit pas impossible qu'elle puisse être plus fiable que moi. J'ai déjà remis tant de convictions en question que je n'ose plus m'avancer d'une façon définitive. Quant au cardiologue qui est en moi, il ricane sur la fiabilité du traitement de l'embolie pulmonaire par l'oreille !

Gerda me demande de ne pas quitter l'hôtel, de dîner, de dormir si possible dans la chambre. Je ne suis guère enthousiaste. J'ai paré à l'urgence certes, mais le médecin traitant est le Dr Païsing. Il arrive un moment plus tard et me prie de rester cette nuit : on célèbre ce soir l'anniversaire de Rudy, le guérisseur. Il serait heureux de pouvoir assister à la réunion. J'accepte à une condition : pouvoir disposer d'héparine, d'une perfusion de sérum glucosé, de quelques drogues et tonicardiaques.

Le malade est doucement transféré dans une vaste chambre où un second lit est installé pour moi.

Je réclame avec insistance les médicaments. Rien n'arrive, donc je traite préventivement en régularisant encore une fois l'état énergétique avant d'aller dîner.

Ainsi, je me retrouve dans une ambiance que j'avais oubliée — et même abandonnée avec plaisir — depuis quelques années : la garde nocturne. Suis-je venue à Baguio pour cela ? La situation est pour le moins désagréable !

Je n'ai toujours pas reçu de médicament. Je médite sur l'étrangeté du sort qui me veut au chevet d'un guérisseur allemand, chez des guérisseurs philippins, livrée à moi-même dans cet hôtel, près d'un malade en danger de mort et sans aucun secours thérapeutique classique. J'enrage !

Le malade est calme à présent et s'endort, sécurisé. La moindre modification de son rythme respiratoire m'affole. Pour le traiter avant l'apparition de tout signe inquiétant, par trois fois dans la nuit, je le réveille.

N'ayant aucun médicament homéopathique pour stopper mon rhume, je subis un nez qui coule, une oreille qui brûle, une gorge qui m'empêche d'avaler ma salive tant elle est douloureuse. Je n'ose faire le moindre bruit, ni bouger, ni tousser, ni me moucher. La fièvre monte.

Pendant que mon patient repose, paisible, je deviens furieuse. Après avoir pensé à lui le temps nécessaire et m'être oubliée, je suis tout à coup exaspérée à l'idée d'être venue ici assurer des gardes de nuit de grands malades. J'ai fait cela toute ma vie. Je n'en veux plus et d'ailleurs mon état ne le permet plus.

Je sors d'une crise suffisamment cruelle pour connaître le prix de la santé. Elle est ma seule force, ma seule voie de salut. Je l'ai négligée, méprisée trop longtemps, mais je suis maintenant fermement décidée à me protéger. J'ai des devoirs vis-à-vis de moi-même et j'en prends conscience.

Le patient va si bien qu'à tâtons dans le noir, sans bruit, je retrouve ma trousse et m'accorde le temps de freiner le développement de l'angine et de l'otite en me piquant l'oreille.

Je quitte Edwin à 7 heures du matin, le laissant entre les mains du boy qui lui apporte le petit déjeuner.

Au moment de franchir le seuil de l'hôtel, sous un brillant soleil, Agpaoa surgit, précisément là où je le vis pour la première fois quand il m'avait dit : « Vous avez l'aura du guérisseur. » Il me remercie, m'accorde un sourire réconfortant, mais n'y a-t-il pas au fond de ses yeux une certaine malice qui brille ?

Je descends le chemin caillouteux, en éternuant. Curieux bilan, tout de même, que ces vingt-quatre heures au sein de l'équipe : j'ai dû faire face à une étonnante matinée penchée les bras en avant, les mains au-dessus du malade, puis dans l'après-midi traiter une embolie pulmonaire sans aucun secours, ni électrocardiogramme, ni radio, ni médicaments, et assumer la nuit de garde. Je n'aurais jamais osé pratiquer une telle expérience, mais les circonstances m'y ont contrainte. J'ai ainsi remis en question celle qui me semblait en médecine la discipline la plus logique, la plus efficace, la plus admirable : la cardiologie !

Epuisée, je suis incapable de participer à la séance de *healing* matinale ; prenant mes granules d'homéopathie, je m'endors sur le canapé du salon, décidée à récupérer le sommeil perdu par le décalage horaire et la nuit de garde.

Dans la soirée, je vais prendre des nouvelles du malade. Son état est satisfaisant. Mais demeure le problème de son membre inférieur malade. Païsing est venu avec un petit appareil chinois faire de l'acupuncture électrique. Niéves, la guérisseuse, lui a prodigué des soins. Mais d'anticoagulants, pas question !... Païsing fait la sourde oreille. Le malade est fébrile, le membre inquiétant.

Ma situation est difficile à vivre. Face à cet homme de quarante ans, père de famille, dont je me sens maintenant un peu responsable, tout m'incite à adopter l'attitude classique dont je connais les bienfaits. Le traitement des guérisseurs ne représente pas une sécurité à mes yeux, alors que la médecine occidentale a dans ce domaine fait ses preuves. Faut-il l'envoyer dans un service hospitalier et profiter de la confiance qu'il m'accorde pour le détourner du groupe d'Agpaoa ?

J'évoque l'hôpital devant Païsing qui fait la sourde oreille. J'en parle à ses amis, qui s'interrogent comme moi sur la qualité des services hospitaliers de la ville. Je ne sais pas encore que la faculté de médecine de Baguio est réputée. Hans, qui va bien, et qui estime avoir suffisamment prolongé son séjour, veut rentrer en Allemagne le plus vite possible. Se hâter dans ces circonstances me semble impensable ! Je suis la seule personne inquiète dans le groupe des thérapeutes. Faut-il réviser mes opinions ? Mes normes ne sont peut-être pas les leurs. Sans doute disposent-ils de moyens de pronostic qui me sont inconnus... à moins qu'ils ne soient tous inconscients !

Je déclare pourtant le patient en assez bon état pour se passer de ma présence nocturne et vais dormir chez moi.

Le lendemain au lever du jour, je me dirige vers l'hôtel. Apparemment, la nuit a été calme, la situation semble stabilisée. Nous bavardons. Le malade s'ennuie des siens, de sa maison. Je retrouve chez lui la nostalgie du pays et de la famille qu'éprouvaient les grands malades du groupe français en janvier.

Le moment venu, j'assiste à la prière et au sermon de Sunny, avant de me rendre en salle de *healing*.

Je sais maintenant comment débuter la séance : écarter les bras, en les levant au ciel, joindre les mains, poser mes pouces entre mes deux yeux et enfin, étendre les mains à plat au-dessus du malade.

Après une heure d'imposition, j'ai à peu près résolu les problèmes d'attitude. Je soulage ma colonne vertébrale en prenant un appui oblique sur la table, le corps raidi, et m'assieds de temps en temps dès que cela est possible. Je deviens capable de me concentrer.

Le nourrisson, pour lequel les soins me semblaient hier

suspects, se porte mieux. J'en suis étonnée. Tony Agpaoa le traite comme la veille.

Après une heure de travail, la paume des mains me pique. J'en suis presque heureuse car cela signifie qu'il se passe quelque chose. L'attitude que l'on m'a imposée n'a donc pas l'inconfort comme seule conséquence.

Je sors de la salle de *healing*, ayant perçu cette sensation nouvelle de picotements spontanés sur la paume de mes mains quand elles sont à plat et à distance du corps du patient !

Bientôt je m'adapte à un nouveau rythme de vie : l'appartement, la salle de *healing*, le malade Edwin, les amis, le marché de Baguio. Edwin est d'ailleurs l'objet de nombreuses discussions. Je réclame en vain une radio pulmonaire, un électrocardiogramme, un examen des constantes de la coagulation sanguine. On dit « oui, demain », mais rien ne se fait. Niéves vient travailler sur la jambe, Païsing fait de l'acupuncture, la guérisseuse américaine pose ses mains sur son front et son cœur. Il reçoit un peu d'aspirine, et j'ai l'impression d'assister à une thérapeutique d'opérette. Comme il va bien, je n'y touche plus, me contentant de semer la panique au sein du groupe pour éviter un retour précipité en avion.

Le lendemain matin, durant la séance de *healing*, le phénomène de picotement des mains réapparaît. J'essaie de comprendre. J'évoque ces corpuscules de la peau, dont chacun est sensible à une excitation particulière, mais rien dans mes souvenirs n'explique cette sensation qui se produit alors que je ne touche rien, et que je me contente de tenir les mains à distance respectueuse du malade.

Le picotement s'intensifie, devient piqûre puis brûlure. Je recherche une position qui me soulagerait, j'écarte, je rapproche, je frotte mes mains l'une contre l'autre. J'ai recours à un mur frais pour les poser, et les refroidir, j'ai envie de les tremper dans les bassines d'eau du guérisseur avec lequel je travaille. La sensation persiste. Je panique. Que faire ? Je regarde autour de moi, Tony Agpaoa est près de la fenêtre et regarde dehors. Il ne m'a prêté aucune attention, dispensé le moindre enseignement. Tant pis, je sollicite un conseil.

— *Please*, pourquoi mes mains me brûlent-elles ainsi ?

Je vais droit au but car les difficultés d'expression en anglais ne me permettent pas de longs discours.

Il me répond immédiatement, sans regarder mes mains,

148

comme s'il s'agissait d'un paragraphe bien connu du manuel de l'apprenti guérisseur.

— Vous essayez de comprendre. Vous bloquez le passage de l'énergie. Laissez aller, ne réfléchissez pas.

Je le remercie et m'en vais... réfléchir sur les diverses façons de se laisser aller. J'ai déjà essayé la relaxation, sans succès. Peut-être me faut-il découvrir une autre façon de se laisser aller.

Je retourne auprès d'un malade et je m'efforce d'ignorer délibérément toute sensation ou prise de conscience quelconque de mon corps. Je me détache de moi-même, en quelque sorte. Alors mes mains, comme si elles ne m'appartenaient plus, comme si elles étaient dirigées par des ficelles tirées de l'extérieur, bougent, modifient leur position. Doucement, les doigts se fléchissent, s'orientent à la verticale, se rapprochent du malade et le touchent. Tout se calme instantanément.

J'expérimente successivement : les mains horizontales, doigts écartés, à distance du malade et qui me brûlent, puis les mains « abandonnées » qui prennent seules une nouvelle position et dont la sensation de brûlure s'apaise. Je ne peux que constater un fait reproductible. La faculté n'ayant pas mis cet exercice au programme des expériences de physiologie ou de physiopathologie, je me perds en conjectures et sans explication plausible. « Qui » a bougé mes mains ? Est-ce un phénomène électrique ?

La matinée s'achève et je sors, toute à mon émotion d'avoir constaté que quelque chose est arrivé. Dans la salle d'attente, j'aperçois un jeune homme assis, qui attend. Je n'en crois pas mes yeux : c'est Jean-Noël ! Parti pour un mois en Extrême-Orient, il repasse par Baguio prendre son courrier. Il a trouvé ma lettre lui annonçant mon arrivée et le voici. Il faut avoir vécu l'expérience de la solitude en pays étranger pour comprendre la joie que l'on éprouve à se retrouver, à s'exprimer dans sa langue, et la complicité que cela crée.

Nous déjeunons chez moi, en présence de la gardienne et de ses enfants bien entendu. D'autres personnes surgissent encore, et traversent l'appartement. Je ne m'y habitue pas mais Jean-Noël m'explique que c'est naturel dans le pays. Je le prie de leur dire que ce n'est pas coutumier en France et que le paiement d'un loyer justifie mon indépendance. (J'ai découvert qu'à l'occasion du week-end, toutes les chambres de mon appartement étaient occupées par les amis ou la famille de la gardienne.)

Dans la journée, je déménage pour la propriété voisine, un peu plus haut dans la rue. Elle est moins humide, avec une terrasse, une pièce indépendante pour le gardien. Un chien famélique garde l'entrée. Le mobilier est sommaire.

Puis nous nous promenons en ville. Je fais connaissance de la vieille amie de Jean-Noël, une antiquaire chinoise qui pratique la divination. Nous découvrons la pharmacie chinoise, ses plantes et paquets mystérieux, qui mériteraient qu'on s'attarde dans cette boutique.

Il connaît tous les lieux intéressants, et les potins de la ville. Mais il reste discret sur ce qui m'attend chez Agpaoa. Je n'obtiens qu'un conseil : méditer.

Ensemble, nous allons voir Edwin. Jean-Noël l'observe avec attention et conclut à mi-voix : « Cela devrait s'arranger, je ne vois sur son visage que la moitié d'une tête de mort. »

A Baguio, plus rien ne m'étonne, mais tout de même quelle curieuse façon de porter un pronostic ! Nous parlons autour d'un jus de papaye des phénomènes de guérison psi.

Le lendemain matin, nouvelle séance de *healing*. Les mains ne me brûlent plus, je laisse aller. Le nourrisson japonais subit toujours le même traitement, sans le moindre signe de méningite.

Je retrouve un peu plus tard Jean-Noël auprès d'Edwin. L'état pulmonaire est satisfaisant, mais la jambe, que je regarde avec attention, m'inquiète. Je ne dispose d'aucun matériel pour approfondir mon examen ou envisager de pouvoir traiter.

Sortie tout juste de la salle de *healing*, je suis encore très sensible aux variations de l'énergie. Je passe machinalement mon doigt sur la jambe rouge œdématiée, et je sens des blocages le long des méridiens d'acupuncture. L'énergie ne circule pas ou le fait à rebours. Alors, je me concentre et du bout des doigts, je vise les points de blocage et formule le souhait que l'énergie y circule, je pratique cet exercice sur plusieurs points. Peu après, je teste et m'aperçois que l'énergie circule vraiment. Ce que je viens de faire me surprend. Est-ce une nouvelle possibilité ? L'avais-je déjà ou l'ai-je acquise ici ? Pourquoi n'ai-je pas eu auparavant l'idée de le faire ? Tout à coup, une des recommandations de Tony me revient à l'esprit : « Vous devrez aussi apprendre à reconnaître les anciennes voies de l'acupuncture, et poser vos doigts, non pas des aiguilles. » En réalité, il me semble avoir connu le même étonnement quand, testant une sclérose en plaques, j'ai tout à coup provoqué la flexion du membre raide du malade, en promenant le doigt au-dessus de sa jambe sans la toucher.

Je ne reproduisais pas ce phénomène à volonté, car j'ignorais les lois qui concourent à sa réalisation.

Cette ignorance suffit à me différencier de Tony Agpaoa qui connaît les règles du jeu car il est capable de reproduire à volonté certains phénomènes. Cela me rappelle une anecdote concernant les recherches faites sur lui par un chercheur japonais. L'électro-encéphalographe tombait invariablement en panne quand Tony entrait en transe, ce qui faisait dire à ce dernier : « Votre matériel tombe en panne, le mien, jamais. »

C'est dimanche, nous passons la journée en ville, le soir. Jean-Noël dîne à l'hôtel, je lui tiens compagnie. Je n'ai plus aucun appétit. J'interroge à ce sujet ceux qui « voient ». Suis-je malade ? Tout va bien, mon aura est claire, me dit-on.

Je suis en bonne santé apparente, l'homéopathie a enrayé le coup de froid mais cette anorexie m'inquiète un peu. Mon réfrigérateur conserve intacts tous mes achats, les invitations au restaurant deviennent des supplices car je souhaite demeurer discrète sur ce sujet. Je regarde chaque matin mon œil qui est clair, ma langue qui est propre. J'en conclus qu'il doit probablement se passer un phénomène étrange, à mon insu, au niveau de l'appareil digestif. Tony Agpaoa est-il en cause ? Faut-il jeûner pour « avancer » ? J'ai peine à l'admettre, je refuse encore de croire qu'il puisse exercer une influence occulte sur moi. Il « ne me voit pas », ne me parle pas. En salle de *healing*, nous sommes l'un près de l'autre, mais il se comporte comme si je n'existais pas alors que j'attends un conseil, un regard approbateur ou non. Il ne m'intime même pas l'ordre de fermer les yeux, comme le fait Rudy.

Alors que nous devisons, Jean-Noël et moi, un inconnu s'approche de nous. Il explique qu'il vient d'Europe centrale, qu'il est psychiatre, et qu'il a surpris une partie de notre conversation. Puisqu'il fait une enquête sur les guérisseurs et que nous paraissons informés, il voudrait prendre des notes, et obtenir les renseignements dont il a besoin ; en effet, il retourne à Manille demain matin car il fait le tour du monde des guérisseurs. Il est avide d'informations, il écrit un livre ! Je me sens devenir méchante, agressive. Un scientifique, un médecin, ose travailler ainsi ! Il va profiter de ses titres pour publier un jugement définitif sur un sujet qui exige une longue initiation. Pourquoi ?

Il m'interroge. Que va-t-il écrire ? Qu'un médecin français s'est laissé abuser par les guérisseurs philippins... Je réponds en rationaliste.

« Je suis ici car Agpaoa me l'a demandé en me proposant de m'instruire.

« J'ai vu traiter, mais traiter n'est pas synonyme de guérir.

« Pour conclure, il faudrait avoir quelques centaines de cas superposables, sans autre thérapeutique que celle d'Agpaoa et qui devraient être suivis par une seule et même personne.

« La seule façon d'approcher le phénomène consiste à apprendre à faire comme eux... »

Jean-Noël me regarde, médusé. Ce changement brutal de personnalité et de raisonnement le laisse stupéfait. Il s'étonne que je ne livre rien de mon savoir.

Son enquête terminée, le médecin nous prie de l'introduire auprès d'Agpaoa. Il y a ce soir une *farewell party* pour le groupe de Japonais qui s'en va demain. Le guérisseur sera là. Il pourra le voir. Je fais un effort pour être affable et le présente à Sunny qui se chargera d'organiser la rencontre.

Jean-Noël, un peu plus tard, m'accable de reproches. Je n'ai pas été aimable, je n'ai pas dit ce que je savais, je n'ai même pas abordé le problème. Il ignore, éloigné de France depuis bien longtemps, l'esprit actuel du corps médical. Ce qui se dit entre lui et moi nous paraît simple et évident, mais n'en reste pas moins incompréhensible pour d'autres. En dire plus, c'est prendre le risque de ne pas être compris et d'être ridiculisé (ce qui m'arrivera du reste quelques mois plus tard).

Le soir, nous retrouvons dans le hall de l'hôtel Tony et le médecin-enquêteur flanqué d'un photographe, et muni d'un magnétophone. Tony semble se prêter au jeu. Mais dès notre arrivée, il fait mine de ne pas comprendre la question qui lui est posée, nous demande de la lui répéter — ce qui est sa façon, je suppose, de nous intégrer à l'entretien.

Ce dernier paraît terminé, mais le médecin demande encore à Tony la permission de le photographier dans sa chapelle, en tenue de révérend. Tony, prétextant l'heure tardive, refuse. L'autre insiste, alors je suis gênée et regrette de l'avoir aidé. Il s'accroche aux pas de Tony. Comprenant qu'il va être difficile de s'en défaire, Tony nous demande d'indiquer à l'importun le chemin de son domicile, avant de s'engouffrer dans sa

Porsche orange. Nous accompagnons le médecin et son photographe dans leur voiture. Il est 23 h 30 et chacun se levant ici avec le soleil, la nuit sera courte.

Nous pénétrons dans la chapelle. Tony accepte de poser. Les incidents habituels se succèdent : pannes de prises, d'appareils, de flashes. Jean-Noël et moi, qui avons vu bien souvent les appareils se détraquer en présence de Tony, nous nous regardons d'un air entendu. Les autres s'agitent, s'affolent, protestent que jusqu'à présent tout fonctionnait si bien, vraiment, ils sont confus de faire perdre son temps au révérend ! Le moment va arriver où ce dernier, selon toute logique, se lassera, les saluera et les plantera là. Mais non. Agpaoa, souriant, reste imperturbable. Je crois bien qu'il s'amuse.

Un petit appareil de poche veut bien fonctionner. Je ne sais si les images seront bonnes et si la bande magnétique sera enregistrée !

Il est plus de minuit. Agpaoa nous invite à prendre quelque chose — *tea or coffee* — chez lui. Une employée à demi endormie aligne sur la table des tasses et divers gâteaux dont une pâte marron qui contient, nous dit Tony, du miel, des pignons, du riz, des cacahouètes mélangés et pilés : c'est la nourriture réservée au temps de méditation. Je goûte, j'apprécie. Tony n'est pas de mon avis, il fait la grimace. Pendant que mon confrère interroge de nouveau le guérisseur, je l'observe et crois remarquer chez lui une gêne respiratoire. Il annonce tout à coup qu'il souffre d'asthme... Tony voudrait-il bien le soigner ? Un instant, je le soupçonne de vouloir exploiter la situation et m'irrite de ce manque de scrupules qui consiste à exiger toujours tout des talents de Tony.

Tony accepte, mais lui demande judicieusement de rester quinze jours à Baguio pour modifier sa personnalité.

Nous sortons de la villa. La crise d'asthme s'aggrave. L'homme monte difficilement le chemin qui mène à sa voiture. Celle-ci démarre, sursaute puis s'arrête. Le chauffeur la cale avec des pierres, l'examine. Elle repart, s'arrête, s'emballe, hoquette, souffrant tout autant que son maître qui suit à pied, dans la nuit en pleine crise d'asthme. Cet homme arrivé fringant, sûr de lui, s'agrippe à mon bras, titubant. Cette auto qui effectua le trajet Manille-Baguio subitement halète ; il faut la pousser ! Nous vivons un cauchemar ! Parvenus enfin au sommet de la côte nous nous laissons glisser...

9. AU CŒUR DU PROBLÈME

Le départ de Jean-Noël m'attriste car je ne bénéficierai plus de son aide ni de sa connaissance des lieux. Sa présence amicale, son aptitude à me « deviner » en faisaient un compagnon précieux.

Pourtant, j'ai besoin de cette pause pour me retrouver. A vivre en solitaire, je réapprends les gestes élémentaires de la vie. N'étant plus confrontée à mes absences de mémoire (aucun nom, lieu, ou fait dont il faut se souvenir comme dans la vie amicale et familiale), je deviens un être neuf, actuel, silencieux.

La gardienne veille discrètement sur moi. J'en ai la preuve le matin où, rentrant de ma garde auprès d'Edwin, je la trouve éplorée devant sa maison. Elle m'a attendue toute la nuit, dit-elle.

Je connais le bonheur d'avoir un chien. Il n'a plus que la peau et les os. En dehors d'éventuels locataires, nul ne le nourrit. Bien avant que je ne l'aie identifié parmi ceux qui errent et aboient dans la rue, lui me connaissait déjà car il est venu à ma rencontre sur la route qui descend de l'hôtel pour m'escorter jusqu'à la maison, dès le premier soir. Je lui fais sa pâtée, lui achète du riz et de la viande.

Il a des amis : le lendemain du premier copieux repas pris chez moi, j'ai la surprise, alors que je lui présente son assiette, de le voir jeter un coup d'œil vers la porte à un chien tout aussi maigre que lui. Ce dernier entre, se nourrit, puis satisfait s'en retourne. Mon chien termine les restes. Il sait, en se privant un peu, aider ses compagnons de famine.

Ainsi, ma vie quotidienne s'organise. Je n'ai toujours pas faim ; mes vêtements flottent, mais je me porte de mieux en mieux.

Le seul vrai problème est de résister au froid nocturne. Je dispose ma maigre collection de lainages sur mon lit. Je préviens la maladie en suçant mes granules homéopathiques.

Et pourtant, le matin, dès 7 heures, vêtue d'une robe d'été, je ruisselle de sueur en arrivant à la prière, tant il fait chaud.

La saison des pluies est terminée, mais un après-midi voit brutalement tomber des cordes. Je saisis le sens de l'expression, et la réalité des descriptions apocalyptiques que l'on m'a faites de Baguio durant la mauvaise saison : maisons emportées, noyés flottant dans les rues de la ville.

Un soir Agpaoa, le Dr Païsing et moi-même nous nous réunissons pour décider de la date du départ d'Edwin. Agpaoa veut bien prendre en considération mes inquiétudes, il interviendra auprès de Hans pour obtenir trois jours de sursis.

Chaque matin voit se dérouler le même programme sermon-conférence de frère Sunny et séance de *healing*. De nouvelles sensations apparaissent : une sorte de légèreté très agréable, parfois, m'envahit : « je décolle du sol », mais aussi de mon corps. Au niveau des mains, il apparaît un phénomène vibratoire quand je les place au-dessus du malade, sans même le toucher. J'enregistre ces événements avec simplicité, sans émoi. Je m'en amuse. Je joue à entrer chaque matin dans cet état de légèreté, à recevoir à distance ces vibrations émanant des malades et que mes doigts perçoivent comme un pétillement de champagne.

Enfin, posant les mains à plat sur la tête de mon patient, je cherche à deviner ses caractéristiques. C'est Hans qui me donne l'occasion de faire cette découverte. Il est allongé sur le dos et encadré de guérisseurs, je pose mes mains sur son front. Très vite, elles perçoivent de très fines vibrations agréables, d'une fréquence élevée que j'associe à celles d'un homme fin, intelligent, de grande qualité.

Du malade suivant, je perçois des vibrations plus espacées, moins fines, venant par grosses bouffées. Quand il se relève, je l'observe. Physiquement, il est d'aspect rustre, lourd, comme buté, et totalement dépourvu du raffinement habituel aux

Japonais. Ainsi, le contraste au niveau des perceptions se reflète dans le contraste physique.

Les après-midi, je suis invitée par Hans et Gerda, et nous allons nous baigner dans les eaux chaudes volcaniques de Hot Spring, parfois dans la mer de Chine à Bauang. Le chauffeur contourne savamment les ornières creusées par les pluies torrentielles. Le paysage est enchanteur ; végétation tropicale exubérante, cultures en terrasses sur les collines, routes bordées d'arbres fleuris, villages d'opérette et maisons de bambou ou de paille de riz tressé, habitants souriants sur le seuil de leur porte. Nous revenons à temps pour contempler le coucher de soleil depuis les hauteurs d'un village près de Baguio, dominant les cultures en terrasses.

Hans m'étonne : lui qui avait perdu trente kilos ces derniers mois et se trouvait à son arrivée dans un état d'asthénie tel qu'Edwin devait le soutenir pour marcher, le voilà pris d'une activité débordante : il se baigne, nage, fait de longues marches. Son appétit est stupéfiant. Sa peau s'est éclaircie, ses conjonctives ne sont pratiquement plus ictériques. Mais je m'interroge sur son avenir. Le processus carcinomateux est-il définitivement interrompu ? Je ne le crois pas. Il lui faudra revenir pour être traité, je considère qu'il se produit ici des guérisons par une « superacupuncture », plutôt que des miracles (comme à Lourdes où peut se faire la restitution *ad integrum* des tissus).

Je lie connaissance avec mes deux compagnes de travail : Francis l'Américaine et Angela une jeune femme discrète, au regard lointain, d'origine américaine, élevée au Japon. Ni l'une ni l'autre n'ont de formation médicale.

Francis, qui vient aux Philippines depuis plusieurs années, a travaillé un ou deux mois avec chacun des principaux guérisseurs et affirme qu'Agpaoa est le meilleur. Elle est maintenant installée à Baguio pour de longs mois. Elle m'inquiète. Devrai-je, pour apprendre quelque chose, revenir ici pendant des années ? J'en suis presque découragée. Mais peut-être a-t-elle des raisons personnelles pour s'incruster dans ce pays ?

Je ne situe pas très bien le rôle d'Angela. Les premiers jours, patiente, la voici maintenant à nos côtés. Peut-être Agpaoa la garde-t-il pour lui donner une motivation de vivre et lui permettre une évolution spirituelle ?

Je ne sens pas vraiment en elles des thérapeutes, mais elles sont capables d'établir un pont entre les guérisseurs et les étrangers en visite ou en traitement.

AU CŒUR DU PROBLÈME

On peut venir ici s'informer, se soigner, évoluer sur le plan spirituel, marquer une pause ou tenter d'apprendre à guérir.

Je m'interroge souvent sur les raisons qui m'ont amenée à venir en ce lieu, en ce moment, plutôt qu'à rester au chevet de mon père malade. J'en ai de bonnes nouvelles, mon mari évoque même la possibilité de lui faire quitter l'hôpital. Pourtant, une sorte d'angoisse m'habite depuis mon rêve. J'en parle à Francis qui me rassure par toutes sortes de bonnes explications. Je reçois une lettre de Jean-Noël qui a téléphoné à mon père en passant par Paris : il n'est pas très optimiste. Je ne comprends pas cette divergence entre mes deux sources d'information.

Si je rentre à Paris pour me délivrer de l'incertitude qui m'angoisse, alors que mon père sort de l'hôpital, je serai ridicule et j'aurai fait un très grand voyage pour n'en tirer aucun profit.

Mais quelle signification faut-il accorder à cette douleur qui m'étreint et dont ne viennent pas à bout mes tentatives d'autotraitement ?

Voulant être objective, en admettant que nous sommes en face d'un mauvais cas, que peut-il lui arriver ? Une hépatite traînante qui l'emportera en quelques mois. En restant ici jusqu'au 15 ou 20 novembre, peut-être en aurai-je appris assez pour l'aider à guérir ?

Je continue donc de travailler en salle de *healing*, et perçois de mieux en mieux les vibrations, ce qui me réconforte. Je suis maintenant en meilleure santé, certes je n'ai pas faim, mais peut-être faut-il jeûner en période d'initiation.

C'est décidé, mes amis partent dans quarante-huit heures. Nous participons au déjeuner d'adieu donné dans le superbe parc de Baguio, au Country Lodge, le petit hôtel de Mme Agpaoa. Nous sommes une quarantaine dans le jardin, dispersés par petites tables. Sous un immense vélum qui protège du soleil ardent, s'étalent les plats locaux qu'une énorme cuisinière philippine a préparés. C'est ici que l'on déguste les meilleurs mets, si longs à mitonner.

Des danseurs, venus de la montagne, se produisent en costumes folkloriques. Ils chantent et dansent des airs traditionnels au son d'instruments anciens.

Puis, dans la chapelle personnelle de Tony Agpaoa, a lieu la cérémonie rituelle. En robe longue et noire, il nous invite à

157

méditer. Mais je ne saisis pas encore toute la signification de ses paroles.

« Méditons ensemble : Dieu bien-aimé, je reconnais la vérité et la puissance de la loi universelle qui contient toute création et toute créature. La puissance cosmique m'enveloppe comme une nuée, me baigne comme un fleuve. J'élève mon niveau de conscience jusqu'à être en harmonie avec cette force divine qui se manifeste dans la moindre de mes actions, de mes pensées, de mes paroles.

« Connaissant le pouvoir du verbe, je pèse chacune de mes paroles, dynamisées par la puissance divine, elles atteignent leur but. Et par l'empreinte indélébile qu'elles laissent sur mon esprit, permettent la régénération de tout mon être physique et spirituel. Mon esprit commande à mon corps et mon corps obéit à mon esprit.

« Mon être est la somme de tout ce que j'assimile : physiquement par la nourriture, et psychiquement par la somme de mes pensées.

« Je découvre la suprême beauté de la vie qui est partout généreuse et vivifiante et se révèle à tout mon organisme... »

Ensuite, nous sommes reçus chez lui : thé, café, jus de fruits, pâtisseries, énorme gâteau d'anniversaire pour sa petite fille.

Le lendemain soir, c'est la classique *farewell party*. De magnifiques langoustes décorent la table centrale. Puis, c'est la cérémonie habituelle : chants, Mantras, prières psalmodiées, autour de cierges allumés et la distribution des imprimés de remerciement.

Tony, particulièrement en joie ce soir, chante en s'accompagnant de la guitare. Je ne peux que m'étonner en le regardant vivre. Il est si différent de l'ascète, du sage hindou, du missionnaire catholique, de l'initié mystérieux ! Marié, père de famille, il danse, chante, parie aux combats de coqs. Ses cheveux sont courts, ni barbe ni costume particulier en dehors des cérémonies religieuses. Pourtant, il respecte ses temps de méditation. (Ainsi un matin, alors que nous déjeunons Gerda et moi, le voici, le regard lointain, absent. Il n'a plus son œil vif, n'émet plus ses exclamations joyeuses. Cela nous surprend. Fred nous informe : « *He is meditating.* »)

A l'issue de la soirée, il s'installe dans le hall répondant aux questions. Il explique que pour « opérer » il « écarte doucement les cellules les unes des autres aux points d'acupuncture, injecte son énergie et celle-ci chasse l'énergie malade ». Toutes ces choses ne peuvent avoir un sens que pour les acupuncteurs. Il dit aussi que « l'homme fut autrefois en communication avec le monde spirituel car il recherchait Dieu du plus profond de son cœur. Son propre esprit en résonance avec de sublimes pensées divines était capable de recevoir directement des messages venant de l'au-delà grâce à des sens psychiques que nous appelons aujourd'hui : clairvoyance, clairaudition et « clair-sensitivité ». Quand l'homme s'est détaché de Dieu pour rechercher l'argent et les biens de ce monde, non seulement il s'est éloigné du monde spirituel, mais encore il a perdu les dons qui lui permettaient de communiquer avec lui. De nos jours, la majorité des hommes ne croit plus en cette possibilité de communication ; seul un petit nombre d'entre eux en sont encore capables et possèdent les dons nécessaires à cet effet. Mais les temps approchent où, comme par le passé, tout homme pourra communiquer avec le monde spirituel. D'ici là ceux qui croient en Dieu le trouveront par d'autres voies supérieures. Il y aura alors comme un renouveau et le retour en la croyance dans le Tout-Puissant et à la survie de l'esprit après la mort du corps. Pour pouvoir se manifester aux hommes, les pouvoirs spirituels ont besoin de médiums qui mettent à leur service les pouvoirs oddiques (*) dont ils sont la source ».

En l'écoutant, je me souviens d'avoir lu quelque chose d'identique : Mikhaël Aïvanhov !... Les Bulgares et les Philippins initiés ont-ils la même source d'information ?

Je vois partir mes amis avec la crainte que Hans, repris par ses affaires, ne revienne pas avant trois mois, comme Tony le lui a demandé. Il promet de venir se faire soigner à Paris : peut-être pourrai-je l'aider entre deux voyages aux Philippines ?

Ayant eu l'occasion de suivre quelques malades lors de mon précédent séjour, je sais que Tony exerce avec succès ses fonctions de guérisseur sur le cancer, les maladies dégénératives telles que la goutte, les rhumatismes, etc. Encore faut-il entretenir le traitement.

Me voici donc, quinze jours après mon arrivée, seule Européenne à Baguio, avec deux amies américaines et des Japonais.

J'ai fait de sensibles progrès en *feeling*, c'est-à-dire en perceptions extra-sensorielles. Je sens les vibrations émises par

---

* Terme utilisé par le baron de Reichenback dans les années 1880. Désigne les forces cosmiques ambiantes. Des médiums peuvent les percevoir et les utiliser.

les malades, mes mains à distance de leur corps. Mais je ne comprends toujours pas comment fait Tony pour « écarter doucement les cellules les unes des autres aux points d'acupuncture ». Comment pénètre-t-il dans le corps ? Comment fait-il pour y injecter de l'énergie ? Où prend-il cette fabuleuse énergie ? Sous quelle forme l'énergie malade (ou énergie perverse en acupuncture) sort-elle ? Donne-t-elle alors ces résidus qu'il extrait du corps ? Cela me prendra peut-être dix ans de ma vie, mais je suis décidée à percer ce mystère. Ma possibilité de sentir les vibrations émises par le patient me donne confiance en l'avenir.

Un matin, Niéves examine une nouvelle malade. Elle passe les mains tranquillement au-dessus du corps de cette femme, puis me fait signe ; je comprends que je dois l'examiner à mon tour, par le même procédé. Mes mains à quinze ou vingt centimètres de son corps, je sens au bout de quelques secondes pétiller sous mes doigts deux zones bien distinctes : la région thyroïdienne et la région sus-pubienne. Touchant alors ces deux régions pour caractériser les vibrations perçues, par contact direct, je sens, à ma plus grande stupéfaction, dans la région pubienne, une tumeur lisse, bombant sous la robe ! Au niveau du cou, je ne perçois aucun relief particulier. J'interroge la patiente en anglais (elle est iranienne) pour savoir à quoi correspondent ces vibrations : elle souffre d'une affection thyroïdienne. Niéves me fait un signe d'approbation : elle a compris que je « sentais ».

Je quitte la salle très impressionnée : ce que je pratiquais comme un jeu est en fait une technique d'examen. Ce que je prenais pour un rite correspond non seulement à une réalité, mais permet la localisation des perturbations énergétiques. Ces Philippins m'ont appris ce que vingt-cinq ans d'hôpital ne m'avaient pas laissé soupçonner !

Sans toucher le malade, sans le faire se dévêtir, on peut donc déterminer la localisation d'une affection. J'ai la confirmation d'avoir franchi le premier pas dans l'approche de leur technique. J'en suis émue. Ce que l'on peut prendre pour un simulacre d'examen, un geste symbolique, correspond en fait à une perception réelle... Réelle... pour des mains éduquées.

Comment intégrer dans mon système de pensée, de diagnostic et de traitement ces nouvelles données ?

Rudy ne m'a jamais appris autre chose que fermer les yeux. Agpaoa ne me voit pas, ne me parle pas. Pourtant, j'évolue, non pas au niveau du monde matériel, mais sur un autre plan : celui de l'invisible, de l'indicible, des vibrations !

Je fais le point sur les étapes déjà parcourues : j'ai d'abord perçu des brûlures au niveau des mains, puis des sensations vibratoires que j'ai pu ensuite qualifier d'agréables ou de désagréables et je perçois maintenant des niveaux vibratoires. En effet, quand les yeux fermés j'établis un contact avec le malade, je distingue une augmentation brutale de l'intensité des vibrations perçues, quand Tony, Niéves ou Rudy commence à « l'opérer ».

Quels peuvent être les facteurs de cette évolution ? Une hypothèse me vient à l'esprit : sur ce terrain volcanique, les vibrations du malade et du guérisseur en se conjuguant dépassent mon seuil de perception. Cette faculté de percevoir les vibrations ainsi éveillée se développe par le travail quotidien, et mon seuil de perception lui-même s'abaisse. Interrogeant mes compagnes, j'apprends qu'elles ne perçoivent rien de ce que je leur décris ; l'une sent un peu de chaleur émanant du corps du malade, l'autre ne sent rien. Peut-être cette apparente contradiction est-elle liée à une différence d'attitude mentale : elles se considèrent comme médiums entre l'énergie cosmique et le malade, tandis que, pour moi, l'étape diagnostique est toujours obligatoire. J'ai la volonté, quelles que soient les circonstances, de me construire un système cohérent ; toucherait-il l'invisible ? Je suis partagée entre le « laisser-aller » conseillé par Agpaoa et le désir d'y voir clair. Faut-il avancer sans comprendre et sans dominer le problème, ou comprendre et stagner ? Où se trouve le juste milieu pour progresser sur les deux plans ?

Ma solution ? « Laisser-aller » quand je suis à Baguio et m'attarder sur la compréhension du phénomène en France.

L'exercice contrôlé que m'a fait exécuter Niéves marque la fin de la période insouciante de mon travail. Mes études préalables hors faculté m'ont insuffisamment préparée à l'acceptation de ce que je vois et sens, mais aujourd'hui, placée devant une nouvelle évidence, il me faut considérer un fait nouveau et franchir une étape : les guérisseurs sont capables de localiser le trouble ! Ils le font grâce aux variations des vibrations et leur action thérapeutique doit donc consister à modifier ces mêmes vibrations.

Le traitement chez Agpaoa correspond donc à une manipulation énergétique proche de celle que je pratique, mais plus rapide et plus efficace sur certaines affections.

J'espère avoir le temps, dans les semaines suivantes, de préciser mes hypothèses ; mais j'éprouve un désir de plus en plus vif de rentrer à Paris, voir mon père. Malgré ce tourment, les journées ensoleillées et le calme dans lequel je vis me permettent de récupérer mes fonctions cérébrales et de développer mes perceptions.

Je demande à Sunny, plus accessible qu'Agpaoa, combien de temps je dois rester. « Cela dépend de votre évolution spirituelle », me répond-il. Que signifie cette phrase ?

Parfois, intérieurement, je me révolte : cet espèce d'hermétisme des Orientaux m'exaspère. Alors que j'espérais recevoir un enseignement, une clé, un secret... Il me faut découvrir par moi-même le sens caché de chaque chose. Mon éducation occidentale ne m'y a pas préparée.

Puis je me fais la leçon : l'initiation consiste en la découverte par soi-même du sens caché des choses. C'est voir et reconnaître par un signe à valeur symbolique toute une histoire, tout un discours. Je dois apprendre à sentir, à pressentir, et deviner, à l'aide de tous mes sens en alerte. Mais comme j'aurais aimé voir exprimé en clair ce que j'ai à faire ! méditer, fermer les yeux, ne pas essayer de comprendre, sont mes viatiques. Cela m'incline à penser que mon accident, sur certains plans, me fut bénéfique. Le gommage (transitoire) de mon passé a facilité la mise en place d'un autre conditionnement.

10. L'ENSEIGNEMENT DE FRÈRE SUNNY

Chaque matin, j'arrive à l'hôtel pour assister à l'enseignement de frère Sunny.

Je n'ai qu'une très faible culture ésotérique, n'ayant jamais fait que glaner dans les opuscules de Mikhaël Aïvanhov le strict nécessaire pour mon évolution dans un monde médical nouveau. Sunny, je le devine, sait tout ce qu'il me faut connaître.

Je souhaite vivement m'entretenir avec lui. Pourtant, le handicap de la langue me retient : je n'ose lui demander les choses capitales que je ne saurais traduire. J'ignore aussi comment formuler mes questions pour qu'il puisse y répondre simplement et brièvement. L'importance des sujets à évoquer me demanderait une réflexion et un travail préalables sur des documents en français que je ne possède pas à Baguio. Mais peut-être pourrons-nous faire le point à la fin du séjour, mon anglais s'améliorant peu à peu.

Chaque matin, je m'assieds sur le banc du fond. Frère Sunny vient au pied de l'autel et les chants commencent : prières en anglais (Ave Maria, Notre Père) puis Mantras d'origine hindoue. Qu'importe la langue, c'est à Dieu que l'on s'adresse. Puis Sunny commence à parler ; sa voix est belle, son ton convaincant, ses explications simples et logiques. Son élocution lente, le temps laissé pour traduire ses phrases en japonais me permettent de le comprendre. J'apprécie chaque jour davantage les idées qu'il enseigne.

Sunny commence par démystifier le pouvoir, le fameux

po*wer ;* ceci est essentiel, afin d'éviter toute idolâtrie de la part des malades envers les guérisseurs.

« La moindre des choses que vous croyez posséder ne vous appartient pas. Elle appartient au Père. Tout lui appartient, le pouvoir également. Vous pensez que le pouvoir appartient au révérend Agpaoa ? Non. Le pouvoir vient de Dieu. Le guérisseur n'est que l'instrument de Dieu. Son pouvoir n'est que la manifestation du Pouvoir de Dieu, qui passe par des intermédiaires qu'il a choisis pour se manifester. Ici, le pouvoir va se manifester sous la forme d'une énergie : l'énergie vitale, qui vous sera transmise par le guérisseur. Elle vient de Dieu qui souhaite que les malades qui sont ici puissent en profiter. Il faut savoir Le remercier pour cela. »

J'en conclus que, pour devenir guérisseur, il faut être « choisi », et faire sur soi le travail nécessaire pour devenir un bon transmetteur d'énergie vitale. Je suppose qu'il faut entrer d'abord en état de réceptivité, puis d' « émissivité » de phénomènes vibratoires. Je me réjouis de percevoir enfin quelque chose. Mais émettre me semble, en ce qui me concerne, difficile à admettre, et improbable à réaliser.

Sunny parle aussi de la méditation : « En Orient, dit-il, elle a toujours fait partie de la vie. L'Europe commence seulement à en prendre conscience. Dans méditation, il y a la racine " medi ", qui veut dire guérison. Vous trouverez la même racine dans médicament. La guérison, qui passe par le *healing*, ne vise pas seulement à guérir le corps physique, mais elle implique aussi la guérison spirituelle. La méditation est l'une des clés de cette guérison. Il y a de nombreuses formes de méditation : zen, yogi, chrétienne... L'important est de parvenir à la méditation personnelle qui convienne. Les mots sont superficiels, la méditation profonde. Le seul moyen de la connaître est de la pratiquer. Il faut parvenir à un certain degré de relaxation physique, émotionnelle, mentale et spirituelle pour communiquer avec soi. Mais le but, la finalité, est de prendre conscience de la parcelle de divinité qui est en chacun de nous. La Bible dit que nous sommes le temple du Saint-Esprit. Il est indispensable d'apprendre à communiquer avec cette parcelle divine qui est en nous. Je me demande combien d'entre nous pratiquent la méditation, ne serait-ce que sous forme de réflexion, tout simplement ! »

Sunny ajoute quelques conseils pour cette pratique de la méditation : « Il faut la faire deux fois par jour, vingt minutes, pour apprendre à écouter notre voix intérieure. Se trouver en harmonie et en paix avec cette voix, c'est créer la sagesse à l'intérieur de soi. Il n'y a pas d'autres moyens que la méditation pour établir en soi la paix, la joie, la vérité, la sagesse. Vous pouvez travailler tant et plus, gagner beaucoup d'argent, être l'homme le plus riche du monde, si vous n'avez pas en vous la paix, la vérité, la sagesse, si vous ne savez pas vous aimer vous-même, si vous ne savez pas aimer la parcelle de divinité qui est en vous, il vous manquera toujours quelque chose. C'est parce que vous ne savez pas établir cet état de paix, de vérité, de connaissance de vous, que vous êtes tombé malade. Pour éviter cela, vous devez méditer deux fois par jour, vingt minutes. Vous disposez chaque jour de mille quatre cent quarante minutes. Combien sont utilisées pour téléphoner, lire des magazines ? Ne pouvez-vous pas faire le serment à vous-même de méditer deux fois par jour ? Vous devez pouvoir entrer en méditation aussi facilement que vous ouvrez la radio. Ainsi, arrivera en vous cette conscience de la divinité. »

Il est évident que la solitude et le silence dans lesquels je vis la plus grande partie de la journée me prédisposent à la méditation, quand bien même je ne serais pas douée pour celle-ci. Cet isolement et les phénomènes auxquels j'assiste ou dont je suis l'objet m'y invitent, et je me sens en règle avec les conseils de Sunny.

Pour moi qui aime tout ce qu'apporte la vie de joyeux et de positif, un des sermons que je préfère est celui touchant la beauté de la vie :

« Nous avons mal compris la beauté de la vie. Quand les colons sont arrivés ici, ils nous ont dit : " Ne faites pas ceci, Dieu va vous punir. Ne faites pas cela, Dieu sera en colère. Craignez la colère de Dieu... " Mais Dieu n'est pas un être coléreux, Dieu n'est pas ce que votre religion a voulu vous apporter ! Des milliers de gens viennent ici, du monde entier. Ils ont été élevés dans la peur. Ce n'est pas Dieu qui veut cela. Dieu pardonne tout à condition que l'on pardonne soi-même. N'ayez pas la crainte de Dieu, n'ayez pas peur de Dieu. Car la peur provoque la maladie : la dépression, les tensions, le stress et leurs conséquences.

« La cause de la peur peut être primaire et due à l'incompréhension de l'amour que Dieu dispense. Vous n'avez pas été élevé avec cette notion importante : Dieu est amour. L'amour divin n'a pas été compris. Pour le comprendre, le mieux est de se laisser aller, guidé par l'esprit divin, car le mental peut alors prendre conscience d'une foule de choses. Si vous vous sentez coupable, dressez la liste de vos fautes, et vous vous apercevrez que vous avez nourri votre subconscient de culpabilité. Il faut être conscient de votre valeur, de ce que vous portez de bon, de valable, de positif. Il faut aussi dissocier votre karma de votre personnalité actuelle. »

Sunny apprend alors comment se « positiver ».

« Si vous vous remémorez vos jours passés, et si vous savez choisir les souvenirs que vous évoquez, vous faites surgir la joie, le bonheur et les forces positives. Vous allez vers une élévation, car toute force positive apporte une élévation. Mais dès qu'il y a introduction d'une pensée négative, jalousie, culpabilité, il y a perturbation.

« Nous avons à apprendre comment oublier les expériences tristes et faire un nettoyage complet de ce qui est négatif. Il faut enterrer une fois pour toutes ces expériences négatives, remplacer la négativité par quelque chose de positif. La seule façon d'y parvenir est de méditer, d'éveiller à l'intérieur de vous la notion de monde divin, de faire briller l'étincelle divine.

« Pendant ce voyage, vous devez apprendre à oublier les événements passés et recommencer une nouvelle vie intérieure, car LE TERMINUS DE CE VOYAGE, C'EST VOUS-MÊME. Vous êtes pour cela votre propre capitaine. Ce que vous cherchez, c'est le centre universel, c'est Dieu. Il faut éveiller votre goût du Divin ; le meilleur des gourous, votre meilleur ami, c'est vous-même. Vous êtes tous capables de devenir les créatures parfaites de Dieu, mais vous n'en n'avez peut-être pas encore pris conscience. Vous êtes des enfants-Dieu. Vous devez vous mettre en tête que Dieu le Père est amour, Dieu est amour et pouvoir. Vous sentez tout de suite qu'il va falloir renaître. Vous devez apporter une modification à votre condition de vie. "A partir d'aujourd'hui et jusqu'à ma mort, je serai un bébé-Dieu, qui va devoir grandir et c'est aujourd'hui le jour de ma naissance. Je veux vivre mes jours en y mettant la joie et la beauté, mais aussi la paix avec le monde et ceci jusqu'à la fin de ma vie."

« Dès que vous vous sentez démoralisé ou que vous avez des problèmes, fermez vos yeux, reprenez cette phrase à l'intérieur de vous-même. Essayez de sentir que Dieu est amour et puissance. Mais il faut apprendre à partager ces dons avec tous ceux qui sont là. Ce partage de l'amour vous donne l'impression d'appartenir à une grande famille, et quand vous vous retrouverez chez vous, ne pensez plus à vos ennuis, à votre maladie, pensez que vous avez des amis et que nous serons éternellement frères. Peu importe que vous soyez au bout du monde, cette fraternité continuera d'exister. Il n'y aura pas de karma si vous restez sous la direction de Dieu. »

Sunny apprend encore à prier à son auditoire : phrase par phrase, il explique le *Notre Père* et les Mantras. Il lit des extraits de la Bible et les commente avec son âme d'évangéliste extrême-oriental, ce qui leur donne une dimension nouvelle. Il sait trouver les mots simples, les illustrations vivantes, il est capable de mettre à la portée de chacun le message qu'il veut transmettre. Celui-ci est habilement précédé et suivi de prières qui mettent en état de réceptivité et laissent ensuite le temps d'intégrer ce qui vient d'être dit. Ainsi, le malade se trouve en état d'élévation spirituelle à l'instant où il reçoit le traitement.

« Il faut, dit encore Sunny, que le physique et l'émotionnel soient en harmonie avec les autres dimensions de l'homme, retenons la prière de saint François d'Assise qui se résume en deux phrases : " Là où il y a de la haine, semez de l'amour, là où il y a des offenses, pardonnez. " » Puis la devise : « Aimez votre prochain comme vous-même » est longuement commentée. Il explique qu'il faut oser vivre le bonheur et l'amour qui sont en nous ; ce que Caycedo appelait motivation, Sunny le nomme bonheur, amour, ils sont les plus puissants catalyseurs que l'on connaisse.

« En Europe, vous ne croyez ni au bonheur ni à l'amour », et il raconte comment, en Occident, il fut étonné, alors qu'il se promenait en souriant, tout au bonheur d'être en vacances, de voir les Européens le regarder avec hostilité, et comment, dès que son regard se posait sur quelqu'un, cette personne réagissait et lui demandait ce qu'il voulait, souvent d'un ton agressif, comme si le fait d'avoir un visage souriant exigeait une explication ou supposait une demande.

« Tout se passe comme si vous vous culpabilisiez d'être heureux, comme si vous vous imaginiez ne pas en avoir le droit, comme si vous ne vous l'accordiez pas. Etre heureux suppose que l'on soit passé par l'acceptation de soi, l'amour de soi et des autres. Etre heureux veut dire s'être réalisé.

« Nous ne profitons pas assez des greffes de l'amour que le Père a pratiquées. Certains n'osent pas manifester leur tendresse, leur amour, ils ont peur que cela ne soit pas convenable, alors que chacun éprouve une demande non exprimée. Nous n'avons rien à craindre de l'amour que Dieu a mis en nous. C'est comme une graine qui va pousser et donner un arbre. Il faudra l'élaguer, en offrir les rameaux coupés, le replanter. Il faut donner, partager avec les autres.

« Ceux qui ne peuvent partager l'amour qui est en eux souffrent de complexes d'infériorité, de tensions. Ils créent une maladie à l'intérieur d'eux-mêmes.

« Ces tensions se propagent de l'un à l'autre, puis passent d'un groupe à l'autre engendrant les tensions universelles sources de conflits. Apprenez à sourire, à détendre vos muscles, votre visage et vos yeux embelliront. Recevez l'amour que Dieu a semé en vous, sincèrement, et transmettez-le. Cet amour est fait pour circuler. Il est comme l'eau de la rivière, elle passe par-dessus les pierres et nettoie tout sur son passage, puis s'en va à la mer et s'évapore pour se répandre mieux dans l'atmosphère, libérez cet amour et faites-le circuler en vous et autour de vous. »

Sunny explique que l'on est parfois malade de ne pas être aimé et de ne pas savoir aimer. En France, trop souvent en milieu hospitalier ce genre de problèmes est escamoté. Le besoin d'amour, on le nomme sensiblerie, hystérie, on l'assimile à des obsessions sexuelles, on le considère avec mépris. Il est exceptionnel que les problèmes affectifs soient l'objet d'une observation médicale et soient pris en considération avec le sérieux qu'ils exigent, car ils sont prioritaires chez l'être humain.

Maintenant Sunny aborde les états de conscience :

« Nous éprouvons divers états de conscience que nous ne savons pas reconnaître aussi longtemps que nous ne nous sommes pas penchés sur cette question. » Il distingue plusieurs niveaux de conscience et leur connaissance successive va nous permettre d'atteindre l'étage spirituel.

« Certains peuvent l'atteindre en franchissant successivement ces niveaux de conscience, d'autres peuvent rejoindre d'emblée cette spiritualité en franchissant d'un bond les étapes. Mais si le mental est en quelque sorte le cerveau de l'âme, son centre est toujours la spiritualité. »

Je reconnais au passage quelques éléments empruntés par Caycedo aux conceptions orientales. Mais pour les rendre utilisables, il lui a fallu séparer cet enseignement de ses racines ; il a déguisé les aspects affectifs en motivation, puis coupé l'homme de sa dimension spirituelle afin de devenir crédible devant des Occidentaux.

Sunny ose nommer Dieu aussi bien que l'amour. Quant aux divers états de conscience, ils ont perdu ce caractère artificiel que l'on trouve chez Caycedo et qu'il représente à l'aide d'un schéma dessiné au tableau. Pour Sunny, chaque niveau, chaque état de conscience correspond à l'un de « nos corps ».

C'est parce que l'homme ordinaire a laissé s'atrophier ses sens qu'il ne perçoit plus toutes les réalités de ce monde, et qu'il se sent perdu en son corps et dans le temps et dans l'espace. En réalité, tout se tient. A chacun de nos corps physique, éthérique, spirituel, appartient un état de conscience. Chacun de ces corps est lui-même subdivisé en trois niveaux. Se réaliser, c'est éveiller chacun des étages de ces trois corps. L'homme devient alors réellement tel que le Tao le définit : un intermédiaire entre le ciel et la terre.

On retrouve une notion voisine, dans les textes de Mikhaël Aïvanhov : « Si l'être humain savait interpréter et appliquer à sa vie intérieure ce processus naturel, normal, du passage du Soleil à la Terre par l'intermédiaire de l'air et de l'eau, il pourrait transformer beaucoup de choses. Voilà en quoi consiste la puissance de la pensée ! Il faut donc savoir avant tout que la pensée ne peut exercer directement son pouvoir sur le plan physique. »

Pour lui, l'eau est le corps éthérique de la Terre; par analogie, et parce que je commence à croire que les guérisseurs agissent par leur corps éthérique, je me demande si, en utilisant l'eau au cours des soins, ils ne se relient pas ainsi au cosmos, symboliquement, pour en capter les forces.

Oui, Sunny ose nommer Dieu et l'amour. Il intègre l'homme au cosmos. L'homme n'est plus un objet au destin imprécis égaré sur la Terre, il appartient à l'Unité Divine. Sunny donne un sens à la vie et à ses épreuves en introduisant une notion capitale que l'on doit connaître bien qu'elle fût il y a quelques siècles dénoncée par l'Eglise : c'est la notion de karma.

« Je n'ai pas l'intention de vous convaincre, dit-il, je souhaite seulement vous ouvrir à cette éventualité. Il s'agit là d'un processus associé à un état de progression. La réincarnation, c'est une évolution, la renaissance d'un Esprit d'une vie à l'autre. »

Si je comprends bien sa pensée, tout se passe comme si, en venant au monde, nous avions un chemin à parcourir, des difficultés à vaincre. Nous possédons en nous-mêmes ce qu'il faut pour faire face à ces difficultés. Nous sommes capables d'exploiter ces forces latentes (et c'est là qu'intervient le libre arbitre). Si nous refusons de les mobiliser, nous refusons en même temps de participer à notre évolution. A notre mort demeure un passif, le karma. Notre corps actuel n'en est pas responsable, mais l'ayant hérité, il en a la charge et doit assumer cette dette de notre vie antérieure. Certaines vies sont difficiles car le chemin à parcourir est rendu plus ardu par le karma.

Cette vision des choses me satisfait. Elle explique la notion de résurrection si mal définie dans la religion chrétienne. Elle donne peut-être la clé de phénomènes *a priori* ininterprétables : les enfants surdoués, entre autres, auraient-ils gardé inscrites dans leur corps invisible leurs connaissances passées ? Les étonnants phénomènes de reconnaissance de lieux, jusque-là jamais vus, trouveraient peut-être aussi une explication. A cet égard, les travaux du Pr Stevenson, psychiatre de l'université de Virginie, sont remarquables. Je l'ai entendu relater une étude sur seize cents cas de possible réincarnation : les sujets, jeunes pour la plupart, portent une marque qui, par sa forme ou sa position, ressemble à l'impact d'une balle, d'un couteau, ou aux traces laissées par la corde d'une pendaison. Ils sont allés un jour retrouver leur maison et les membres de leur famille d'un passé récent, spontanément, en les reconnaissant, en contant des souvenirs, en appelant par leur nom des gens qu'ils rencontraient apparemment pour la première fois. Etant donné la précision des détails, et souvent le jeune âge des enfants concernés par ce phénomène, l'affabulation semble impossible. D'autant que les familles reconnaissent avoir perdu dans des conditions brutales un de leurs membres et les caractéristiques de la marque coïncidaient avec les circonstances de la mort du disparu.

Sunny évoque aussi, mais sans insister, l'idée d'un guide invisible qui accompagne chacun de nous.

Toutes ces notions trouvent leur illustration dans la vie d'Edward Cayce que les visiteurs américains évoquent souvent, cherchant une analogie entre lui et Tony Agpaoa. Edward Cayce est né en 1887 dans le Kentucky. Fils d'un fermier sans instruction, il devient successivement commis en librairie, agent d'assurances, puis photographe, quand une laryngite lui fait perdre la voix. Un hypnotiseur, Hart, tente de le guérir ; fait curieux, Cayce retrouve sa voix quand il est hypnotisé pour la reperdre dès qu'il est revenu à l'état normal. Au cours d'une séance, Layne, hypnotiseur et ostéopathe, a l'idée de suggérer à Cayce de découvrir son mal et d'en indiquer le traitement. Cayce s'exécute et guérit. Layne, souffrant de maux d'estomac, utilise alors avec profit la même technique. Ce fut le début de la célébrité de Cayce.

Les dons thérapeutiques d'Agpaoa relèvent d'un tout autre mécanisme, puisqu'il n'utilise pas d'intermédiaire. Quand il travaille, il lui suffit de se recueillir quelques instants pour que, le processus une fois enclenché, il puisse en même temps parler ou plaisanter. Ce qu'il fait souvent lorsqu'il « opère » un enfant. Ses mains fonctionnent automatiquement sans l'intervention d'un tiers visible.

L'enfance de Tony fut marquée par des manifestations paranormales. Il est écrit, dans l'histoire de sa vie, qu'il était capable de léviter dès son plus jeune âge : ses parents le couchaient le soir dans son berceau et le retrouvaient le lendemain matin dans un arbre. Ses premiers patients furent... des oiseaux. On raconte que, tout enfant, une balle avec laquelle il jouait se percha sur un toit. Il la fixa du regard, souhaitant la faire tomber. Une fumée apparut, la balle traversa le chaume, mais la maison se mit à brûler. (Ceci me parut invraisemblable jusqu'au jour où j'ai vu à Paris un explorateur français réaliser chez un ami un phénomène assez voisin sur un papier d'aluminium : en le fixant, il pouvait en provoquer la combustion.

Notre esprit rationaliste accepte difficilement ces faits. Il me vient à l'idée que les premiers hommes allumaient peut-être le feu en fixant du regard des brindilles sèches !

J'ai l'impression de vivre ici entre ciel et terre, à un niveau de conscience différent, délivrée de la pesanteur et des idées préconçues. Cette sensation de légèreté s'accentue en salle de *healing*. Je suis là, sous le charme des voix des aides et de Rudy qui chantent. Je suis portée par les mouvements de la salle, l'alternance des patients qui s'allongent sur la table de soins, les allées et venues des guérisseurs vers le cabinet de toilette où ils se rincent les mains entre chaque malade. J'ai l'impression de m'élever et de vivre sur un autre niveau, en même temps que des sensations apparaissent au niveau de mes mains. En quelques jours, je prends conscience de l'instant précis où j'entre dans cet état. Je comprends pourquoi Tony semble ne pas me voir, il évite de me faire vivre au niveau des relations ordinaires. Si je veux parler aux guérisseurs, tout se passe alors comme si je faisais une chute douloureuse pour redescendre à mon niveau antérieur, habituel. Cela ressemble à ces chutes qui vous réveillent en plein sommeil. La réintégration dans mon corps de tous les jours est pénible. C'est une sorte de désenchantement. Pourtant, si je parle aux malades, cette sensation ne se produit pas !

Tout se passe comme si les guérisseurs établissaient entre eux et moi des liens tels qu'ils puissent m'entraîner dans une commune « ascension ». Si je veux retourner au niveau des réalités ordinaires, le « hamac » dans lequel ils me portaient s'effondre. Je vis ainsi comme sur deux niveaux parallèles.

J'essaie de trouver une explication logique à ce phénomène : sans doute suis-je en apprentissage... très particulier ; sans doute m'entraîne-t-on à passer d'un corps à l'autre, du corps physique au corps éthérique, lieu de circulation des énergies. Les « courants éthériques » sont probablement à l'origine des perceptions suprasensibles et me mettent en relation avec la « face interne de l'univers » de Mikhaël Aïvanhov.

Les sermons de Sunny et les souvenirs d'une lecture de Rudolf Steiner me permettent de m'organiser ce petit système de compréhension très personnel et cohérent. Avec la plus grande tranquillité, je joue donc chaque matin à entrer dans mon corps léger, et à sentir la face interne des choses.

Je n'ai ni l'occasion ni la nécessité de me justifier vis-à-vis de quiconque. Tout est simple, je vis en accord parfait avec moi-même. Aucun tiers ne s'interpose pour me faire douter de ce que je crois être ma vérité.

Je chemine sur la voie que me tracent les guérisseurs, sans l'aide d'aucun discours. Au « *Close your eyes !* » de Rudy, je résiste de plus en plus, puisque je « monte » et perçois les yeux grands ouverts. Parfois je pense que ma curiosité peut bloquer mon évolution. Mais le médecin de l'organique n'abandonne pas si vite ses habitudes. Souvent, j'essaie de formuler un diagnostic d'après quelques signes, ce qui est naturellement une erreur sur le plan de l'instruction, mais une attitude compréhensible sur le plan de la recherche que je mène.

J'éprouve une satisfaction et un étonnement : satisfaction d'être entrée dans le système avec la permission d'Agpaoa, étonnement à la pensée que je suis là, seul médecin, à titre privé, sans qu'aucun officiel de nos facultés ou de nos laboratoires ne soit mandaté pour juger de la valeur des guérisseurs.

L'ENSEIGNEMENT DE FRÈRE SUNNY

J'avoue ne pas comprendre l'attitude dite rationaliste de certains scientifiques si peu rigoureux à l'égard des principes mêmes dont ils se prétendent être les ardents défenseurs et qui étouffent les francs-tireurs dès qu'il s'en présente dans leur sein.

J'avais éprouvé la même surprise à propos de la façon dont ils recevaient la sophrologie, l'acupuncture, l'auriculomédecine et l'astrologie. N'arriverai-je jamais à admettre que faire de la médecine classique, c'est trop souvent rédiger des communications qui compteront pour les concours, tester des médicaments de façon rentable, pratiquer des spéculations intellectuelles hasardeuses et distrayantes trop souvent éloignées de l'essentiel : la pratique d'une thérapeutique inoffensive. Mais j'ai bien droit à la naïveté.

J'apprécie ma liberté d'action hors d'un hôpital, et la simplicité de mes moyens de travail. Je regarde mes mains rondes, solides, aux ongles courts, que jusque-là je méprisais un peu : ni longues, ni fines, ni belles. Je n'avais jamais pu les considérer comme un ornement. Aujourd'hui, je les accepte avec reconnaissance puisque avec ces creux et ces bosses, ces lignes profondes et ravinées qui en marquent la paume, ces mains de travailleur manuel me permettent sans autre matériel d'accomplir ce travail sur l'invisible par la simple approche du corps du malade. Je remercie Dieu de leur avoir accordé ces étonnantes possibilités et Agpaoa de m'avoir permis d'en prendre conscience.

11. LA PERCEPTION DES FORCES

Ce matin-là, grimpant la côte sous le soleil, je déborde d'enthousiasme. J'ai pratiqué hier avec Niéves un test suffisamment positif pour admettre que je suis sur la bonne voie. Je commence à décrypter le code des guérisseurs. J'ai l'intention désormais de tester chaque patient avant le traitement (pendant que le guérisseur prend le coton) et après le traitement pour comparer les deux états énergétiques.

A ma grande stupéfaction l'aide refuse de me laisser entrer dans la salle de *healing*. Je m'assieds et j'attends, en compagnie des malades.

Agpaoa apparaît : je me glisse dans son sillage, passant de justesse par la porte un instant ouverte pour lui.

Je demeure à ses côtés. J'ai le temps de localiser sur le malade le pétillement de la région pathologique sous mes mains, lequel disparaît après l'intervention d'Agpaoa. Il a donc modifié la distribution de l'énergie.

Ne perdant pas une seconde, je profite du moindre soupir du guérisseur pour passer mes mains au-dessus du corps du patient afin de localiser la perturbation. Je constate qu'il travaille effectivement là où j'ai perçu l'anomalie. J'en vérifie ensuite la disparition.

Bien entendu, je travaille les yeux ouverts. « *Close your eyes !* » me lance Rudy, qui semble de plus en plus impatienté par mon activité. Agpaoa ne dit rien, il ne me voit pas. C'est toujours comme si je n'existais pas. Je passe d'une table à l'autre en le suivant, mais entre deux malades j'ai parfois le temps de déborder sur les patients de Rudy ou de Niéves qui travaillent souvent à deux sur le même sujet : chacun choisit alors un point d'émergence de l'énergie anormale.

Parfaitement à l'aise, j'ai l'impression de dominer le premier stade de mon éducation. Je suis consciente de l'invraisemblance de ma situation. Que penserait un confrère s'il passait par ici ?

Je déjeune avec Francis, qui m'entraîne dans un endroit farfelu où serveuses et serveurs sont déguisés en personnel d'opérette. Elle me fait découvrir une bière noire, me recommande la pizza, et nous parlons... ou plutôt elle parle, dans un anglais simple. Etre guérisseur est brutalement devenu sa vocation. Elle fait de gros sacrifices pour vivre ici, loin de sa famille, de ses enfants, de ses amis. Elle éprouve la nostalgie de son pays.

Elle dit comment le pouvoir lui a été révélé : par de grandes secousses qui ont animé son corps et elle commente son aventure. Une moitié de moi-même l'écoute, la regarde, sceptique. Suis-je auprès d'une femme seule, divorcée, vieillissante, qui, ses enfants mariés, veut se trouver une raison d'exister et de croire à un avenir en essayant de faire vivre des fantasmes dont Agpaoa est le support ?

L'autre moitié de moi-même sait qu'elle ne ment pas, qu'elle majore quelque peu son *power* tout simplement. Elle dispose de toute sa raison. Mais elle ose exprimer un ensemble de faits qu'il convient de taire en société. Tient-elle ce langage courageux pour m'avertir, me préparer à ce qui peut m'arriver et m'éviter l'effroi éprouvé au contact du monde inconnu de l'invisible ? A-t-elle perdu l'habitude de filtrer le contenu de ses impressions avant de les exprimer ? Ne sait-elle plus ce qu'est la normalité ou plutôt la « normose », selon la définition de Jacques Donnars ?

Cette dénomination donne un arrière-goût pathologique à ce qu'on dit normal, à ce qui oblige l'homme à s'aligner sur un schéma monomorphe, qui gomme ce que chacun a d'unique.

Sait-elle que j'ai déjà vécu ce qu'elle dit ? Lui est-il agréable d'être entendue, comprise ? ou veut-elle être un cas ?

Bien qu'ayant l'expérience de ce qu'elle décrit, je lui suis reconnaissante de se découvrir aussi totalement. Je suis consciente de l'existence d'une face invisible des choses, mais j'éprouve une certaine satisfaction à me l'entendre dire de vive voix par une autre. Ce n'est pas si simple de pénétrer dans le

monde des perceptions inconnues. Je sais quelle force de caractère il faut posséder, quel équilibre interne il convient de
maintenir. Lâchement, j'écoute sans me découvrir, sans rien
dire de mes expériences passées. Je ne lui dis pas quel tremblement interne me saisit parfois quand je me promène au
marché de Baguio, quel frisson intense me parcourt et qui est
le signal de « l'expérience » à vivre : je dois rentrer chez moi
au plus vite. Je me tais. Le filtre de la « normose » fonctionne.
Je préfère qu'elle me croie ignare et non révélée à ce monde
de connaissances plutôt que de tenir des propos qui, médicale-
ment parlant, ressembleraient à un délire.

Cette lâcheté est parfois nécessaire au maintien de la vie
sociale. Combien de fois ai-je vu des individus vivant ces phénomènes, se demandant s'ils devenaient fous, s'ils devaient
accepter l'hospitalisation et la médication que leur médecin
leur conseillait. Combien de malades hospitalisés à tort et véritablement coupés de la vie initiatique par l'isolement, la médication et définitivement livrés à la pathologie iatrogène. On
fabrique, avec les drogues légalement autorisées, des délirants
aussi sûrement que l'on fabrique des obèses avec des diurétiques et de mauvais régimes.

Je suis reconnaissante envers Francis de me parler avec
une superbe tranquillité et une insolente impudeur. Je comprends mieux le rôle qu'elle assume auprès d'Agpaoa. Peut-
être la nuit prochaine serai-je encore réveillée à l'heure où les
guérisseurs prient, mais j'éprouverai moins d'inquiétude.

Ma vigilance s'exerce en permanence, je me suis établi des
normes de perception, et si j'avais l'impression un jour de
risquer de me perdre, je sais que je reprendrais à l'instant
l'avion pour Paris, pour me replonger dans la réalité quotidienne afin d'assimiler ce que j'ai absorbé de ces phénomènes
étranges. Puis, le calme retrouvé, je reviendrais à Baguio. Pour
le moment, j'absorbe et j'assimile assez vite ces phénomènes,
aussi stupéfiants qu'ils puissent être.

Ceux qui n'ont pas ma structure rationaliste sont probablement favorisés. Pour eux, tout se passe plus vite, avec moins
d'obstacles et de blocages. Je suis trop vigilante, trop critique,
j'analyse et ne me laisse pas facilement glisser. Mais peut-être
cette structure me protège-t-elle et me permettra-t-elle de comprendre à ma façon ce qui se passe, d'organiser mon système.
J'essaie de résoudre le dilemme qui consiste à vivre consciemment
la face cachée des choses, à la laisser venir en surface. Cette

dichotomie n'est ni négociable ni exprimable en termes habituels. En parler ouvertement avec un non-initié, c'est imaginer qu'un aveugle puisse discuter de la qualité d'un film muet, c'est supposer que le non-initié va pouvoir entrer dans le dialogue à propos d'une façon d'exister et de percevoir qu'il ne peut imaginer puisqu'il ne l'a jamais vécue. C'est vouloir identifier ce qu'en astrologie on appelle la lune noire, le soleil noir, ou, en astronomie, les trous noirs. Oui, comme en astronomie, on peut dire qu'il existe une réalité perceptible par ses effets, déductible par le raisonnement, et non identifiable par nos cinq sens. L'instant critique pour l'homme est celui où il pénètre dans ce monde dont on ne l'a jamais informé. Il peut s'y noyer et y perdre la raison.

S'il est averti, bien entouré, guidé, si quelqu'un lui donne la main, pour qu'il puisse, à tâtons, faire sa propre expérience, établir sa propre conception de la réalité de cette face invisible, il conservera son équilibre. Pour mon expérience initiatique, je fais confiance à Tony Agpaoa. Je suis intuitivement persuadée qu'il est crédible. De plus, j'ai le sentiment qu'il est intégré sans problème à ces deux mondes. Sa santé physique, sa joie de vivre, son équilibre me rassurent.

Francis ne s'embarrassera pas comme moi de nuances, de rapports, de comparaisons, ni d'explications. Pour elle, tout est simple. Cela s'appelle *the power*. Je suis en quête de la Connaissance, elle est en quête du *Power*. Elle en parle tant et si souvent que ce *power* évoque pour moi une sorte de monstre qu'elle essaie de dompter.

A sa façon elle maîtrise la situation. On peut imaginer comme l'enseigne le *Yi King*, qu'il existe deux forces, deux valeurs primitives, mais aussi qu'il existe deux faces du monde (c'est la version de Mikhaël Aïvanhov) : la face visible et la face invisible. Francis donne le nom de *power* à tout ce qui touche à la face invisible. Elle en fait une entité. Par la même occasion, elle se situe par rapport aux deux faces du monde. Elle se localise, elle est donc gagnante.

Le malade mental est celui qui, à son insu, tour à tour, passe d'une face du monde visible au monde invisible. Il se perd dans la première, fait par instants surface dans la deuxième, sans jamais s'identifier réellement par rapport à l'une ou l'autre. Il emporte toujours avec lui quelque chose du monde dans lequel il se trouvait l'instant précédent, sans pouvoir réellement vivre dans sa totalité l'instant présent. L'obnubilation dans laquelle le plongent les drogues dites thérapeutiques ne favorise pas la prise de conscience du réel ordinaire. Elle favorise plutôt le déphasage.

Ces phénomènes qui témoignent de l'existence de l'invisible apparaissent avec une grande fréquence, mais ils sont refoulés, non interprétés ou dissimulés, par crainte de passer pour anormaux. En fait, il faut apprendre à en parler, à tenir les manifestations de l'invisible pour normales, à dédramatiser les situations ambiguës, à démystifier les tabous et les idées toutes faites. Il faut accepter le côté merveilleux que nous offre la vie.

Les drogués, bien souvent, ne se sentent pas bien dans la face visible du monde ; ils choisissent de parti pris sans doute la face invisible où se trouve en quelque sorte le non-banal, le non-quotidien, le merveilleux, ils y partent après un acte référentiel : l'absorption de la drogue.

Francis a sa raison d'être ici, elle situe, nomme, commente avec la même sérénité, la même simplicité, les deux aspects de la réalité, sans complexe. Elle est thérapeute à sa façon.

Elle m'annonce aujourd'hui l'arrivée de Mamassa, guérisseuse japonaise qui accompagne un groupe. Je l'avais déjà rencontrée pendant le premier voyage. Francis m'invite à la séance de massage qui aura lieu dans la chambre de Mamassa à 17 heures...

Nous voici devant sa porte. Une femme chétive, ridée, souriante, affable, sympathique et vivante, nous ouvre, vêtue d'une longue robe, ô merveilleuse Mamassa ! Son anglais est plus pauvre que le mien, malheureusement.

Niéves est déjà là, accompagnée d'un aide, neveu d'Agpaoa. L'un et l'autre massent deux malades, à l'huile de palme. Francis me propose de commencer. Commencer quoi ? Je me sens ignorante, ridicule. Je lui demande de bien vouloir me faire une démonstration. Elle pose une main sur le front d'un patient, l'autre sur la nuque. Elle se concentre en fermant les yeux, relève le menton, son visage devient angélique.

Elle descend maintenant les mains vers le thorax puis l'abdomen, et me montre qu'elle contracte à ce moment-là les épaules. J'ai une folle envie de rire ! A quoi peut servir ce geste ? Pense-t-elle ainsi injecter de l'énergie ?

Mon malade est installé. Je vais devoir imiter Francis pour ne pas choquer les habitués. Un peu honteuse de pratiquer ce rituel sans y croire, j'ai l'impression de commettre un abus de confiance. Mamassa m'observe. Niéves aussi. Francis ferme les yeux, menton levé. Je me lance, un peu gênée. Je ferme simplement les yeux. Je ne veux pas jouer la comédie. La mystification me paraît énorme. J'ai posé les mains sur le front et la nuque du malade. J'entrouvre un œil discrètement pour aligner ma durée de traitement sur celle de Francis et je crois entendre Rudy me souffler : « *Close your eyes !* » J'attends qu'il soit temps de changer les mains de position. Mais, doucement, quelque chose se passe. Entre mes deux mains, je sens une sorte de battement rythmé qui se précise. Ce quelque chose arrive, part, arrive, repart, qui m'évoque le rythme de 4/4 du « tissu moyen » de Nogier (il définit par là le rythme que l'on perçoit au pouls en appuyant un détecteur taré aux environs de soixante grammes sur l'oreille). Est-ce la vie du « tissu moyen » que je perçois ? Le temps de latence qui s'est écoulé entre le moment où j'ai posé mes mains et celui où j'ai perçu quelque chose est-il le temps qu'il me faut pour percevoir cette sensation, ou le temps nécessaire pour que ma propre énergie le fasse battre ? Mon aura de guérisseur serait-elle en train d'agir ? Se manifesterait-elle ainsi ? Ferait-elle battre le « tissu moyen » de Nogier ? Si je contracte les épaules comme le fait Francis, mes perceptions sont amoindries. Je me surprends à essayer de comprendre, à expérimenter plutôt qu'à me laisser aller.

Mes mains explorent ensuite les autres régions qui répondent plus ou moins vite. Je décide de parti pris d'abandonner une région dès que je sens un battement 4/4 ample, régulier, bien installé. Francis travaille sans doute différemment. Elle m'aurait avertie de ces sensations si elles les percevait. Elle sert en toute simplicité de médium entre l'énergie cosmique et le malade, sans problème. Je suis trop curieuse, j'intercale un raisonnement entre l'énergie cosmique et le patient. Mais je ne puis avancer dans cette aventure étonnante sans garde-fou.

Les malades se succèdent. Je n'ai plus l'impression d'abuser de leur confiance, je sais qu'il se passe quelque chose.

Mamassa apparaît, disparaît, offre un fruit, une tasse de thé, un verre d'eau. De temps en temps, on gratte à la porte. On sait qu'elle est à Baguio, des amis lui apportent de petits présents : gâteaux, épicerie, fruits.

Tous les malades sont traités. Nous nous retrouvons avec Mamassa autour d'un thé.

LA PERCEPTION DES FORCES

Mon scepticisme et mon esprit critique ont été durement mis à l'épreuve. Mais je sors de là persuadée d'avoir acquis une connaissance supplémentaire ; une qualité de perception nouvelle, malgré ma mauvaise volonté dans l'approche du phénomène. J'en remercie le Ciel.

12. LES GARDIENS DU SEUIL

Sur la route parfumée qui mène à l'hôtel, les petits écoliers me saluent. Tout en grimpant, je m'interroge sur l'accueil reçu hier au moment d'entrer en salle de *healing*. Pourquoi a-t-on voulu m'empêcher d'y pénétrer ? Agpaoa, apparemment, n'est pas en cause. L'interdiction provient de ses aides. Ont-ils perçu que je pouvais sentir les modifications énergétiques ? Veulent-ils m'empêcher de progresser ? Ai-je été maladroite envers eux ? Faut-il leur donner de l'argent, des cadeaux pour qu'ils me laissent entrer ? Rudy trouve-t-il indiscrète mon obstination à garder les yeux ouverts ? Croit-il que je les épie au lieu de vouloir apprendre ? Je pressens de nouvelles difficultés.

Effectivement, l'entrée m'est interdite. Quand je frappe à la porte, on me repousse sans ménagements, sans un mot d'explication. Mais voici Mamassa et son groupe. Je lui demande la permission d'entrer avec elle. Elle accepte et m'impose aux aides. Je suis sauvée pour ce matin, mais j'ai l'impression qu'une lutte s'engage où je risque de ne pas être la plus forte.

Je veux m'approcher d'un malade. On m'écarte. Mamassa, venant une fois de plus à mon secours, me fait signe d'étendre les mains avec elle, au-dessus de l'une de ses patientes. La matinée se poursuit normalement.

Je parle de mes difficultés avec Francis qui me conseille de fermer les yeux et de me concentrer davantage pour ne pas irriter Rudy. Elle ne comprend pas que je puisse « sentir »

181

les yeux ouverts et que je veuille établir des comparaisons entre mes perceptions et les zones choisies par Rudy ou Tony pour opérer. Elle ne comprend pas que je veuille vérifier la propagation des vibrations qu'ils communiquent aux malades dès qu'ils s'en approchent. Mes problèmes visiblement la dépassent.

Je n'ai évidemment pas sa passivité ; je me suis individualisée par rapport au groupe et j'ai maintenant l'impression de voguer seule, dans un univers de perceptions marqué par mes propres repères sous l'œil vigilant de Tony.

L'après-midi, je retourne travailler avec Mamassa et Francis. Je contrôle la réalité des sensations perçues la veille. J'apprécie les nouvelles possibilités expérimentales que Mamassa veut bien m'offrir en m'accueillant chez elle, mais je suis inquiète pour l'avenir. Le lendemain matin, entrant dans la salle de *healing*, je remarque, écrit sur le tableau noir qui indique habituellement le programme de la journée : « *European people in magnetic room.* »

L'équipe est en place, immobile, bien déterminée à ne pas commencer à travailler avant que j'aie quitté les lieux. J'attends, impassible. Je compte sur l'arrivée d'Agpaoa, qui ne vient pas. Francis m'entraîne enfin après maintes supplications dans une autre petite salle. Elle me signifie que je dois apprendre à pratiquer le traitement magnétique. Je rétorque que c'est en *healing room* que je suis bien. J'en aime l'ambiance et les chants, j'aime voir ce qu'Agpaoa invente chaque jour dans son art de manipuler l'énergie. C'est là que se produit l'incroyable. Je suis habituée à vivre ce merveilleux, il est devenu mon pain quotidien, et l'on voudrait m'en frustrer ? Je me révolte.

Francis devient dès lors ma seule compagne, nous nous installons dans cette petite pièce sans fenêtre, d'une propreté douteuse et qui sent le moisi. Deux lits sont installés côte à côte.

Entre alors le premier malade, sortant de la salle de *healing*. Francis lui fait signe de s'étendre sur le lit bas. Il reste vêtu, elle se met aussitôt à genoux, clôt les yeux, relève le menton tout en posant une main sur la tête du patient, l'autre sur le thorax. Elle contracte son dos. Elle m'exaspère !

A quoi cela peut-il servir ? Vais-je passer ma matinée à cette imposition des mains, en attendant que midi sonne ? Ces gestes ne servent à rien. Je perds mon temps. Et si par hasard je manipulais une énergie quelconque, je serais capable, par ignorance, de perturber ce qu'ont fait les guérisseurs cinq minutes plus tôt. Si l'on veut m'initier au magnétisme, très bien, mais alors que l'on m'en apprenne les techniques ! Ce que fait Francis n'est pas du magnétisme, elle n'exécute pas de passes. Je la trouve même un peu simplette : quelle que soit la situation pathologique, invariablement, elle pose ses mains, lève le menton, et ferme les yeux ! Je ne peux imaginer que cela suffise à tout guérir ! J'ai bien envie de filer par la porte ouverte et d'aller me dorer au soleil plutôt que me prêter à cette comédie !

Le malade qui m'est destiné, hélas, entre justement. Il joint les mains, s'incline très bas, tête la première, pour me saluer. C'est un Japonais en kimono de la plus pure tradition. Par gestes, il me demande : sur le dos ? Sur le ventre ? Comme je ne sais rien de lui, à tout hasard, je lui fais signe de s'allonger sur le dos. Il s'étend. Je me refuse de poser les mains sur son front et son thorax, comme Francis. Je passe les mains au-dessus de son corps. Il est tout vibrant des énergies transmises par Rudy ou Niéves. Que vais-je faire ? Il est là devant moi, entièrement vêtu, sans dossier médical, ne parlant pas un mot d'anglais. Je me sens totalement ignorante, je n'ai que mes mains. Je suis désespérée. Je regarde Francis toujours sereine, qui dispense son *power*.

J'ai bien envie de tout planter là, alors qu'elle ferme les yeux, de partir discrètement, de monter dans le car pour Manille puis dans le premier avion pour Paris.

Mon malade reste allongé, les yeux clos, les mains jointes, imperturbable. Il prie. Il attend quelque chose de moi, alors que je suis en pleine panique. Pour lui, je dois me reprendre, inventer quelque chose : je vais le tester en m'aidant du pouls. Je me servirai de mon doigt comme détecteur et n'ayant pas d'aiguilles, je poserai mes doigts sur les méridiens d'acupuncture.

Parfois, je teste du doigt l'oreille, puis prenant l'énergie d'en haut avec mes bras levés vers le ciel, je l'applique sur l'oreille. A l'examen je constate que j'ai changé quelque chose. Mon système fonctionne, semble-t-il. Je travaille ainsi toute la matinée.

Puis je rentre chez moi, épuisée, je dors trois heures d'un sommeil bizarre, meublé de rêves curieux. Au réveil, impossible de mouvoir mon corps ! Je suis consciente et ma fonction oculaire se normalise après un court instant de vision trouble. Quant à mon corps, je le vois, mais la commande semble inhibée, ce qui m'empêche de transmettre tout ordre de mouvement. La panique me saisit. Que se passe-t-il ? Serais-je paralysée ? Comment obtenir un secours ?

Tout en réfléchissant, je me dis que probablement Tony Agpaoa, à un moment quelconque de la journée, pensera à moi au cours de ses méditations. Il me percevra dans cet état et fera quelque chose. J'ai confiance en ses possibilités. Alors commence une attente, paisible, étonnamment paisible.

J'ai sans doute vécu trop intensément ce matin sur mes perceptions extra-sensorielles. Voici quelques jours, je m'étais déjà sentie, en salle de *healing*, un peu trop « en dehors » de mon corps physique par rapport à mes repères habituels. Le même phénomène se sera produit aujourd'hui, plus accentué. Je songe encore que la situation de ce matin a peut-être été voulue, pour me contraindre à passer sur un autre plan.

Une bonne heure passe avant que la commande se normalise. Je comprends qu'il ne faut pas s'engager dans certaines expériences sans être accompagné d'un maître authentique. Dieu merci, je me sais en bonne compagnie près de Tony.

Tout va bien maintenant, je descends au marché prendre un bain de foule et de réalité. J'y demeure jusqu'à la nuit à examiner les petits bijoux exposés dans les diverses boutiques, à palper des tissus, à faire un choix parmi les robes brodées. Je renoue avec le réel. C'est indispensable.

La nuit est difficile. Une angoisse au niveau du plexus solaire me réveille. Elle a les caractéristiques de la douleur intense éprouvée lors du rêve de la mort de mon père. Elle est localisée, punctiforme. Après un travail de contrôle respiratoire, elle s'atténue suffisamment pour me permettre de dormir jusqu'au lever du soleil.

J'appréhende cette nouvelle journée car je serai probablement reléguée dans la *magnetic room*. Le travail en *healing room*, portée par le groupe et ses chants, où je n'assume aucune responsabilité, me semble un paradis comparé à ma solitude, à mon désarroi face à ces Japonais si raffinés, mais énigmatiques.

Comme je m'y attendais, je suis évincée. Angela est acceptée, Francis vient me tenir compagnie en *magnetic room*. Nous discutons de cette éviction. Elle prétend que mes vibrations gênent Rudy. Je ne sais si je dois prendre cela comme un compliment ou une insulte. Ou bien j'émets des vibrations saines, assez fortes pour entrer en compétition avec celles du guérisseur, et ce serait une explication valorisante... ou j'en émets de mauvaises, nocives pour le malade et je me sens honteuse. Ou bien cette version n'est qu'un prétexte sans aucun rapport avec la cause réelle de mon éviction.

Les circonstances m'obligent donc à poursuivre mon travail en *magnetic room*. Hier, je me suis aidée de l'oreille mais je veux aujourd'hui travailler sans filet en abandonnant l'oreille et le pouls. Par une suite de déductions, j'abandonne progressivement mes repères précédents, pour en retrouver d'autres. Je me promets de compléter et de parfaire ultérieurement ce système d'approche du malade. Je suis presque de bonne humeur en fin de matinée car j'ai vaincu mes difficultés premières. Sans avoir besoin de parler ni de palper, je perçois les blocages résiduels chez des malades gravement atteints.

A midi, je m'entretiens de la situation avec Angela qui me propose de déjeuner à la cantine du personnel où Tony nous a invitées.

Nous rejoignons dans le parc une petite baraque dont la façade s'orne d'un éventaire où l'on peut acheter à bon marché des boissons et des fruits. Tony, assis à l'extrémité d'une longue table, m'invite à prendre place près de lui. Un médecin suisse, guéri par ses soins d'un cancer du rectum il y a quelques années, me fait face. Angela est à côté de moi, les aides sont répartis autour de la table. Je les salue sans joie, mais ne suis pas mécontente d'approcher enfin Tony avec qui je n'ai eu aucun contact depuis longtemps. Une soupe de viande et légumes me rappelle notre pot-au-feu français.

Tony s'entretient avec le médecin suisse, me tournant ainsi le dos. Je me débats avec un poisson plein d'arêtes.

Subitement, il se tourne vers moi, me tend un morceau de pain et me dit : « Avalez, c'est bon pour faire passer l'arête. » Le pain effectivement se révèle souverain : l'arête qui me gênait, que je tentais en vain d'avaler discrètement, disparaît. Tony me laisse confondue par son art de me « deviner ».

Des légumes sont servis. Tony prend un peu de riz avec ses doigts. Tous ses aides en font autant, de leurs doigts soignés aux ongles coupés ras et vernis.

Le médecin suisse prend congé. Je profite de cette pause pour risquer une question. Mentalement, je prépare ma phrase en anglais et lui demande s'il peut m'aider à résoudre un problème qui me semble difficile :

— Comment intégrer mes nouvelles connaissances à mes anciennes techniques ?

— *You'll find your way...*

J'espérais un conseil, une clé, une leçon, mais une fois de plus je ne reçois qu'une formule qui me renvoie à moi-même. J'en suis exaspérée. Lui, qui devine qu'une arête m'étrangle alors qu'il converse avec un autre, devrait pouvoir me répondre avec plus de précision ! Il me toise, mi-protecteur mi-moqueur. D'un geste familier, il se cale confortablement sur son siège, prend appui sur la table de ses deux bras, les petits doigts en l'air et répète, rassurant : « *Ya, doc, you'll find your way* *. »

J'acquiesce d'un grognement accompagné d'une moue dubitative. Je n'obtiendrai rien de plus aujourd'hui. Je suis découragée l'espace d'un instant, puis rapidement je comprends que ce n'est pas une technique qu'il faut venir apprendre ici, au sens où l'on peut l'entendre en Europe. C'est un travail personnel que l'on me conseille d'entreprendre. Un travail sur moi-même, sur mes sens. Il faut défricher un terrain, cheminer à l'intérieur de soi, là est caché le secret qu'une écoute profonde de son être permet de découvrir.

« Le Tout est dans Tout. » Il me faut écarter une à une les enveloppes qui me dissimulent à mes propres sens. Tony est là pour m'orienter, me faire comprendre qu'il existe une autre voie de connaissance, qui n'est pas écrite dans les livres et qui passe par le chemin de soi. Elle s'appelle la voie initiatique.

Je comprends aussi pourquoi la parole est inutile. Le maître peut, en percevant les vibrations de son élève, savoir où il en est. Ce qui me ramène brutalement à Rudy, et à mon père. J'essaie de comprendre la situation en adoptant un raisonnement inspiré de l'astrologie : les vibrations que j'émets sont le résultat d'un compromis, entre mon ciel de naissance et le ciel actuel. Il peut y avoir de bonnes ou de mauvaises interférences entre mon état vibratoire originel et l'état vibratoire du ciel actuel. Si brutalement Rudy perçoit mes vibrations comme néfastes, c'est qu'il existe dans mon thème une résonance perturbatrice. Des évidences m'apparaissent : mon père est souffrant, je le sais et le ressens sous forme d'une angoisse. Peut-

---

* « Oui, doc, vous trouverez votre chemin. »

être est-ce l'écho de mon père malade vivant en moi et qui provoque en Rudy un malaise. Mon rêve serait-il prémonitoire ?

Après le repas, Angela m'accompagne jusqu'à la maison. Elle demeure discrète quant à sa propre histoire et je ne l'interroge pas. Ma sieste se passe comme hier, mais je récupère ma mobilité plus rapidement.

Mamassa et son groupe sont partis ce matin, un nouveau groupe japonais leur a succédé. Le premier traitement doit avoir lieu à 17 heures. Obstinée je vais tenter ma chance et monte à l'hôtel.

Je frappe à la porte de la salle de *healing*. Quelqu'un m'ouvre mais me fait aussitôt un signe de négation. Je m'assieds dans la salle d'attente, avec le *Gimmick*, qui me fait progresser en anglais usuel. Il ne reste plus que trois ou quatre malades à traiter sur une vingtaine lorsque Agpaoa apparaît. Il s'incline à la japonaise pour les saluer. Comme l'état de santé de mon père m'inquiète, je fais signe à Tony. Il s'assied près de moi.

— Quand puis-je retourner en France, Tony ?

Il baisse les yeux un instant puis me répond :

— Le 10 novembre. Peut-être le 26 décembre.

Je trouve cette réponse absurde. J'ai prévu en effet de rester jusqu'au 25 novembre environ. Le 10 me paraît prématuré. Quant à Noël il n'en est pas question, ce serait trop prolonger mon séjour !

Il ajoute :

— Pourquoi n'êtes-vous pas en salle de *healing* ?

— Vos aides ne veulent pas de moi.

Je ne voulais pas l'importuner avec ce problème mais puisqu'il me pose la question, j'en suis soulagée.

— Venez avec moi.

Nous entrons. Je reste près de lui pendant qu'il « opère » deux ou trois malades. Je sais que les aides ne désarmeront pas, mais je suis reconnaissante envers Tony de m'aider. De plus, je m'aperçois que je n'ai rien perdu de mes perceptions, bien au contraire.

Je suis un peu rassérénée en retournant chez moi à la nuit tombante. Pourtant, l'angoisse qui m'avait éveillée la nuit précédente réapparaît. Elle oscille entre deux points, deux pôles qui s'appellent et se répondent régulièrement. Elle a le même « goût » que la veille... et que la nuit où j'ai rêvé de la mort de mon père... pourquoi ?

Au troisième jour de ma mise à la porte de la salle de

healing, toujours en *magnetic room* avec Francis, continuant mes recherches sur la manipulation de l'énergie, j'ai trouvé un système pour disperser les pertes très localisées d'énergie : je la répartis sur le corps et termine en corrigeant du doigt l'éventuelle perturbation qui subsiste à l'oreille. J'ai décidé de ne me servir d'aucun matériel européen pour contrôler les effets de ma nouvelle technique.

Ceci fait, j'estime ne plus rien avoir à apprendre en *magnetic room*. Je n'y reviendrai plus.

Je suis épuisée par ce travail intuitif, par ces heures de créativité sans filet. La salle de *healing* me semble le paradis à côté de cette pièce mal aérée avec la seule présence de la sainte Francis, qui, dans son attitude bien connue, dispense inlassablement son *power*. La sérénité, la soumission de cette femme finissent par m'agacer. J'ai envie de lui apprendre à se révolter !

J'entends tout à coup parler français. C'est un médecin, accompagné d'un photographe, qui vient ici pour voir. Je leur explique que la seule façon de voir en passant, sans l'autorisation préalable d'Agpaoa, est de se faire soigner. Ils me demandent quelques explications. Je leur parle de manipulation d'énergie, mais visiblement ils font seulement semblant de me comprendre, ils ne me suivent pas.

Quelque temps plus tard (c'est une parenthèse) paraîtra dans un journal médical un article intitulé : « Comment j'ai piégé les guérisseurs philippins. » A la vue de ce titre je reste admirative devant cette perspicacité. L'auteur n'est resté que quelques minutes en nos murs et n'en a pas moins réussi à comprendre tout le « problème Agpaoa ». Au centre de l'article trône sa photographie, mains planant au-dessus d'un bureau, imitant par là le geste des guérisseurs.

Je suis prise d'inquiétude : me serais-je ainsi laissé abuser ? Non, dès les premières lignes, je suis rassurée. Il compte douze heures pour se rendre en voiture de Manille à Baguio, alors qu'un autocar ordinaire en met cinq. Je lui aurais parlé de « principe malin » (il s'agit probablement de l'énergie perverse que connaissent tous les acupuncteurs, ou de la malignité des tissus cancéreux, mais il a entendu autre chose). Il se demande encore comment je peux laisser faire de tels agissements, moi qui suis là en permanence. En un mot, je suis ridiculisée, pire, on peut me croire malhonnête. En revanche, il ne me déplaît pas d'être traitée d' « étrange apparition ».

suivie de cette description avantageuse : « Sortie d'une aventure de James Bond apparaît une splendide femme de quarante-cinq ans, blonde, élégante, de la classe... » Il fallait un tant soit peu romancer l'article, j'en fais donc agréablement les frais.

J'apprendrai plus tard que ce médecin est directeur d'une association de promotion de l'industrie pharmaceutique. Sa tâche quotidienne est de choisir ce que la recherche doit privilégier, en fonction de critères humains et des critères de rentabilité.

Certes, je suis peut-être coupable de m'être départie de ma réserve habituelle. Je m'étais bien promis de ne jamais me livrer à un confrère de passage. Mais en cette phase de vulnérabilité et si loin de chez nous, j'étais prête à considérer tout compatriote comme un ami et ne me suis pas méfiée d'un médecin français.

Plusieurs congrès médicaux ont lieu à cette époque en Extrême-Orient. J'espère recevoir la visite de quelques acupuncteurs et pouvoir leur faire rencontrer Agpaoa. Je préviens celui-ci de l'arrivée prochaine de ces spécialistes français. Voudra-t-il bien les rencontrer ? « J'ai pris un rendez-vous avec vous, pas avec eux », me répond-il simplement.

Il me promet néanmoins de les recevoir, mais je sais déjà que cette rencontre sera superficielle. Je comprends qu'il soit las d'être un objet de curiosité. D'autant que la plupart des visiteurs ne font que le déranger pour le décrier ensuite.

Ce midi-là, je déjeune encore avec lui, Angela et les aides. Ce moment de réconfort m'est utile. Il doit deviner quelque chose. Invisible, inabordable jusque-là, il m'installe près de lui et me sert. Veut-il montrer aux aides qu'il me soutient ? Veut-il me consoler ? Sent-il l'angoisse qui monte en moi à cause de l'état de santé de mon père ? Pourtant, le dernier courrier n'est pas inquiétant.

Tenace, je me présente l'après-midi en salle de *healing*. J'arrive en avance. Niéves est là, qui soigne ses mains un peu abîmées d'être toujours mouillées. Elle coupe soigneusement ses ongles. Je lui demande quelles sont les caractéristiques des mains du guérisseur. Elle me montre sa ligne de vie qui se poursuit jusqu'au milieu de la face postérieure de la main. « *Long life* », dit-elle. Elle regarde mes mains et diagnostique : « *Long life and strong health* » (longue vie et solide santé).

Fred, le guitariste-aide, survient. Je lui demande pourquoi il me chasse de la salle de *healing*.

— Parce que j'ai décidé qu'il en serait ainsi !

Je réplique que je ne suis pas sous ses ordres, mais l'invitée d'Agpaoa.

Un autre aide, Angelo, qui m'avait aidée à me loger, essaie de me calmer en murmurant que Fred est un personnage important : il est le chef des aides.

— Le chef des aides, peut-être, mais pas le mien !

Niéves essaie de détendre l'atmosphère. Fred baisse le ton, assure qu'il est préférable pour moi de travailler seule en *magnetic room*, d'y examiner les malades avant et après le traitement. Ce sont des arguments valables mais que je ne veux pas entendre. Je suis incapable de me retrouver dans cette salle. Il me faut me recharger en énergie au contact des guérisseurs.

Les malades arrivent et les guérisseurs s'enferment dans la salle de *healing*. Francis s'installe en *magnetic room*. Lâchement, je lui abandonne tous les malades et m'en vais ! Je fais grève !

Je vais me promener, le cœur gros. Je songe à l'avertissement donné par un des élèves d'Agpaoa : « Vous n'apprendrez rien chez Agpaoa. » A-t-il eu les mêmes problèmes que moi avec les aides ? A ce stade, je pourrais lui demander conseil. J'ai donc une raison supplémentaire de téléphoner à Paris. Je n'aurai pas à avouer un mauvais rêve, ni mes angoisses ; ce qui serait évidemment ridicule.

Je calcule l'heure d'appel en fonction du décalage horaire. Ma fille me répond. Mon père est toujours hospitalisé. Elle ne peut me donner plus de détails à son sujet. Elle va tenter de joindre l'élève en question et d'obtenir quelques informations supplémentaires.

Je comprends l'origine de mon angoisse : sans doute mon père souffre-t-il d'une complication ! Je vais en ville organiser un éventuel retour en France. Avec stupéfaction, j'apprends que les vols de la compagnie à laquelle me donne droit mon billet sont complets pour trois semaines. Je supplie que l'on veuille bien faire les démarches pour changer de compagnie.

Je ne veux plus remettre les pieds en *magnetic room*, c'est décidé ! Et je veux imaginer que mes angoisses ne sont pas en rapport avec l'état de mon père, mais avec une fatigue.

En ville, je rencontre Francis. Elle m'invite à prendre un thé et me propose pour me remonter le moral d'aller voir un film de Walt Disney. Nous nous dirigeons aussitôt vers le cinéma.

Plusieurs programmes sont affichés. « *It's now* », dit-elle. Je la suis et pénètre dans une fournaise malodorante. Je veux me convaincre que je m'y habituerai. Ce n'est pas encore le temps des réjouissances, un film d'épouvante est en cours de projection. Elle m'assure que, dans un instant, nous verrons le film attendu. Je patiente. La chaleur, les visages grimaçants sur l'écran, les animaux monstrueux en horribles gros plans ajoutent à mon angoisse. Je fausse compagnie à Francis.

A peine sortie du cinéma, je rencontre Angela. Nous rions ensemble de ma déconvenue et décidons d'aller au marché dont l'animation calme un peu mon angoisse, mais quelque chose de douloureux persiste en moi.

Un peu plus tard, je monte vers Dominican Hill, et m'installe sur la terrasse en compagnie de mon chien dont j'ai peu profité jusqu'à présent. Peut-être pourrais-je m'évader au bord de la mer et m'y détendre ?

Mais je dois prévoir un éventuel télégramme me rappelant à Paris et ne pas m'éloigner. Si mon père se sent mal et souhaite mon retour, il ne manquera pas de le faire savoir.

Le lendemain à midi, je gagne l'hôtel pour rencontrer Francis et Angela. Francis ne peut faire seule face à tout le travail en *magnetic room*. Aussi l'a-t-on réintégrée en salle de *healing*.

Elles m'accompagnent à la poste où j'apprends qu'il m'est possible de venir chercher mon courrier avant qu'il ne soit déposé (parfois avec quelques jours de retard) au Diplomat Hotel.

Je déjeune avec Angela, que mon histoire de *magnetic room* finit par émouvoir, et qui me conseille d'écrire à Agpaoa pour lui exposer mes griefs. Ensemble, nous rédigeons le brouillon suivant : « Puis-je vous demander, s'il vous plaît : 1) Pourquoi vos aides ne veulent-ils pas de moi en *healing room* ? 2) Pourquoi ne puis-je au moins y aller après mon travail en *magnetic room* ? 3) Pourquoi, alors que je viens de passer un moment auprès de vous, Fred m'intime-t-il l'ordre, dès votre départ, de ne pas toucher le malade et de sortir ? 4) Si mes vibrations sont mauvaises pour le *healer* Rudy, pourquoi puis-je tout de même travailler avec vous ? 5) Si j'ai de mauvaises vibrations, comment savoir si ce que je fais en *magnetic room* est bon pour le malade ? » Je termine en précisant que tout ceci est très important pour moi, car j'ai fait ce voyage, abandonnant un père malade pour travailler avec lui. Je le remercie d'avance de bien vouloir me répondre sur tous ces points.

J'attends impatiemment le moment propice pour lui remettre mon message. Il faut qu'il soit seul et inoccupé, pour que j'aie des chances de l'approcher. Je rentre chez moi, interrogatoire en main et réfléchis encore, essayant d'examiner ma mise en quarantaine sous toutes ses faces. Est-ce un ordre indirect d'Agpaoa lui-même, qui utiliserait ce procédé détourné pour me faire entendre que mon enseignement est terminé ? Les Orientaux ont une façon si particulière de signifier leurs intentions... Pourtant, n'est-ce pas lui-même qui m'a proposé de venir travailler ici ?

Tony semble très bien connaître l'esprit européen, il est parfaitement capable de me dire, en clair, si j'ai franchi la première étape, si je peux maintenant retourner en France.

J'envisage une autre éventualité : existe-t-il une réelle incompatibilité entre Rudy et moi ? J'ai dressé un thème approximatif, après avoir demandé sa date de naissance à Niéves. L'aspect Lune-Mars conjoints tend à montrer qu'il peut avoir des problèmes avec les femmes. Dans ce cas, il existerait cette incompatibilité d'ordre cosmique entre nous. Une dernière hypothèse est plus cruelle : mes vibrations sont réellement toxiques, négatives pour lui et les malades que l'on m'empêche d'approcher en *healing*. Dans ce cas, l'angoisse qui m'étreint la nuit pourrait signifier que je reçois à distance les vibrations pathologiques de mon père (autant dire qu'il est dans un état grave). Rudy, plus jeune, moins affirmé que Tony, y serait plus sensible.

Le plus simple serait alors de prendre immédiatement l'avion. Mais là non plus les choses ne sont pas faciles. Je suis la trentième d'une liste d'attente sur un vol Manille-Bangkok. A Bangkok, le problème n'est pas résolu : je pourrais y demeurer une semaine encore, en attente.

Mieux vaut rester ici et progresser pendant ce temps pour aider mon père en arrivant à Paris.

J'envisage enfin une dernière possibilité : le problème que je vis est peut-être simplement en rapport avec une inimitié provenant des aides et le mal serait bénin.

Veulent-ils se valoriser, me contraindre à me soumettre à leur discipline ?

Je recopie le texte destiné à Agpaoa, en allant à la ligne

à chaque question, en numérotant bien celles-ci. Je le soumets une dernière fois à Angela.

J'attends le lendemain matin, dimanche, pour monter à l'hôtel vers 10 heures. O miracle, il est là, assis dans le hall. Il me salue en souriant, et je lui demande de m'accorder un moment. Il accepte, me faisant signe de m'asseoir, et prend connaissance de ma lettre.

— Il y a des moments, où l'on n'est pas accepté dans certains endroits. Ainsi, moi, si je vais faire un tour dans les cuisines de l'hôtel, on me fera la grimace, on me fera signe que je dois partir. C'est la même chose pour vous. Parfois, à moi aussi, les aides me disent : « Non. » Il y a des choses qu'il faut savoir accepter à certains moments de la vie. Mais « *I am with you and very near you* * », conclut-il en passant son bras autour de mes épaules dans un geste rassurant et protecteur.

L'essentiel est donc dit. Agpaoa est avec moi.

Je me félicite de lui avoir fait lire ma lettre. J'éprouve une certaine paix. Mais je crois toujours que pour avancer dans ma recherche, il me faut être sur place en salle ! Je n'en démords pas.

Une initiation n'est pas chose facile. Il faut mériter ce que l'on reçoit. Le dragon hostile a pris ici la forme des aides.

---

* « Je suis avec vous et très près de vous. »

13. CIEL DE NOVEMBRE

Les problèmes relationnels réglés, je veux en savoir plus sur l'état de santé de mon père, et téléphone de nouveau à Paris. Mon mari m'explique que « l'ictère est passé à l'état chronique »... J'évoque avec lui les difficultés auxquelles je dois faire face avant de rentrer : vols complets, problèmes de charters qui me lient à une compagnie, etc. Nous convenons qu'un télégramme me sera envoyé si la nécessité s'en fait sentir ; il me permettra d'obtenir une priorité.

Une fois encore, je consulte les horaires et j'expose l'urgence de mon cas. Malgré la patience et l'amabilité de l'employé avec lequel j'étudie pendant une heure et demie toutes les possibilités, je n'aboutis à rien.

Le matin suivant, très tôt, je guette l'arrivée d'Agpaoa. Je m'avance vers lui pour l'informer de l'éventualité d'un départ anticipé. J'espère un mot rassurant. Lui qui possède des dons de voyance, peut-être va-t-il me réconforter, me dire : « Ne vous inquiétez pas, bientôt tout ira mieux. » Ou encore : « Je vais vous aider à guérir votre père... » Non, le couperet tombe car il répond simplement : « *Ya.* » Ce « *ya* » chargé de sens est un poignard qui me transperce, ma douleur est aiguë, tout vacille autour de moi car je devine maintenant l'avenir. Il pose alors la main sur mon épaule et nous entrons en salle de *healing*. Les aides s'apprêtent à me refouler. « Non, dit Tony, doc et moi, nous avons parlé hier. » Je serais volontiers triomphante, si je n'avais ce poignard fiché dans le cœur. Je reste près de lui, silencieuse, et travaille.

Je fais alors une constatation imprévue : ce ralentissement dans la fréquentation de la salle de *healing* n'a pas altéré mes perceptions, au contraire, puisque d'un malade à l'autre je sens des vibrations d'un type différent.

Je me sens réconfortée : au contact du groupe, les forces me reviennent. L'assurance d'être soutenue par Tony me soulage d'un grand poids. J'ai pu, l'espace de quelques jours, m'imaginer que mon voyage n'avait aucun sens. Qu'il n'était qu'une méprise. Mais je devine petit à petit qu'il s'agit d'une épreuve que je dois, en tout humilité, surmonter.

Tout à coup une voix s'élève parmi les Japonais. Je ne comprends pas leur langue. Mais tout le monde s'agite. Tony ferme à clé une des portes de la salle et me fait signe de sortir. Suis-je en cause une nouvelle fois ? Non, j'ai le temps de le voir s'approcher de l'un de ses aides et fouiller ses poches. L'autre porte se referme sur moi. Je saurai plus tard par Francis qu'un malade a prétendu avoir été délesté de son portefeuille pendant son traitement. Tony n'a pas voulu que j'assiste à une fouille humiliante pour ses aides. L'argent n'a pas été retrouvé bien qu'ils aient tous été dévêtus. Un malade a-t-il subtilisé le portefeuille de son compagnon ? Quelqu'un souhaite-t-il tout simplement jeter le discrédit sur l'équipe ?

Malgré la froideur de nos contacts, je prends le parti des aides. Il semble matériellement impossible qu'ils aient pu, l'un ou l'autre, en présence des trois guérisseurs, aller rôder dans le coin réservé aux vêtements. Le rythme de rotation des malades est accéléré quand Agpaoa se trouve en salle. Sans cesse, ils manipulent l'eau, le coton, les pinces, les déchets.

Agpaoa interrompt la séance.

J'attends dans la salle voisine la suite des événements.

Entrent deux inconnus. Le premier, tout à coup, émet des sons incompréhensibles et rauques. C'est un malade, qui vient chercher secours auprès d'Agpaoa. A sa façon de se mouvoir, en basculant son corps et ses épaules pour effectuer un geste du bras, je soupçonne une dégénérescence nerveuse, une sclérose en plaques ou une maladie de Charcot. Tony arrive, salue, converse quelques instants avec eux et les fait entrer dans la salle de *healing* en m'invitant à les suivre. Il traite en matérialisant, puis me demande :

— *Do you have your material* * ?

---

* « Avez-vous votre matériel ? »

Je reste muette une seconde. Que veut-il dire ? Il insiste en montrant son oreille. Je comprends qu'il veut parler de ce qu'il m'a vue manipuler en janvier : aiguilles, lampe de Heine, etc. J'acquiesce. Il m'explique que ce monsieur, un ancien ambassadeur, est atteint depuis deux ans d'une paralysie. Il me demande de le traiter. Il se tourne vers son patient, lui explique que nos deux énergies rassemblées sont nécessaires pour l'améliorer. Le malade hésite, il a déjà été soigné de toutes les façons, sans succès. Il vient pour être soigné par lui, Agpaoa. Tony insiste et m'impose. C'est ainsi qu'il m'est accordé d'examiner un malade juste après l'intervention d'Agpaoa. Je remarque que l'énergie circule bien, que le sens de sa circulation est correct, mais que les sept énergies ne sont pas bien réparties dans leur territoire respectif. Je complète le traitement.

Comment expliquer au guérisseur ce que, pour ma part, je crois avoir compris ? Que l'on peut, à mon avis, agir sur l'énergie de trois façons : la première consiste à éliminer l'énergie dite perverse (en acupuncture). C'est une technique rapide que réalisent, il me semble, les guérisseurs philippins par matérialisation. Je ne sais, pour ma part, qu'aider le malade à éliminer lui-même cette énergie pathologique par les émonctoires : la peau, les larmes, la sueur.

Par la seconde façon, on peut régulariser la répartition de l'énergie par rapport à la droite et à la gauche mais aussi par rapport à l'avant et à l'arrière du corps en rétablissant la latéralité et Tony a su agir sur ces composantes.

Mais il a peu agi sur le troisième facteur qui concerne la répartition des sept énergies dans leur domaine respectif telle que je la pratique. J'imagine pouvoir le lui faire comprendre demain en traitant le patient avant qu'il ne le soigne lui-même ; il reconnaîtra mon travail en pratiquant son examen.

Je suis justement à ses côtés, le lendemain, quand il examine le patient, quelques instants après mes soins. Je lui signale à cet instant que j'ai déjà œuvré. Il me remercie et traite en matérialisant.

Le jour suivant, il travaille le premier : examine sans toucher, prend un coton mouillé puis semble hésiter, le pose sur le genou, hésite encore... l'abandonne. Puis il demande à Francis de se placer à la tête, de poser les mains sur le « troisième œil » et me fait signe de reculer légèrement. Il travaille alors en effectuant des passes magnétiques sur tout le corps, il touche de l'index un point ici et là, semblant faire un travail extrêmement précis. Il sait où il va, ses mouvements variés se succèdent. Il me donne l'impression de diriger une symphonie dont il connaît la partition. Mais, tandis qu'il poursuit ses passes magnétiques, je m'aperçois soudain que la force de mes bras qui s'appuyaient sur la table m'abandonne ; mes jambes ne me portent plus, fléchissent. Je m'affale sur une chaise, en sueur.

Ainsi, tout en travaillant, Tony me fait savoir qu'il est capable de rassembler l'énergie ambiante, de la prélever sur un donneur pour la transférer au malade. Je suis ce donneur. Après un temps de récupération, j'examine le patient. Les sept énergies sont en place. La latéralité est respectée, l'énergie circule normalement. Tout est en ordre.

Cette amélioration est due au seul travail de Tony. Il est impossible qu'un malade aussi gravement atteint ait pu, depuis la veille, conserver un tel équilibre.

Par magnétisme, mais aussi en touchant ici et là des points précis, Tony a exécuté un travail complet, alliant aux passes son acupuncture personnelle. L'aisance avec laquelle il prend l'énergie en dehors de lui pour la communiquer au malade me laisse interdite. Je mesure le chemin que j'ai à parcourir ! Quelle leçon, quel enseignement et nul besoin de mots ! Tony a compris mon message et lui a répondu.

Désormais, je l'accompagne et je vois ainsi trois ou quatre malades chaque jour. Je suis étonnée de constater qu'il n'existe aucune proportion entre le temps passé en *healing room* et le bénéfice que j'en tire. Devrais-je à Agpaoa (à sa présence ? sa volonté ?), et à lui seul, chaque processus nouveau d'évolution au niveau de mes perceptions et de ma compréhension de nouvelles valeurs ? Du reste, je n'ai la permission de travailler qu'en sa présence. Dès qu'il quitte la salle, j'en suis immédiatement refoulée.

J'ai même l'occasion d'observer que Fred et Rudy interviennent auprès des chefs de groupes de malades, pour que ceux-ci m'interdisent l'entrée de la salle. Ainsi, ils ne semblent plus directement responsables de mon éviction.

Mais vais-je encore ressasser ces querelles alors que l'enseignement qui m'a déjà été donné suffit à expliquer ma présence à Baguio ! Agpaoa tient ses engagements. Il m'a proposé de venir m'instruire, il m'instruit. Je veux oublier tout le reste.

Il me faut tout de même une patience angélique pour

savoir attendre, plusieurs heures le matin et l'après-midi avant de pénétrer en salle de *healing* sur ses talons. Combien de fois ai-je fulminé, mon *Gimmick* à la main, combien de fois ai-je trouvé absurde de tolérer ces humiliations !

En fait, tout est supportable quand le soleil brille. Mais quand la lumière décline, vers 17 h 30, l'ambiance de la salle d'attente se fait froide et sinistre ; j'ai envie de rentrer à Paris, de tout abandonner.

Avec une obstination superbe, je me ressaisis. J'irai jusqu'au bout de l'expérience ! Mieux, je décide de jouer la comédie de l'amabilité exquise. Je gratifierai dorénavant les aides d'un large sourire, pourquoi pas d'une courbette, quand je les croiserai.

Je m'amuse à les voir perdre contenance. Après un temps, je joue si bien mon rôle que je me laisse presque prendre au jeu : nous sommes apparemment les meilleurs amis du monde.

Je demande chaque matin et chaque soir à Vilma si un télégramme est arrivé, et vais à la poste l'après-midi. Les deux dernières lettres confirment la conversation téléphonique : les examens de laboratoire montrent une interruption dans la régression de l'ictère qui risque de passer à l'état de chronicité. Je sais que, théoriquement, mon père mourra très probablement dans les mois qui viennent. J'ai soif d'apprendre pour lui venir en aide.

Chaque nuit, je suis réveillée par mon angoisse. Elle avait débuté en un point précis, puis deux points ont semblé se répondre. Ils se rejoignent maintenant en une surface douloureuse.

Ce matin-là, démoralisée, lasse, ne sachant plus que faire, je monte au Diplomat rencontrer Angela ; son moral s'effondre également : on ne l'accepte plus en *healing room*, seul Francis y demeure. Nous passons l'après-midi en ville et décidons d'aller à Bauang le lendemain.

La terrasse de mon appartement est magnifique ; malheureusement la brume envahit très tôt Dominican Hill alors que la ville basse demeure chaude et ensoleillée. Il est donc rare que je puisse m'y reposer en compagnie de mon chien. La garde que je monte en salle d'attente me prend toute la matinée. Je dors après déjeuner. Quand il n'y a pas de séance l'après-midi, je prends le soleil là où il se trouve, en ville, le plus souvent.

Il va me falloir, de nouveau, poser une question importante à Tony : progressivement, un nouveau phénomène apparaît et s'amplifie. Il s'est d'abord manifesté sous forme de petits tremblements animant le bout de mes doigts. Chaque jour ce tremblement semble s'accentuer. Mais encore faut-il « saisir » Agpaoa. Le nombre de malades qu'il soigne est très réduit, il n'est donc là que peu de temps. Le voici ! Je l'accompagne en salle de *healing*. Il commence. Les soins terminés, j'ouvre les yeux, il est déjà parti. Les déplacements du maître sont toujours vifs, inattendus, d'une promptitude étonnante.

En me levant le lendemain matin, j'ouvre les rideaux, comme chaque jour. Il fait grand soleil. Ma robe de la veille est chiffonnée et je songe que je n'en ai pas suffisamment emporté pour me changer deux fois par jour, comme le font les aides. Je songe... quand tout à coup j'entends : « C'est facile de mourir... Oui, c'est facile de mourir. » C'est la voix de mon père, adoucie, paisible, comme soulagée d'une interrogation, et qui continue de répéter : « C'est facile de mourir, oui, c'est facile de mourir... » Je regarde vivement autour de moi, dans la direction de cette voix qui m'est venue du fond de la pièce à droite, près de la porte. Personne ! J'attends, j'imagine qu'il va apparaître. Non, seule, sa voix me parvient. Soudain je sais.

Mon père est dans le coma ! Il agonise ! Je cours à l'hôtel. Non, je n'ai pas de télégramme ! Il est minuit à Paris, il faut attendre pour appeler. Inutile de téléphoner maintenant, en arguant que j'ai entendu sa voix. On dira que j'ai des hallucinations et que les guérisseurs m'ont fait perdre la tête.

Il me faut patienter, et travailler normalement en même temps qu'Agpaoa ce matin. Il se passe d'étranges choses au cours du bref moment passé en salle de *healing* : mes doigts se mettent spontanément en crochet, et tremblent, puis ce sont mes avant-bras qui tremblent au-dessus du corps du malade. Je suis gênée, honteuse de ce qui m'arrive. Aucun élève, aucun guérisseur n'a présenté de telles manifestations, à ma connaissance.

J'espère que ce n'est qu'un incident, qui ne se reproduira pas. Certes, depuis quelques jours, j'ai bien remarqué ce léger tremblement de l'extrémité de mes mains, et j'ai même pensé à une petite poussée d'hyperthyroïdie entraînée par les stress de ces derniers temps. Maintenant, je sais qu'il s'agit d'autre chose, ce n'est plus un tremblement fin mais des secousses véritables qui agitent mes mains et mes bras. J'ai même peine à tenir debout. J'écarte les pieds pour mieux trouver mon centre de gravité, je raidis le dos, je tends les jambes pour un meilleur appui et j'essaie d'immobiliser mes bras qui s'agitent au-dessus du malade. Quelle erreur pourrais-je commettre ? Celle de ne pas me laisser aller ? Mais que va-t-il se passer si je laisse libre cours à cette énorme force qui me secoue, que je ne puis juguler. Tony quitte le malade et tout s'arrête. Je baisse les bras, soulagée.

Je téléphone à Paris. Mon mari a vu hier soir mon père, fatigué mais lucide.

Je passe à Philippines Airlines, on m'y connaît ! Tous les vols sont complets. Je me sens prisonnière.

Je monte au Diplomat Hotel pour m'installer au salon, en pleine lumière, au milieu des allées et venues pour empêcher le retour de ce qui fut peut-être une hallucination auditive ce matin.

Quand j'arrive, tout à coup, mon cœur bondit de joie, je reconnais la silhouette du Dr de Tymowski qui parle à Vilma. Il est venu avec un ami, de Manille où a lieu la seconde partie d'un congrès d'acupuncture en Extrême-Orient. Je me sens réconfortée, nous allons dîner au restaurant de l'hôtel Pines. Deux Français se joignent à nous, rencontrés là par le plus grand des hasards.

Le lendemain matin, nous allons tous les cinq écouter Sunny parler du droit d'aimer. Puis je les accompagne se faire traiter. Tony n'est pas là, mais Rudy et Niéves les soignent par magnétisme, sans matérialisation, efficacement puisque leurs douleurs disparaissent. Nous quittons la salle et Fred me lance : « Maintenant, doc, vous saurez faire le traitement magnétique ! »

Nous prenons la voiture pour Bauang, entraînant avec nous Angela.

Le soleil, la mer de Chine, les marchandes de coquillages. le déjeuner sur la terrasse me rappellent les bons moments passés avec Gerda et Hans.

Nous rentrons à la nuit tombante et passons par le marché acheter quelques fruits. Nous dînons chez moi, à la lueur de bougies qu'installe le boy, car il y a une panne générale d'électricité.

Hier soir, nous avions entrevu Agpaoa au Diplomat Hotel, mais aucune conversation n'avait pu se nouer. Il demeure distant, mais fort heureusement, ce soir, quand nous passons à l'hôtel, il est interviewé par un journaliste du groupe japonais. Mes amis peuvent entendre quelques-unes des idées qui lui sont chères. Ils assistent au « tour de l'albuplast », que Tony exécute pour distraire son public. Il faut un large albuplast (averti, le public en a parfois sur lui, épais et solide). Il étire dix centimètres du rouleau et demande à deux personnes d'en tenir les extrémités : de sa main il tranche net une épaisseur puis deux épaisseurs d'un doigt, puis trois avec le frein de la langue. Pour quatre épaisseurs, un souffle suffira. L'ancienne anesthésiste que je suis, qui a manipulé et coupé des kilomètres d'albuplast pour fixer les seringues, les aiguilles, les perfusions, aurait évidemment tiré un très grand profit de cette technique.

Agpaoa abandonne au public les morceaux. L'ami du Dr de Tymowski en saisit un qu'il tranche à son tour de la main. J'examine l'albuplast ; sa texture me semble très peu solide comparée à celle des démonstrations précédentes. Je me promets de m'exercer à couper les quatre épaisseurs non seulement de la main, mais en soufflant.

Tard dans la soirée, je me retrouve seule. J'ai besoin de souvenirs : je sors d'un étui quelques photographies de famille, une photo d'anniversaire où ma fille souffle ses bougies, une autre de sa première communion. Mon père est là au premier plan à droite. Je tiens la photographie entre deux doigts de la main droite et je fixe ma grand-mère, toujours vivante, qui, bientôt centenaire, va peut-être perdre son fils. Mes doigts glissent sur la photo, sous mon pouce je sens des vibrations juste sur le visage de mon père. Je retire mon doigt et le pose de nouveau sur ce visage, toujours des vibrations. Le premier étonnement passé, me ressaisissant, j'analyse ces vibrations. Elles me communiquent une sensation de fatigue extrême. Je pose alors le doigt sur le visage de ma mère. Rien ne vibre mais je ressens en moi une impression particulière, celle d'être au bord d'un gouffre, du néant. Je compare les sensations : celles de ma mère, morte, et celles de mon père, très las mais toujours vivant. La voix qui me disait : « Il est facile de mourir » était donc une hallucination auditive, rien de plus. Il vit.

J'aurai bientôt une place d'avion et je lui transmettrai de l'énergie en en prenant en moi ou autour de moi, comme Agpaoa, à qui je demanderai de m'initier avant mon départ.

Le Dr de Tymowski est déjà reparti rejoindre le congrès de Manille. Il me faut tenter de régler mon problème d'avion. Des informations sont parvenues de Manille et de Bangkok. Non seulement les vols sont complets, mais je ne peux échanger mon billet. Je ne peux acheter ici que le vol Baguio-Manille. Les discussions avec l'employé se prolongent tant qu'il n'est plus l'heure de joindre téléphoniquement mon mari. Je retire du coffre de l'hôtel mon argent et fais mes comptes.

Mon angoisse s'intensifie le soir. Je reprends la photographie et pose le doigt sur le visage de mon père. J'y sens des pulsations étranges. Par déformation professionnelle, je pense à des alternatives de tachycardie et de bradycardie. Les yeux fermés, je visualise le tracé électrocardiographique que m'évoquent les vibrations : ce sont des salves de tachycardie ventriculaire alternant avec des images de bloc intracardiaque. J'ai vu ces tracés dans les phases agoniques. Si j'abandonne cette visualisation, je sens en moi comme un difficile envol. C'est l'âme de mon père qui essaie de quitter un corps qui la retient encore. Sans hésiter, je bondis et fais mes bagages. Mais impossible de téléphoner ni de partir à cette heure.

Je somnole. Dans la nuit, je reprends une fois encore la photographie. Plus rien ne vibre, la sensation d'être au bord du gouffre apparaît : mon père est mort...

A l'aube naissante, je m'habille, et cours à l'hôtel. Je demande au veilleur de nuit d'appeler Paris. Ma fille répond : « Papy est mort cette nuit à l'hôpital. Quand nous t'avons parlé, mardi dernier, c'était le matin, nous ne le savions pas encore mais il venait d'entrer dans le coma. Il a fait une hépatite nécrosante. Un télégramme t'a été envoyé, peu après ton dernier coup de téléphone. Comme tu ne répondais pas, nous avons fait une réclamation à la poste, qui nous a dit qu'il avait bien été envoyé. Nous avons pensé alors que tu n'avais pas eu la possibilité de nous joindre avant de prendre l'avion. » Ce télégramme, je ne le recevrai jamais.

Je supplie que l'on retarde les obsèques, puis m'effondre devant le gardien de nuit décontenancé qui ne peut rien pour moi.

Mardi... Le jour où mon père est entré dans le coma, le jour où j'entendais sa voix me dire : « C'est facile de mourir. » Tout était vrai. Le rêve prémonitoire, les angoisses correspondant à l'aggravation, sa voix qui m'annonçait l'agonie, les vibrations de la photographie. Pourquoi étais-je à l'autre bout du monde alors que mon père quittait cette terre ? Pourquoi cet enchaînement de circonstances, cette communication entre nous ? Avions-nous quelque chemin secret à parcourir que cette cruelle circonstance devait favoriser ?

Pourquoi n'ai-je pas reçu le télégramme ?

Je monte à l'hôtel à l'heure de la prière prévenir Sunny et Tony.

— Nous allons prier pour votre père, ce matin, me dit Sunny.

Je vois Tony. Il organisera une cérémonie cet après-midi pour mon père et pour mon deuil, dans sa chapelle. Il demande à sa secrétaire de m'aider à régler mes problèmes de départ. Je partirai demain matin en avion pour Manille. Une autre secrétaire viendra là-bas à mon secours.

Francis et Angela se relaient en silence à mes côtés. Après le déjeuner, Angela m'entraîne pour une longue marche avant de gagner la chapelle. Tous sont là : les malades, les aides, Sunny, Tony. Sur l'autel, un cierge brûle. Tony, en grande tenue noire, annonce à tous que mon père est mort cette nuit, et que nous prierons pour lui au cours de ce service. Il me désigne, me fait signe de venir et de m'asseoir près de l'autel à côté de lui. Je suis encadrée du cierge à ma droite, de Tony à ma gauche, qui prie en me regardant. Les aides chantent. Tony s'agenouille, prie en s'inclinant vers moi. Tous prient. Je ne sais pour qui l'on dit cet office, pour mon père ? Pour moi ? Je m'étouffe à retenir mes sanglots. Oui, quelque chose est mort en moi, définitivement, puisque je n'ai plus de mère ni de père — la grand-mère qui m'a élevée est partie depuis longtemps. J'ai l'impression qu'eux seuls comptaient dans ma vie, qu'ils étaient mes véritables racines. Une partie de moi-même est morte, c'est pour cela que les aides chantent. Je reconnais la voix de Rudy, celle de Fred. Tony à mes côtés, toujours à genoux, prie penché vers moi. Est-ce sur ce qui est mort en moi qu'il prie ? Suis-je identifiée à mon père ? Suis-je mon père ? Suis-je morte ou vivante ? Nous ne sommes lui et moi en cet instant qu'une âme. Pour cette âme, tous prient. Je sais maintenant qu'il y a quelque chose qui peut se transmettre par-delà les terres, les mers, quelque chose qui ne se voit pas mais qui existe, qui s'exprime, qui m'a reliée à mon père plus profondément que si nous avions été l'un près de l'autre. Cette partie de nous-mêmes a toujours sauvegardé la vérité. Mon père disait qu'il allait mourir, et je l'entendais, alors que la partie raisonnable de mon être, se fiant à une simple lettre, ne voulait pas le croire.

Fallait-il donc que mon père fût aidé, à l'aube d'une vie nouvelle, par un guérisseur philippin ? Tony continue de prier, incliné vers moi.

Cette présence n'est ni factice ni indifférente. Je sens que sur le plan spirituel c'est une aide précieuse que mon père reçoit au moment où son âme quitte son corps. Un instant, j'ai honte pour tous ceux qui écrivent de si horribles choses sur le guérisseur qu'ils ne connaissent pas et qui est à genoux près de moi ; envers lui va toute ma reconnaissance.

Je communique maintenant avec cette assemblée de malades qui prient et dont certains vont peut-être bientôt mourir. Ceux venus trop tard, ceux qui ne pourront revenir entretenir le traitement, ceux sur lesquels les soins de Tony n'ont pas l'effet escompté, qui souffrent de maladies karmiques. Je suis là, comme immolée sur cet autel. Je suis le symbole de mon père et de ceux qui bientôt vont mourir.

Si ma santé physique s'est ici rapidement améliorée, ma santé morale s'est dégradée et je suis anéantie. Peut-être à sa façon, Tony me soigne-t-il en ce moment, à mon insu...

Cette cérémonie me paraît durer un siècle. Puis, tous, doucement, quittent la chapelle. Tony demeure seul sur le seuil de la porte. Je le remercie. Il sait, me dit-il, que nous nous reverrons, que je reviendrai bientôt (j'en doute cependant et pense qu'il s'agit d'une formule de politesse) et qu'il nous faut encore prier pour le repos de l'âme de mon père. Puis il fait signe à Francis de rester près de moi dans la chapelle. Je retrouve mon calme petit à petit.

Un peu plus tard, nous montons vers Dominican Hill. Francis, qui porte toujours sa Bible sur elle, m'en fait lire quelques passages choisis parmi les textes chers aux guérisseurs. Elle pose ses mains tout simplement sur mon front et ma nuque. Je ressens une onde de calme, de douceur et de paix. C'est là son *power* et j'en bénéficie. Je ne pouvais imaginer que son attitude de passivité totale puisse avoir une efficacité réelle. Je sens quelque chose qui, tel un baume, glisse sur mon cœur et mon esprit écorchés, à vif. Fallait-il cette expérience douloureuse pour avoir la preuve de son *power* ? Merveilleuse et bienfaisante Francis.

Je reste seule, rassemblant mes idées pour affronter mon retour à Paris.

Je médite longuement sur la signification de cette mort. Pourquoi mon père ne fut-il pas près de moi lors de mon accident ? Pourquoi suis-je ici alors qu'il vient de mourir ? Je compare cette fin à celle de ma mère que j'ai accompagnée pendant toute la durée de sa maladie. Jamais elle ne m'a avoué qu'elle sentait la mort approcher. Jamais je ne lui ai laissé entendre qu'une telle idée ait pu me venir à l'esprit. J'ai inventé pour elle mille mensonges. Mon père lui-même ne fut averti de la vérité que deux jours avant sa mort ; je craignais que devant elle il ne perdît la face. Nous avons triché, elle, lui et moi.

Je n'avais alors rien compris à la signification de la vie, encore moins à celle de la mort. Toutes les épreuves qu'elle endurait me semblaient révoltantes. Comment Dieu pouvait-il laisser faire cela ? On pouvait bien le prier, cela ne servait à rien. Mes vérités d'Occidentale me conduisaient à une impasse.

Parvenue à l'extrémité de ce chemin sans issue, ayant épuisé tous les espoirs que me procuraient mes croyances en la médecine et la religion enseignées en Occident, force me fut de reconnaître l'erreur dans laquelle je vivais. Alors, en me laissant aller au gré des rencontres, en prenant en considération certains signes qu'un psychiatre aurait pris pour des hallucinations, mais que je me suis autorisée à regarder au mépris des idées toutes faites comme des clins d'œils de Dieu, j'ai repensé la médecine, la vie et sa signification, la mort et sa finalité. Oui, tout cela m'a entraînée à vivre loin de mon père, alors qu'il agonisait à des milliers de kilomètres de son unique enfant.

Pourtant, combien nous fûmes proches ! Par nos corps invisibles. O combien tout était vrai dans ce rêve prémonitoire... Il avançait dans ma chambre, dans la tenue réservée aux cérémonies les plus officielles, avec aux lèvres un sourire ineffable. Et soudain, il était à terre, mains jointes. En redressant le haut-de-forme qui avait basculé sur son front, dans la chute, j'ai senti qu'il était presque froid. Oui, une partie invisible de lui-même est venue mourir à Baguio ; ainsi vêtu, il venait m'annoncer ou me demander la cérémonie de Tony. Il y a donc deux façons d'être ensemble. Sa voix m'a dit qu'il agonisait et j'en fus prévenue avant mon mari et ma fille pourtant près de lui. De quel miracle relève cette communication. De la médiumnité ? Cette potentialité est en moi, le lieu et les circonstances l'ont sans doute éveillée. Mais demeure une question à laquelle mon père ne peut hélas plus me répondre : était-il lui aussi médium ? Je me souviens d'une phrase qu'il prononçait souvent : « Je reçois tout et trop fort, je suis beaucoup trop sensible. » Je n'ai jamais prêté attention à cette remarque d'un homme qui ne s'épanchait guère.

Peut-être aurai-je la possibilité de deviner la réponse à cette question grâce à un signe, un symbole laissé sur ses mains, si je rejoins Paris avant les obsèques.

Si j'avais été près de lui, aurais-je pu l'aider à guérir ?

Si j'en avais été incapable, aurais-je éprouvé... ce besoin de remettre en question les nouvelles médecines étudiées depuis la mort de ma mère ?

Peut-être ne fallait-il pas que je vive cette éventuelle déception, pour garder assez de foi pour continuer mes recherches. La pratique de l'astrologie m'a enseigné que, pour chacun, existe à côté du libre arbitre une part d'inéluctable que l'on appelle la destinée. Peut-être était-il écrit que mon père, loin d'endiguer en moi le travail commencé, devait au contraire me permettre de vivre une expérience capable d'authentifier la réalité de l'invisible. Peut-être me fallait-il cette expérience profondément vécue pour mettre en échec la portion rationaliste qui demeure en moi, fruit d'une éducation. La mort d'un père ou d'une mère sont des événements capables d'entraîner une remise en question de l'essentiel.

Le lendemain matin, la secrétaire organise mon trajet jusqu'à l'aéroport de Baguio. A Manille, j'apprends que c'est l'anniversaire de Madame la Présidente Marcos : un jour férié, et ne veux donc pas déranger sa collègue.

Je dépose mes bagages dans un coin de l'aéroport et m'aventure de bureau en bureau, c'est une longue quête. L'employé de Philippines Airlines de Baguio a eu la délicatesse de me remettre une lettre rédigée en anglais indiquant ma situation : les motifs de mon départ, les points litigieux à résoudre. Je présente la lettre ici et là, ce qui m'évite de répéter ma cruelle histoire.

Il devient évident qu'on ne peut m'échanger ce billet. Seul un nouveau billet sur la ligne d'Air France me permettra d'obtenir une place libre.

Je crois le problème résolu ; mais non ! On ne veut ni de mes francs ni de mon chèque... Impossible d'obtenir des dollars avec des francs car je suis ressortissante française. Je ne sais plus où m'adresser ! Je vis l'absurde ! Je suis dans l'impossibilité de payer mon billet, et ma place est réservée, l'avion va partir ! Je continue désespérément ma quête ! Tout fonctionne au ralenti. Les responsables sont absents. Le temps passe... La situation est sans issue.

On m'indique un hôtel tout proche. De là, je pourrai plus

aisément faire les démarches nécessaires et tenter d'atteindre Paris avant les obsèques.

Je déambule dans la galerie marchande de l'hôtel et dans toutes les allées qui se présentent, à la recherche d'une banque. Tout semble fermé. Je dépasse un bureau d'Air France, fermé, rideaux tirés ; il me semble entendre des voix, on y parle même français ! Je frappe, insiste ! On ouvre : l'agence est *closed*. Je sais, mais il me faut rentrer de toute urgence à Paris et n'ai pas de devises ! Je force l'entrée. Deux Français sont là et veulent bien m'écouter. Ils m'expliquent qu'il n'existe qu'une solution : aller voir le directeur d'Air France demain matin. Ils réservent ma place à bord du prochain vol. Je suis sauvée !

Le lendemain matin, le directeur de l'agence Air France arrange tout. Enfin je vais partir !

Le soleil se couche quand l'avion s'apprête à décoller. Manille s'éclaire de mille feux.

J'aurai le temps de réfléchir et de méditer pendant vingt heures ! C'est ce que j'imagine au décollage. Mais, contrairement à l'habitude, je suis abominablement malade ; on m'allonge, on me donne des comprimés. Je suis contrainte de rester dans l'appareil aux escales, je suis à bout de résistance. Titubante, je descends, il le faut bien, à Roissy ! On ne m'épargne pas. Je dois vider trois fois mon grand sac, répondre aux questions les plus farfelues sur l'utilisation des objets que je transporte. Pensent-ils que je suis droguée tant je suis défaite ?

Le lendemain, je veux voir le corps. Ce n'est pas celui que j'attendais. Vêtu du costume sport qu'il portait sans doute en entrant à l'hôpital, le teint jaune, le visage marqué de profondes rides, la mâchoire crispée, je ne reconnais ni mon père ni celui qui vint m'avertir à Baguio de sa mort prochaine. Je veux garder le souvenir de ce regard sur l'infini, de ce sourire énigmatique, de cette expression sereine, de cette indéfinissable lueur dans les yeux, qui disaient : « Je sais où je vais et c'est merveilleux. » Ici repose une dépouille, un corps inhabité, sans aucune signification. Pourtant, ce qu'il fut sur terre reste là. Sûrement quelque symbole y est dissimulé. Sur ses mains, je dois pouvoir encore lire ce que je veux savoir. Doucement, je déplie les bras raidis, je fais effectuer une rotation aux poignets, pour exposer la paume des mains. Je veux savoir si je n'étais que réceptrice, ou si la communication entre lui et moi s'est faite dans les deux sens ! Sur l'une et sur l'autre de ses mains, je découvre deux lignes nettement tracées, semblables aux miennes : deux lignes de médiumnité, laquelle n'avait sans doute jamais été vécue si ce n'est par cette vulnérabilité qu'il exprimait en disant : « Je reçois tout et trop fort. » Il a vécu cette médiumnité avant de mourir uniquement parce que nous étions séparés et qu'elle devenait le seul moyen d'entrer en communication avec moi !

Pourquoi n'avons-nous jamais évoqué ensemble ces problèmes ? Je joins ses mains glacées. Jamais je ne me suis sentie si semblable et si proche de lui. La partie la plus noble de lui-même est venue jusqu'à moi, jusqu'à Baguio : le smoking noir, le haut-de-forme en sont les symboles. Les dernières semaines de sa vie ont suffi à « l'éveiller ». Il a reçu l'étincelle, et la cérémonie de Tony, faite au moment où l'âme finit de quitter le corps, a pu l'aider à accomplir l'illumination, c'est en priant qu'il m'est apparu, les mains jointes, lui, l'anticlérical ! Il est mort « éveillé ». Il a accompli, dans les dernières semaines, le chemin qu'on peut chercher une vie entière sans jamais le découvrir. Je sais que sa prochaine incarnation se fera sur un plan supérieur à celui qu'il vient de connaître.

Je n'ai pas vécu en hallucinée mon séjour à Baguio, mais en médium. Et mon père, par le signe dessiné sur ses mains raidies, me le signifie.

Quand je verrai le cercueil descendre dans le trou noir de la tombe, je serai consciente qu'il ne s'agit là que d'une dépouille, lui-même déjà est ailleurs, il vit autre chose, et beaucoup plus tard, dans une autre vie, tout lui sera plus facile, il saura vivre sa médiumnité, pour une meilleure connaissance de lui-même et de ce qui l'entoure. Quelque chose s'est accompli, pour lui, pour moi. En me quittant, ma mère m'avait fait renaître à la « seconde naissance ». A Baguio, j'ai appris à donner un sens à la vie, à la mort. Mon père me confirme qu'il existe un « ailleurs » et m'aide à deviner le mystère de la mort.

14. CONCLUSIONS

En jetant un regard sur les événements récents pour en dégager l'essentiel, je suis amenée à porter quelques conclusions.

Seul l'état d'asthénie physique et psychique qui m'affecte après l'accident explique la façon dont je me suis laissée « porter » vers les Philippines. Je suis incapable, bien que mon père soit souffrant, de modifier le déroulement des événements prévus. En toute autre circonstance, j'aurais repoussé ce voyage qui ne présentait aucun caractère d'urgence.

Mais cette vulnérabilité affective, jointe à mon état d'infériorité physique et psychique, à l'hyperexcitabilité de tous mes sens, m'amène à entrer dans un état de disponibilité vis-à-vis d'une nouvelle façon de vivre, de penser, de sentir. La vie m'a brisée, rompue, je ne suis plus une personnalité agissante, mais seulement un être réceptif, lequel va se reconstituer en utilisant de nouvelles lignes de force. Les principes dans lesquels m'avaient enfermée mon éducation occidentale ne sont plus qu'une toile de fond devant laquelle l'action se déroule. Celle-ci a lieu en fait chez les guérisseurs, à Baguio, et j'entre dans le jeu.

J'accède alors à un monde nouveau dans un état de conscience modifiée. Pourtant la toile de fond est là, aussi j'essaie de mettre en forme rationnelle mes nouvelles connaissances, de concilier l'inconciliable, de vivre en accord avec deux aspects contradictoires de ma personnalité. J'accorde à l'unisson mes deux tendances pour les faire résonner au même diapason. Travail difficile que la solitude, la méditation, l'aide occulte de Tony Agpaoa me permettent de mener à bien, semble-t-il. Ma chance est de pouvoir vivre en autarcie, je n'essaie ni de convaincre ni d'obtenir l'approbation des autres, je n'accumule les preuves que pour moi-même car la réalité des phénomènes non ordinaires s'impose avec la même évidence que le papier ou la table sur lesquels j'écris. L'existence du monde supra-sensible n'est plus, à mes yeux, qu'un truisme.

J'accède encore à une autre dimension, Sunny dans ses conférences m'en donne la clé. Oui, je commence à me situer dans la vie, dans le temps. Les notions d' « évolution », de « croissance », qui étaient jusque-là vides de sens, ont maintenant une signification. On m'avait appris le paradis, le purgatoire, l'enfer, la résurrection finale après une seule vie, dans laquelle tout se jouait et que l'on pouvait améliorer par la présence à la messe le dimanche, par une obole qui rachetait les péchés... Ceci laissait planer l'incertitude et l'angoisse sur le pourquoi de l'actuel et sur la qualité du futur. Maintenant tout s'éclaire.

Quand Sunny explique que chaque vie doit être une progression vers la perfection et une meilleure compréhension des réalités de ce monde, que ce qui est acquis dans une vie nous permet de vivre sur un plan supérieur dans la suivante, mais que les difficultés que nous n'avons pas accepté de surmonter constituent l'essence du karma futur, alors... je me situe. Je sais que l'égalité n'existe pas en ce monde actuel et présent mais qu'elle existe si l'on considère la suite des incarnations de chaque être vivant. J'apprends à deviner les qualités intrinsèques des êtres que je côtoie, à deviner l'origine et la finalité des épreuves qui les affectent.

Je n'ai pas encore éclairci le pourquoi de l'opposition silencieuse de Rudy et des aides, mais ils m'ont appris l'endurance... non plus au travail, mais à l'inactivité. Des heures durant, moi, l'active, l'agissante, j'attends, inébranlable ; comptant sur la force du temps moi, vive et impatiente de voir s'accomplir tous mes désirs, oui, j'attends... Sans la motivation puissante qui me fait souhaiter apprendre à aider mon père, je serais rentrée à Paris après n'avoir essuyé qu'un nombre simplement raisonnable d'avatars. Oui, passive, j'attends là, sans comprendre le pourquoi de mes difficultés.

Est-il ainsi raisonnable d'envisager un nouveau voyage l'an prochain ?

LIVRE III

1. PARIS

Un Paris froid et pluvieux m'accueille donc le 10 novembre 1977. Agpaoa évoquait cette date, quelques semaines plus tôt... Il m'avait aussi parlé du *twenty six of december* mais je pense que cette date n'a plus d'intérêt. Ce retour est pénible, plus encore que celui de février : la nécessité d'assumer les conséquences pratiques de la mort de mon père provoque une douloureuse réintégration dans un monde matérialiste odieux !

Je voulais, pendant quelques mois, laisser le foyer de mes parents silencieux, lui accordant le droit de vivre son deuil, avant d'en déménager le mobilier. Ce sont mes racines qui meurent...

Mais soudain, j'éprouve la sensation d'être cernée par des rapaces : je découvre, en entrant « chez nous », qu'une femme, désertant son propre appartement, s'est installée là. Prétextant des attaches, elle convoite les meubles et objets qui ont bercé mon enfance, ou qui témoignent des joies des anniversaires, des fêtes, des Noëls. Des inconnus m'écrivent, me téléphonent, en s'excusant, certes, mais ils veulent louer l'appartement alors que le corps de mon père n'est même pas encore en terre !

Si je me remémore les derniers événements et la mise en bière, je n'éprouve que déceptions et frustrations. On m'a trompée. Mon père n'est pas cet homme aux cheveux soudain blanchis, au visage tourmenté, au rictus accusé et vêtu d'un banal costume sport. Je ne veux me souvenir que du visage lisse et serein, du sourire de bonheur sur ses lèvres, de l'homme en

213

smoking tel que je le vis à Baguio ! C'est ce corps impalpable, noble et glorieux qui va lui survivre ! Et quand, marchant à pas lents derrière la voiture qui emporte le cercueil, une rose se détache des couronnes mortuaires et tombe à mes pieds, je l'interprète comme une offrande émanant de ce corps-là...

Mais l'heure est venue de plonger dans la vie quotidienne, je souffre d'être entourée de gens pour qui le merveilleux n'existe pas. J'éprouve la nostalgie de Baguio.

Je bavarde avec ma jeune employée de maison, Yvette, dont j'admire le calme et la sérénité. Souvent, je m'interroge à son sujet : point de radio accompagnant les tâches ménagères, point de télévision le soir, toutes choses capitales pour mes employées précédentes. Qu'y a-t-il dans cette tête ? Jamais elle ne se livre. Je lui demande ce qu'elle pense des Européens. Stupéfaction ! « Ils ont beaucoup à apprendre, dit-elle en souriant, et pratiquer nos cérémonies de l'île de la Réunion leur ferait du bien. » Sa mère est hindoue et son père catholique, sa religion, dans laquelle Dieu a sa place, se célèbre par des sacrifices d'animaux, des cérémonies dansées, des Mantras.

— Connaissez-vous Baba nam ke valam ?

— Ah ! je ne savais pas, madame, que tu avais la même religion que moi !

Elle vit dans la paix et le silence, simplement en accord avec elle-même, et me confie qu'un rêve prémonitoire lui avait appris qu'elle allait travailler chez une personne qui avait mon visage et qui serait accidentée.

Dans mon courrier, une lettre fait état d'une réunion internationale traitant des énergies qui doit avoir lieu l'après-midi des obsèques de mon père. Les yeux rougis, dissimulés sous des lunettes sombres, je m'y rends.

Des personnages intéressants s'y expriment, je suis méduse par les propos de Puharish qui va plus loin que moi : il converse avec les extra-terrestres !

Certains visages me sont familiers, pourtant je me suis installée sur la rangée latérale pour être seule. Une amie s'installe juste devant moi. Nous échangeons quelques mots, mais elle doit bientôt quitter la séance et c'est le Dr Donnars qui prend bientôt sa place.

La pause survient. Mon ami reste à mes côtés et m'interroge sur les derniers événements de ma vie. De nombreuses personnes interrompent notre conversation en venant le saluer. Quelqu'un parlant du prochain congrès de parapsychologie, je tends l'oreille. J'avais rencontré son organisateur, à Baguio. Il habite le Mexique (c'est un élève d'Agpaoa qui affirme guérir des cancers par magnétisme). Tout comme moi, il estime que l'école de parapsychologie française est actuellement dans une impasse : elle recherche une explication aux phénomènes par la voie scientifique matérialiste. J'ai parfois tenté de lancer les membres du groupe sur une autre piste, mais devant les sourires des physiciens et autres scientifiques qui estimaient ma position insoutenable, je suis retombée depuis plusieurs années dans un mutisme absolu.

Souhaitant recueillir les échos de ce congrès et transmettre un message à son organisateur, je m'adresse à celui qui en parle.

— Hélas, je serai loin du Mexique, je pars aux Philippines, dit-il.

— J'en reviens !

Nous échangeons nos cartes de visite. C'est Christian de Corgnol, dont j'ai lu le livre sur les guérisseurs philippins.

Les jours suivants, je fais un réel effort pour me réinsérer dans la vie parisienne. Je dois me déshabituer du climat d'amabilité et de serviabilité. Ce ne sont que visages tendus, commerçants renfrognés, chauffeurs irascibles, camions criminels, télévision sans joie, pluie, brouillard, froid, mines patibulaires, tristes vêtements sombres...

Je vais à l'hôpital de temps en temps, examiner à ma façon quelques malades ou suivre quelques présentations de dossiers médicaux. Je sais qu'il est préférable de me taire devant le médecin classique afin d'éviter tout scandale. Ce n'est pas un fossé mais un monde qui nous sépare.

J'ai compris qu'à l'hôpital il était essentiel de perdre tout esprit inventif pour donner la priorité aux choses apprises et que seules les lésions visibles, palpables ou décelables par nos sens, contrôlés par les examens paracliniques, ont droit d'existence. Qu'importe ce dont se plaint le malade. Qu'importent les descriptions précises et subtiles qui feront pourtant le bonheur de l'homéopathe, car pour lui toutes les plaintes ont une signification. Il inclut son malade dans le cosmos (consciemment ou inconsciemment suivant son école). Mais pour le médecin classique, un patient est avant tout un amas de cellules à inventorier, le subjectif est dérisoire et coupable.

La plante verte, la fleur ou l'arbre sont mieux compris par le jardinier ou l'arboriculteur : ils respectent les rythmes, l'influence des saisons, les phases de la lune, les éclipses ou les taches du soleil. On admet le cycle de la germination, de la croissance, de la floraison, de la fructification. Le biologiste admet avec grand respect la fonction chlorophyllienne. On sait qu'il existe des plantes qui vivent mieux sur certains terrains, au bord de la mer, en montagne ou dans la plaine, en terrain alcalin ou acide.

Les architectes, les responsables de la santé ne semblent pas avoir pris conscience de ce problème assez tôt pour construire des villes capables d'assurer la croissance harmonieuse de l'enfant et la bonne santé de l'adulte, en réalisant des conditions humainement viables.

Le médecin ne s'est pas assez penché lui non plus sur le mystère de l'homme et de ses relations avec le cosmos, ou pour être plus restrictif, avec son environnement : au Groenland, me trouvant en compagnie de Paul-Emile Victor, celui-ci faisait remarquer la stupidité des « protecteurs » qui avaient construit des H.L.M. dans ce pays sous-peuplé, et distribuaient à chacun une pension qui faisait de ce peuple, auparavant extraordinairement adapté aux difficultés du climat, un peuple d'assistés sociaux qui courait vers son extinction.

En effet, les conséquences ne se sont pas fait attendre. Le vain prétexte du progrès leur a fait perdre et l'adaptation à leur climat et la richesse de leur acquis traditionnel pour la pêche et la chasse. Il aurait suffi de leur fournir la nourriture manquante en certaines saisons pour les laisser vivre en paix, loin du désœuvrement et de l'alcoolisme.

On crée artificiellement une rupture entre l'homme et sa terre mais aussi entre l'homme et son âme.

A l'hôpital, je retrouve la même erreur dans la façon d'aborder les soins de l'homme malade : je suis assise là dans l'amphithéâtre, écoutant les médecins, regardant sur l'écran leurs données de laboratoire, leurs statistiques, leurs documents radiologiques, je les admire et je les plains. Leur bonne foi est totale, leur ardeur sans égale, le don qu'ils font d'eux-mêmes, de leurs jours, de leurs nuits de travail est à notre époque remarquable. Ils ont sacrifié leur jeunesse aux études et gagnent leur vie dix ou quinze ans plus tard que la moyenne de la population. Pourtant, je les plains. Ils sont les victimes d'un système.

Le Dr Alix, dans un ouvrage intitulé *Un médecin accuse*, dénonce trop partiellement nos confrères. Le corps médical n'est pas plus coupable que les autres corps de métier. Il est seulement victime de notre civilisation.

Pourtant, je frémis devant les conséquences, devant les risques qu'il fait courir, en toute bonne foi, aux patients, sous le prétexte d'examens complémentaires destinés à étayer un diagnostic, à prouver une théorie, à constituer une iconographie. Tous suent la sincérité et se noient dans l'erreur. En imaginant être l'élite médicale, en imposant leurs vues, ils accordent la priorité à la spéculation intellectuelle et oublient que leur véritable mission est de se mettre à l'écoute profonde du malade, pour le soulager ou le guérir sans lui faire prendre de risques inutiles.

Je m'interroge souvent sur les causes de ce cheminement aberrant, sur les responsabilités des maîtres de la faculté qui doucement laissent la situation s'enliser dans un état d'incohérence en invoquant la science, dont on ne respecte pas même la démarche rigoureuse. En prononçant les mots « science et recherche », on croit pouvoir tout se permettre !

Dans cet amphithéâtre, j'écoute, je me tais. J'éprouve le désir d'intervenir. Je serre le rebord du banc sur lequel je suis assise pour ne pas me dresser et dire ce que je pense : « Comment a-t-on osé faire des phlébographies répétées chez cette vieille femme pour étudier l'effet d'un traitement X sur l'évolution d'une phlébite, au risque de déplacer un caillot et de provoquer une embolie pulmonaire ? Pourquoi un chirurgien a-t-il pris le risque d'intervenir sur cette colonne vertébrale et faire d'un paraplégique un tétraplégique ? »

Ils sont devenus fous ! Nul ne s'en rend compte. Ils admirent et commentent leurs documents. Je frémis devant de telles incohérences.

Notre parcelle d'essence divine, les grandes lois du cosmos, la nécessité d'aimer, le diagnostic sans palper le malade, la matérialisation de l'énergie perverse, les divinations d'Agpaoa, mes rêves et visions prémonitoires, les vibrations, le *power*, le karma, notre évolution à réaliser dans cette vie et qui se soldera par une réincarnation sur un plan supérieur, la vie après la mort... plus rien de cela !

Si je me levais en prononçant le mot « énergie », ceux qui me connaissent et sont devenus des patrons, car le temps a passé, diraient d'un commun accord : « Elle est devenue folle ! »

Je m'accroche à mon banc pour ne pas bondir et leur expliquer. Leur expliquer qu'avec des moyens simples et peu coûteux on peut guérir des migraines, faire fondre des tumeurs, soulager des douleurs, arrêter l'évolution d'une sclérose en plaques, d'un cancer. Leur expliquer que l'on peut deviner bien des choses, sans même interroger le malade. Leur dire la folie qu'est la dépersonnalisation de la médecine, l'usage abusif des appareils, le culte des hôpitaux immenses qui multiplient les risques infectieux, au détriment de cliniques plus humaines, au prix de revient deux fois moins élevé.

Le tout fait partie d'un système matérialiste démentiel dans lequel se multiplient les examens inutiles et coûteux, où l'on maintient les malades dans des lits pour que ces derniers soient remplis, où les locaux deviennent prétextes et non plus instruments de soins, où l'on fabrique à la pelle des maladies iatrogènes.

Cet argent pourrait être utilisé pour les thérapeutiques valables. Je sais quels sont les possibilités chirurgicales, les progrès de la réanimation appliquée dans les diverses branches de la médecine, l'intérêt des thérapeutiques substitutives et de l'usage clairvoyant des antibiotiques. Mais je sens la vanité de toute une façon de penser et de traiter qui met en évidence l'esprit déformé de quelques tout-puissants médecins.

Quand, traversant une salle, je vois un malade qui agonise, j'attends d'être seule et passant la main au-dessus de son corps, je devine ce dont il meurt de cette simple façon, et j'évoque Baguio !

Je rencontre le président du conseil départemental de l'Ordre des médecins qui doit régler un conflit qui m'oppose à la Sécurité sociale qui supprime ma « notoriété » : mon travail, mes recherches, on ne connaît plus. Il me cite cet article écrit dans un journal médical par celui qui enquêta quelques minutes chez Agpaoa. Le président m'y a reconnue, il n'est pas le seul, bien que je n'y sois pas nominalement désignée. On m'y fait tenir des propos incohérents. Il voudrait savoir !

J'essaie de lui expliquer ma démarche intellectuelle. Il essaie de comprendre. Je lui promets d'écrire, un jour, mon cheminement.

Mais je dis, tout net, que rien ne modifiera ma ligne de travail, peu m'importe d'être rayée de l'Ordre et de la Sécurité sociale. J'apprécie l'effort qu'il fait pour suivre mes explications. Il choisit de rester neutre.

Un soir triste et morne de la fin novembre, je suis appelée

au téléphone par Christian de Corgnol, rencontré auprès de Jacques Donnars, le jour des obsèques de mon père.

— Voulez-vous retourner aux Philippines ?

— Oui.

Ma réponse est spontanée, immédiate. Il m'expose ses projets : partir quinze jours avec un cinéaste et deux caméras. L'une d'elles prendra les images au rythme de trois cents par seconde, l'autre saisira la vue d'ensemble. Cela se passera chez Mercado qui opère dans des conditions très favorables pour un cinéaste : sa table d'opération est placée sur une estrade et dans une salle particulièrement vaste. Il me demande de décrire l'acte opératoire et les aspects de « ce » que Mercado sortira du corps de ses patients !

Après quarante-huit heures de réflexion, j'accepte, car la démarche me paraît honnête. Nous nous rencontrons la veille du départ et visionnons les films déjà pris lors d'un précédent voyage pour en faire la critique. Un cinéaste italien, au long passé africain, nous accompagnera. Il prétend avoir une bonne connaissance des sorciers.

Il ne me déplaît pas au fond de rencontrer un autre guérisseur, peut-être à son contact mes vibrations vont-elles s'améliorer ?

Mais une inquiétude me tenaille : est-il bon de quitter Agpaoa pour approcher pendant deux semaines un autre guérisseur ? Vais-je tomber sous une autre influence ? Je crois bon d'écrire à Tony Agpaoa pour l'avertir que j'accompagne des cinéastes pour la réalisation de leur film, et que j'irai ensuite travailler avec lui quelques jours. Je téléphone cependant à une amie philippine qui le connaît, elle pense également que la situation est délicate, mais conclut : « Ne vous inquiétez pas, peut-être ne pourront-ils rien filmer ! » Nous savons l'une et l'autre la facilité avec laquelle Agpaoa fait « tomber en panne » les caméras et les magnétophones.

Mais c'est dans l'euphorie la plus totale que nous nous retrouvons à l'aéroport.

Je songe à la prédiction d'Agpaoa qui avait évoqué un retour en décembre et m'avait affirmé que nous nous reverrions bientôt.

2. MANILLA-METRO

Dimanche.

La chaleur est accablante. Ayant quitté nos domiciles vingt-quatre heures plus tôt, nous avons hâte de récupérer nos bagages et de rejoindre nos chambres d'hôtel. Sur le tapis rouge, doucement, les valises, les sacs, les caisses avancent. Tout n'est pas encore en notre possession. Nous attendons... mais la grande bouche ne rejette plus rien. Le ruban qui en sort se déroule et bientôt s'immobilise. C'en est fait de notre euphorie ! Des caisses de films nous manquent. Tout le processus de réclamation doit être entrepris !

Puis nouvel incident ; la douane ne nous autorise à sortir notre matériel loué que si quelqu'un en territoire philippin s'en porte garant.

Nous regagnons l'hôtel, épuisés. Je les accompagne au restaurant et nous établissons un plan d'action. Je ne défais pas ma valise, nous partons demain.

Lundi.

Christian me réveille, pour m'avertir que je peux dormir toute la journée ! Non seulement des films manquent et notre matériel est retenu à la douane, mais, nouvel obstacle, il nous faut encore obtenir un permis de filmer ! De nombreuses démarches nous retiendront à Manille aujourd'hui, nous ne partirons que demain. Nos deux semaines de travail sont déjà amputées de deux jours.

Mardi.

Le permis de filmer nous sera accordé incessamment par l'office du tourisme, l'ambassade de France se porte garante pour notre matériel et la camionnette sera sans doute disponible demain matin.

Manille, chaude et bruyante, m'exaspère. J'y vis une véritable incarcération.

Mes compagnons poursuivent les démarches.

Dans l'après-midi, je me rends au quartier des antiquaires admirer les vestiges artistiques de l'occupation espagnole et tout particulièrement les innombrables christs dont les bras furent coupés lors de la révolution de la fin du siècle dernier. Leurs corps qui se tordent de douleur sont d'une grande beauté.

Inutile de défaire mes valises, de suspendre mes vêtements puisque demain...

Mercredi.

En ce quatrième jour, la camionnette espérée n'est pas encore rentrée à Manille.

Mais nous allons récupérer nos caisses à l'aéroport, puis les entassons dans nos chambres pour partir dès que la camionnette sera à notre disposition.

Jeudi.

Nous espérons disposer de la camionnette ce soir.

Je me baigne dans la piscine pour la dernière fois. L'endroit est bruyant et poussiéreux, mais je dois m'estimer heureuse de pouvoir nager en décembre en plein air !

Mes amis mettent en charge les batteries des appareils, car nous partons demain. Il est temps ! Je ne supporte plus la vie citadine, je rêve de bords de mer et de cocotiers.

Une chose m'inquiète : je ne sens plus les vibrations sous mes mains. J'ai expérimenté dans ma chambre, dans les salles de restaurant, le parc, l'église près de l'hôtel : je ne sens plus rien !

Vendredi.

La supercaméra ne fonctionne pas car les batteries n'ont pu être rechargées. Je défais mes valises pour conjurer le sort !

Je pars avec le cinéaste italien dans la vieille ville à la recherche d'un électricien. Peut-être sera-t-il capable de préciser l'origine de la panne. Les rues sont encombrées, le matériel est lourd, nous sommes anéantis par la chaleur et la déception.

Notre homme, découvert dans un étroit couloir qui fait office d'atelier, tente de nous aider. Peut-être des incompatibilités de voltage existent-elles entre les différentes pièces du matériel ? Nous n'en sommes pas plus avancés car les parties scellées l'empêchent d'explorer plus à fond et de les réparer.

La maison responsable à Paris demeure sourde aux appels de Christian qui passe la nuit au téléphone. On raccroche dès qu'il se nomme. Enfin, par l'intermédiaire de sa secrétaire, il obtient le renseignement nécessaire : l'adresse d'un cinéaste agréé par la maison de location. Nous sommes vendredi, l'homme en question s'apprête à partir en week-end. Rien n'est possible avant lundi !

Samedi.

Disposant enfin d'une camionnette et d'un chauffeur (Mondo), nous pouvons tenter de prendre contact avec Mercado et repérer les lieux. L'un de nous reviendra chercher à Manille la supercaméra quand la réparation aura été faite. Nous sommes à bout de patience. A plusieurs reprises nous avons évoqué la possibilité d'abandonner nos projets et de rentrer à Paris, pourtant nous restons là.

Enfin, nous avons quitté Manille : voici les rizières et la végétation tropicale ! Enfin l'air est frais et respirable.

Je suggère que nous rendions visite dès ce soir à Mercado pour savoir à quelle heure il « opérera » demain dimanche.

Nous atteignons l'humble chapelle, son lieu de travail, entourée de paillotes dans lesquelles je le supposais vivre. Mais au bout du sentier Christian nous fait découvrir une somptueuse villa, bien cachée. Il entre seul. (Agpaoa, lui, ne dissimule rien : il vit au grand jour et parle de ses projets ; depuis des années il réunit l'argent pour construire un centre de traitement, un ashram, afin de pouvoir soigner les malades dans les meilleures conditions possibles.)

Un peu plus tard, notre ami italien et moi-même sommes conviés chez Mercado. Christian, dont les manœuvres d'approche ont commencé par une conversation amicale, en arrive aux faits, et lui annonce ses intentions. « Malheureusement, répond Mercado, la semaine prochaine, je ne travaillerai pas ici, je suis sous contrat avec une agence de Manille, et dois soigner dans son hôtel. Je ne sais si vous pourrez y filmer : la salle est petite. Il faut aussi que le chef de la section spirite donne son accord et que les patients vous acceptent.

« Quand est-ce que je pars ? Lundi, peut-être mardi.

Puis il évoque mercredi et même jeudi.

Christian insiste : « Demain, si vous êtes encore là, nous permettez-vous de filmer les patients qui se présenteront ? » (Je nous imagine montant la garde toute la journée devant les paillotes.) Peut-être, répond Mercado très évasivement.

Nous rejoignons l'hôtel, la tête basse, muets, ayant usé de tous les artifices de langage destinés à nous faire espérer. Nous devinons que Mercado refusera d'être filmé. Hôtel agréable, piscine et patio fleuri, nous devions vivre là !

Après le dîner, nous nous séparons, ils vont charger une caméra ordinaire, un dernier espoir au cœur.

Le téléphone me réveille. Christian, d'une voix impérieuse, m'intime l'ordre de le rejoindre. Que se passe-t-il encore ? J'ouvre la porte et le spectacle m'ahurit : il est seul, la tête entre les mains, un monceau de film déroulé ondule sur le sol. « Notre cinéaste ne sait pas charger une caméra. Il vient d'enrouler le film à l'envers. » Courageusement, Christian tente de rembobiner le film à l'endroit. Mais il s'avère cette fois que le chargeur de la caméra ne fonctionne plus ! Nous sommes impressionnés par cette addition de contretemps qui s'opposent à la réalisation de nos projets. Rien ne nous est épargné. Nous commençons à nous interroger sur la signification des avatars.

Tout se passe comme si une main nous poussait dans une direction précise contraire à celle que nous avons choisie. Mais quel sens donner à ces contretemps. Que faire ? Quelle voie choisir ?

Et je suis toujours « en panne » comme les caméras, alors que nous sommes au calme, loin de la ville. Je ne sens rien. Aucune vibration sous mes mains !

Dimanche.

Adieu Mercado ! Tournons-nous vers Joséphine. Acceptera-t-elle d'être filmée ? La route est bordée de rizières, là des buffles tirent les charrues et les paysans, coiffés de chapeaux à la chinoise, les pieds dans l'eau, dirigent l'animal dans le sillon. Plus loin, d'autres battent le riz au fléau, ils nous invitent à nous joindre à eux ; riant ensemble nous prenons des photos. Sur les rivières, installés dans de longues barques, pères et enfants pêchent.

Tout est d'une singulière beauté et la lumière est étrange ce matin : le ciel et l'eau se confondent ; cette promenade justifie presque notre voyage aux Philippines.

Je reconnais bientôt le chemin bordé de bananiers qui mène chez la guérisseuse. « Elle est en retraite », dit son mari. En insistant nous apprenons qu'elle est au village voisin chez sa sœur.

Nous atteignons le village indiqué. Des paillotes de bambou s'alignent le long d'un chemin mal empierré bordé de bananiers et d'arbres fleuris. Quelques adultes sont assis sur un tronc d'arbre, des enfants jouent autour d'eux, une dame ressemble à Joséphine. Elle tient un bébé dans les bras. Mondo descend pour s'informer. Il revient bredouille. « Nous sommes bien chez la sœur de Joséphine, mais cette dernière n'est pas là. » Pourtant, Christian et moi avons bien l'impression de la reconnaître. Nous nous approchons. « Je suis bien la sœur de Joséphine. » Alors Christian sort un paquet de sa poche : « Voulez-vous lui remettre ce parfum de ma part ? » Elle rit aux éclats : « Alors je suis bien Joséphine. »

Elle accepte d'être filmée si nous lui apportons l'autorisation écrite du chef de la section spirite. Ne s'agit-il pas là d'une façon polie de différer, voire de refuser, puisqu'elle nous renvoie ainsi à Manille. Chaque jour nous assène une déception.

En dernier recours, je suggère alors d'aller dès demain tenter notre chance auprès d'Agpaoa. En attendant, faisons du tourisme ! Ce qui nous donne beaucoup de joie et nous procure le courage d'affronter la deuxième et dernière semaine d'épreuves.

Lundi.
Partis très tôt le matin pour Baguio, nous espérons y parvenir avant la fin du temps de *healing*. Alors que nous nous engageons sur la route de montagne, j'évoque l'incompatibilité qui semble exister entre Rudy et moi. Le cinéaste italien m'entendant faire allusion à ces difficultés règle simplement la question : « Tony n'est pas un maître, car un maître prend en charge totalement son élève qu'il aide en toutes circonstances. » Christian et moi ne partageons pas son avis, car l'initiation consiste à être placé en situation difficile et à

résoudre seul le problème. Les mérites s'acquièrent en dépassant les difficultés mises sur le chemin, en en devinant le sens profond. Il n'est pas question d'apprendre une leçon comme on le fit au lycée ou à la faculté, où l'on nous impose des vérités créées de toutes pièces par la société dans laquelle nous vivons. Il faut apprendre à découvrir le sens caché d'un signe, percevoir sa vérité intérieure, telle que la nature l'a construite, retrouver son authenticité première.

Notre Italien et moi-même sommes prêts à croiser le fer ! J'ai perdu patience ; depuis le début du voyage, il joue au grand initié, s'exprime par allusions brumeuses, fait référence à sa vie africaine ; plus le temps passe et plus s'accumulent les preuves de son bluff. Il joue à être celui qui sait avec un imperturbable aplomb. Nos discussions animent la route. Mondo, qui ne comprend pas le français, nous regarde avec étonnement âprement discuter.

Voici enfin le Diplomat Hotel. Vilma se réjouit de me voir.

Nous allons vers la salle de *healing*. Voici Mamassa, la guérisseuse japonaise, accoudée à la fenêtre qui, dès qu'elle m'aperçoit, manifeste sa joie, applaudit ma venue et me fait signe d'entrer. Mais je me contente d'aller vers la fenêtre pour l'embrasser. « Tony est-il là ? — *Ya* », dit-elle s'écartant un peu, en tirant le voilage qui me cache l'intérieur de la pièce. Debout, dans sa grande robe noire que les Japonais aiment à lui voir porter quand il soigne, il est placé derrière un malade assis, et travaille sur son nez, le regard lointain. « Tony », lance Mamassa en me désignant. Il pousse une exclamation et lâche son malade pour lever les bras au ciel en signe de joie. Mamassa demande si je puis entrer : « *Ya* », répond Tony. « *No* », réplique une autre voix venue du fond de la salle. C'est Rudy.

— *Not yet*, ajoute Tony, l'air désolé.

Un aide repousse Mamassa avec autorité et me ferme la fenêtre au nez. L'Italien jubile : « Tony n'est pas un maître, il se laisse gouverner par Rudy ! »

Je n'entends pas ses sarcasmes. Je ne veux me souvenir que de la joyeuse spontanéité de Tony. Mamassa est maintenant sur le pas de la porte. J'essaie de lui demander pourquoi rien n'a donc changé depuis le mois dernier et quelle est la signification des vibrations que j'émets et qui dérangent Rudy. Elle explore alors de sa main, à distance, mon dos. Tout à coup, elle appuie sur un point précis de ma colonne vertébrale qui devient douloureux. A quoi correspond-il ? Aux conséquences de notre circuit en voiture sur de mauvaises routes ? Désigne-t-elle là un chakra insuffisamment développé et dont il me reste à deviner la signification ? Ma connaissance des chakras est assez nébuleuse. J'ai pris cela jusqu'à présent pour de la poésie, peut-être faudrait-il m'y intéresser davantage ?

Notre communication s'établit laborieusement, par quelques mots d'anglais et des gestes. Elle aperçoit Tony filant par une porte dérobée vers le *coffee-shop* et me le désigne. Je l'y retrouve assis, en compagnie de sa femme et d'un couple de Japonais, autour d'une table. Je m'approche. Il me cède son siège et m'offre le café qui vient de lui être servi, puis me présente les Japonais qui parlent français. Il évoque la mort de mon père, je lui précise les raisons de mon voyage ; lui revient tout juste du Japon. Le premier contact établi, je lui demande s'il accepte d'être filmé.

« Si je veux prouver quelque chose, je suis capable de le prouver tout seul ou avec l'aide technique de mes amis japonais. » Il semble mécontent. Est-ce la rupture ? Je frémis. Mais il ajoute : « Vous êtes la bienvenue, vous pouvez rester ici travailler avec moi. » Déjà il s'en va. Je lance « Mais, Rudy... » Il se retourne ; s'arrête un instant ; « Rudy ? *no problem.* »

Je lui emboîte vivement le pas pour demander : « Voulez-vous rencontrer mes amis quelques instants seulement ? »

Je sais que Christian ne lui a jamais parlé et que dans son livre il cite des histoires peu complaisantes à son sujet.

— Qu'ils parlent avec le couple japonais !

C'est ainsi que bien des journalistes éconduits inventent ou rapportent les ragots de la ville, n'ayant pu approcher Agpaoa.

Alors que débutent précisément les présentations, quelqu'un vient chercher notre interlocuteur de la part de Tony !

Cependant, Christian et le Japonais pourront s'entretenir un peu plus tard. Les abandonnant alors, je me dirige vers la salle de *healing* ; les soins sont terminés et je remets quelques petits souvenirs aux aides, ravis. Il m'en reste un, il était destiné à celui qui vint me fermer la fenêtre au nez !

Je rencontre Francis. Elle m'explique que Rudy m'en veut de ne jamais fermer les yeux pour me concentrer. Ce dernier paraît. Paradoxalement amical, il m'embrasse pour me souhaiter la bienvenue.

Puis Francis se joint à nous trois pour deviser sur la

terrasse, devant un jus de mangue. Elle raconte (sans aucun ménagement) à Christian, qu'elle agace, comment le *power*, un jour, tout à coup, l'a saisie. Tony passe justement à cet instant au-dessous de la terrasse, en voiture, s'arrête, me fait un signe amical et dit qu'il reviendra dans dix minutes voir mes amis.

Francis et moi savons que c'est la façon orientale de différer, voire d'annuler la rencontre, et nous nous levons pour partir.

Elle ne matérialise pas encore, mais affirme, malgré la lenteur de ses progrès, être sur la bonne voie. Nous savons toutes deux qu'une initiation ne passe ni par des sentiers de fleurs ni par des chemins de velours, mais avide pour elle de résultats, voulant la stimuler, je lui fais remarquer qu'il existe une disproportion entre les difficultés qu'elle surmonte et les résultats qu'elle obtient. Peut-être est-elle trop contemplative, peut-être doit-elle trouver un autre maître qui l'obligera à agir, car les guérisseurs, eux, ne se contentent pas de simplement poser les mains ! Mais sa foi en Agpaoa est inébranlable ! La mienne aussi... pourtant je souhaite qu'il se passe pour elle quelque chose de plus.

Au cours de la conversation, le nom du guérisseur philippin Mike David est prononcé ; l'un de nous suggère d'aller lui rendre visite.

Guidés par un chauffeur de taxi, nous trouvons sa maison, à mi-hauteur d'une rue mal empierrée qui escalade la colline.

Il s'avance vers nous, grand, mince, encore jeune, le regard intelligent. Francis se présente et dit qui nous sommes. Il a entendu parler d'elle et souhaitait depuis longtemps la connaître. C'est l'heure du déjeuner, une odeur de friture emplit la maisonnette, mais il dit avoir tout son temps pour nous recevoir. Il explique comment il fut d'abord le chauffeur d'Agpaoa, puis chauffeur de taxi. Depuis deux ans, il se consacre uniquement au *healing*.

Après un temps de conversation, je crois avoir compris que Tony est l'éveilleur, mais qu'il faut, sans lui, franchir la dernière étape ; les malades qui viennent le voir ne veulent pas être soignés par des débutants car il s'agit d'une clientèle internationale exigeante.

Cette dernière étape ne me concerne pas. La matérialisation n'est pas mon but. Quelle que soit la discrétion avec laquelle je la pratiquerais, je deviendrais vite l'esclave de ce procédé car la renommée est une charge lourde à porter. L'essentiel, pour moi, est de parcourir le chemin initiatique et de comprendre en même temps le mécanisme de la matérialisation. Mais, je ne sais trop pourquoi, je souhaite que Francis y parvienne. Sans doute est-ce parce qu'elle ne dispose pas d'autres moyens d'action (par voies médicales) et parce que je la sens solitaire et vulnérable, je lui souhaite de pouvoir prendre une revanche sur la vie.

Mike David teste mes mains puis annonce que je ne pratique pas assez l'écriture automatique. « Oui, je la refuse. » Elle m'évoque les très mauvais souvenirs de ma première initiation sous l'influence de Jean Vaysse, et me donne la sensation d'être transformée en pantin.

Puisque Christian veut s'entretenir demain matin avec le guérisseur, l'après-midi est libre. Je décide d'aller terminer la journée à Bauang et d'y dormir. Mondo m'y conduit. Le cinéaste italien m'accompagne. Il est, plus que jamais, au fait du cas des guérisseurs. Il explique, explique... le long du chemin qui mène à Bauang. De quelle sainte patience dois-je user !

Mais quelle joie de se baigner !

Il faut oublier momentanément tous les points d'interrogation et se laisser bercer au rythme des vagues, faire une longue marche le long de la plage bordée de villages de pêcheurs... L'eau qui se retire abandonne de larges flaques dans lesquelles se reflètent les palmiers de la côte. Pourtant, les souvenirs émergent...

Puis je me demande ce que nous sommes tous trois venus réellement faire aux Philippines. Ces innombrables contretemps ne sont pas normaux. Je ressens intérieurement très fort la notion de destin et l'absence de libre arbitre qui président à ce voyage. Pourquoi sommes-nous réunis : trois personnes qui ne se connaissaient pas il y a quinze jours sont soudainement impliquées dans une même aventure. Peut-être vivons-nous une épreuve nécessaire à chacun d'entre nous, qui aura une influence sur notre vie future ?

En cet instant, je ne possède aucun indice pour m'éclairer.

Peut-être n'avons-nous pas rencontré le guérisseur avec lequel nous devions travailler ? Peut-être est-il écrit qu'il n'appartient pas à Christian d'apporter les preuves de l'existence de la matérialisation ? Pas encore ? Peut-être ne dois-je pas, en période initiatique, approcher un autre « pouvoir » que celui d'Agpaoa ?

Marcher seule, le long de la plage, me remplit de joie ; savoir vivre l'instant présent, regarder le soleil jouer avec les nuages suffisent à mon bonheur.

Sur la terrasse de l'hôtel, en prévision de Noël qui sera fêté dans treize jours, les serveurs accrochent de fabuleuses guirlandes de papier. Je suis convaincue que nous sommes tous trois placés sur un échiquier sur lequel nous sommes poussés par je ne sais quelle force du destin. Tony, qui avait prédit ce voyage de décembre, doit savoir ce que nous faisons là ! Quant à moi, je n'ai toujours pas récupéré mes possibilités de perceptions suprasensibles malgré mon passage à Baguio. C'est un avertissement. Il ne faut pas participer à ce film, pourtant un contrat tacite me lie à Christian.

Mardi.

A midi, nous rejoignons Christian à Baguio. Il veut louer une autre caméra à Manille, me demande de les suivre espérant encore filmer Mercado ! Ainsi, je les accompagne. Je souhaitais tant demeurer là pour travailler avec Agpaoa ! Mais aurais-je pu le faire, Rudy ne me tolérant plus dans la salle, même en présence d'Agpaoa ?

Dès notre retour à Manille, nous élaborons un nouveau programme : il nous faut récupérer les films à l'aéroport (ils remplaceront ceux qui furent égarés), obtenir un rendez-vous du chef de la section spirite, réparer le chargeur de la caméra, faire réviser par le cinéaste agréé la supercaméra, et peut-être en faire venir une autre de France, en louer une ici dans l'immédiat de toute façon.

Nous devons théoriquement rentrer samedi à Paris ! Est-il acceptable de rentrer sans avoir pris une seule image ? Non ! Je passerai donc le prochain week-end avec eux dans les Basses Terres, près de Mercado. Je reprendrai ensuite ma liberté.

Un long entretien nous donne l'impression d'y croire encore, mais, au fond de nous-mêmes, ne vit désormais plus aucun espoir ; nous faisons semblant de jouer le jeu pourtant désespéré.

Mercredi.

J'étouffe dans cette ville, la dépression me guette. Christian tente de me convaincre d'écrire mon expérience des guérisseurs, il me présente cela comme un devoir. Pourquoi s'exposer à la vindicte ? J'ai cessé de vouloir convaincre dès que j'ai compris qu'il était impossible de comprendre et d'admettre ces phénomènes avant d'avoir modifié sa vision du monde. Je vis dans

229

un cercle d'amis instruits, et conserve mon temps pour vivre, étudier et soigner quelques patients ouverts à ces systèmes de pensée. Tout est simple ainsi.

Les films ont été récupérés à l'aéroport mais nous découvrons que les nouveaux films ne sont pas de la même qualité que ceux perdus lors du voyage aérien. Nos deux caméras sont en réparation ; hélas ! Mercado ne peut être joint, pas plus que le chef de la secte spirite.

Mes amis se demandent s'il ne serait pas plus simple de faire un film sur les combats de coqs, à défaut de guérisseurs.

Jeudi.

J'ai décidé de prendre la position du spectateur dans son fauteuil et de nous regarder vivre. Le dénouement de la comédie approche, car le temps passe.

Mercado ne répond pas à nos appels téléphoniques et ne tient pas compte des messages que nous lui adressons. Christian décide de le surprendre dans son hôtel. Quand j'y pénètre, je suis saisie par des perceptions supranormales fort désagréables, oppressantes et pénibles. Je suis contrainte de sortir. Je devine qu'il y est actuellement mais que nous sommes indésirables.

Pour Christian, Mercado demeure introuvable. Nous sommes contraints de conclure qu'il refuse d'être filmé. Je suis rassurée quant à moi, car j'ai perçu des informations « subtiles ». Qu'importe si elles me furent désagréables !

Vendredi.

Mercado continue de faire la sourde oreille et le cinéaste de Manille ne peut rien pour nous. Nous cherchons à louer de nouvelles caméras. Mais le week-end approche et toute activité sera de nouveau interrompue.

Lasse de cet internement dans une chambre d'hôtel, je me rends en dépit de la chaleur au jardin du port qui donne sur la baie d'Algésiras.

Une foule immense s'y presse ! Des groupes défilent devant une immense tribune en brandissant des banderoles et en criant : « Manilla-Metro, Manilla-Metro ! » Je pense qu'on fête l'inauguration du métro.

La chaleur est intolérable, pas une chaise libre pour m'asseoir à l'ombre, pas même un coin d'ombre qui ne soit occupé ! J'éprouve un grand malaise ; je lutte collée à un réverbère pour ne pas m'écrouler ; j'essaie de me contrôler par une technique de sophrologie. La foule tournoie, les chants retentissent dans ma tête : « Manilla-Metro, Manilla-Metro... » Le malaise s'apaise. Titubante, je me dirige aussi vite que possible vers le jardin ombragé d'un restaurant de l'avenue du Parc... une chaise ! N'en bougeons plus avant le coucher du soleil !

Quelques groupes, tous vêtus du même uniforme, sont installés là. On me regarde amicalement, on me dit bonjour. Ah ! vous êtes française ! Asseyez-vous à notre table ! Et l'on bavarde. J'apprends que le président Marcos fait sa campagne électorale car on vote demain, et la plupart de mes interlocuteurs travaillent dans une banque fermée pour la circonstance car ils doivent participer au défilé. Manilla-Metro ne désigne pas le métro de Manille mais l'ensemble de la ville et de sa banlieue.

Bientôt, ils se lèvent pour aller défiler devant le président. Demain, tous voteront pour lui !

Le soleil se cache et je sors de mon abri. Des manifestants exténués errent dans le parc Rizel, des kiosques à musique émettent encore quelques rythmes, ici et là des lumières s'allument. La grande mappemonde centrale est illuminée. Je m'en approche pour regarder la France. Cette petite tache lumineuse me paraît plus précieuse que tout le reste de la terre.

Samedi.

Deux semaines se sont maintenant écoulées depuis notre arrivée, dont douze jours à Manille ! Nous n'avons pas assisté à la moindre « opération », ni pris le moindre film. Nous nous accordons un nouveau sursis : lundi je rejoindrai Agpaoa à Baguio pendant qu'ils feront développer les épreuves prises avec les caméras de location et si tout va bien nous nous retrouverons dans les Basses Terres mardi ou mercredi, espérant y trouver Mercado chez lui. Obstinément nous nous accrochons à lui.

Nous partons en excursion ce week-end, un nouvel espoir au cœur ! Je nous trouve admirables d'avoir encore le courage d'affronter une troisième semaine d'épreuves. Je ne « sens » de nouveau plus rien. Les sensations perçues dans l'hôtel de Mercado tendraient à me prouver qu'il est inutile et peut-être dangereux d'insister.

Mondo nous conduit vers les Cent Iles. Puis, en bateau, nous voguons entre des îles minuscules, riches de coquillages. Nous accostons sur l'île principale pour y déjeuner, mais, ô surprise, il n'existe pas de restaurant. Nous ne pouvons que nous désaltérer ! Un groupe devine notre déception et partage avec nous de minuscules algues au goût poivré pêchées dans la mer, d'énormes huîtres, de la viande et des fruits.

Plus tard, nous rejoignons Tagafay où nous dormons.

Dimanche.

Le cadre est fabuleux. Je m'éveille au petit jour pour assister au lever du soleil sur les eaux bleues du lac serti entre deux volcans. Nous louerons un bateau pour aborder le volcan central toujours actif.

Encore éblouis par le paysage, nous rentrons à Manille par la lagune de Bay.

Manille ! Une dernière nuit. Demain lundi, je pars seule à Baguio.

3. DERNIÈRE VISITE A BAGUIO

Le cœur gonflé d'espoir, je prends le car pour Baguio. Sans doute vais-je récupérer mes facultés suprasensibles et percevoir de nouveau les vibrations. Peut-être même ferai-je encore quelques progrès.

J'admire une fois encore le majesteux paysage.

Voici le dernier virage de la montée vers Baguio. Il m'évoque le médecin asthmatique et la voiture qui s'essoufflaient à vouloir grimper cette route.

Un panneau indicateur : Baguio. A cet instant, une impulsion dont je me souviendrai longtemps, un désir intense, ou plutôt un ordre intérieur surgit en moi. « Il faut écrire tout cela. » Je refoule cette idée saugrenue, non, je ne commettrai pas cette folie : perdre du temps à écrire des souvenirs alors que j'ai tant à apprendre de la vie. Il n'en est pas question !

Du centre de la ville, je rejoins en taxi le Diplomat Hotel. J'en descends avec l'assurance que l'on a en arrivant chez soi. Mais Vilma en me voyant s'exclame consternée : « Mais docteur, c'est la semaine de Noël et l'hôtel est complet. Vous n'avez pas réservé, et puis il n'y a pas de malades. Le révérend Agpaoa ne vient pas en ce moment. » Elle me fait me souvenir que rien n'est comme à l'habitude au cours de ce voyage. « Et Francis ? — Elle est à Manille ! » Je vais vérifier les panneaux d'affichage et le tableau noir sur lequel était inscrit « *European people in magnetic room* ». Aucune indication. Personne.

C'en est trop ! Je vais redescendre à Manille et prendre le premier avion pour Paris. Mais j'ai promis à Christian de l'attendre ! Alors Vilma m'envoie dans le petit hôtel de Country Lodge.

J'y dépose mes bagages et trouve la situation de plus en plus étrange : le personnel joue au ping-pong ou regarde la télévision. On m'annonce que je suis la seule cliente !

Je retourne en ville saluer le marché et prendre un déjeuner philippin mais entre par erreur dans un restaurant chinois.

Et c'est là que le besoin d'écrire se manifestant à nouveau, je sors de mon sac une enveloppe-avion, la déplie et y jette les premières phrases. Revenue à l'hôtel, ne pouvant résister à l'impulsion, je continue d'écrire, installée dans le parc. Écrire meuble d'ailleurs mon désœuvrement et je n'ai pas mieux à faire en attendant mes amis. Le calme est ici absolu, le Country Lodge étant vide alors que partout ailleurs on affiche complet. Je vis une forme de détention bien plus agréable que celle de Manille.

Au coucher du soleil, le personnel prend soin du jardin. Une voiture surgit, ralentit. « C'est Tony ! Avez-vous vu Tony ? » me dit-on. L'auto a disparu, mais j'ai eu le temps de l'apercevoir avec sa face ronde, presque enfantine, son sourire qui découvre des dents blanches et ses enfants près de lui... J'écris.

— *Merry Christmas to you, Merry Christmas to you !*

Deux petits garçons viennent me chanter Noël. Je donne un peso à chacun.

Quelques minutes plus tard, Tony m'appelle au téléphone. J'explique que je suis venue pour régler avec lui le problème qui m'oppose à Rudy.

— *Rudy, no matter !*

Voilà bien la réponse que j'attendais ! Ah, les Orientaux ! Mais Tony poursuit et me parle enfin un langage clair et précis, à l'européenne. « Ce n'est pas Rudy qui fait votre enseignement, c'est moi ! » Surprise, je le remercie et raccroche sans en demander plus.

Le jardin s'efface dans l'obscurité. Je me suis réfugiée sur le balcon éclairé pour écrire...

Je songe à l'étrangeté de la situation, à ma solitude en cette semaine de Noël, à ces échecs répétés : pourquoi ma possibilité de percevoir les vibrations a-t-elle disparu pour revenir fugitivement dans l'hôtel de Mercado comme pour m'en chasser ? Pour quelle raison Agpaoa, qui m'est favorable, ne nous a-t-il pas aidés ? Comment en seize jours n'ai-je pu assister à une seule « opération » ?

DERNIÈRE VISITE A BAGUIO

Cette suite d'interrogations demeure sans réponse. Serai-je venue jusqu'aux Philippines simplement pour être placée en condition d'écrire ? Non pas pour rédiger quelques pages de souvenirs que j'abandonnerai ensuite dans un tiroir, mais pour exposer un itinéraire, informer ceux qui cherchent autre chose, les aider à commencer une mutation ?... Depuis bientôt dix ans, je suis muette. Pourtant, je publiais autrefois ou me manifestais au sein d'un groupe médical que j'animais ! Mais j'ai compris très vite qu'il était inutile d'afficher mes opinions dans un milieu officiel et que mes idées paraissaient révolutionnaires même au sein des groupes « différents ». Depuis, doucement, les idées progressent, en partie grâce aux journalistes de la presse écrite, de la radio et de la télévision qui n'ont pas seulement le désir d'informer mais aussi celui de surprendre. Le corps médical est ainsi contraint de s'informer quelque peu s'il ne veut pas se trouver dans une position insoutenable vis-à-vis des étudiants et des malades. Ne m'a-t-on pas demandé un jour de faire un cours sur les médecines différentes aux étudiants de sixième année, dans le cadre officiel de l'enseignement de la thérapeutique ? Ces derniers avaient réclamé une information un peu plus structurée que celle de la grande presse.

Peut-être le moment est-il venu d'aller encore plus loin et d'aider à faire admettre le monde des sensations et des pouvoirs supranormaux ? Je n'ignore pas que certains, pour se défendre d'avoir si longtemps oublié de considérer ce problème, voudront me faire passer pour une personne sujette à des hallucinations visuelles, cénesthésiques, etc., mais combien seront rassurés en lisant qu'ils ne sont pas les seuls à éprouver des sensations étonnantes que j'ai l'audace de croire normales. J'ai vérifié nombre d'entre elles par l'auriculomédecine à ma façon et appris à m'en servir. Mais pourquoi sortir de la paix dans laquelle je m'étais installée ? Pourquoi m'exposer aux critiques de ceux qui n'ont pas accès à ce monde et qui compenseront leur infériorité par une agressivité insultante ? De toute façon, je n'ai plus le choix : quelque chose m'impose d'écrire.

Le personnel regarde « l'écrivain » avec étonnement puis avec sollicitude. On baisse le son de la télévision. On parle à mi-voix.

Soudain, rejoignant ma chambre pour dormir, je trouve la situation ridicule. Comment puis-je accepter cette solitude et ce temps gaspillé. En outre ma fille est en vacances, je rentrerai demain la rejoindre !

Le lendemain, la première levée, vêtue pour le grand voyage, les vêtements d'hiver sur le dessus de mon sac en prévision du climat parisien, je réveille le personnel en vacances, demande la note, un café, un taxi et les horaires des cars pour Manille.

Les bagages sont sur le pas de la porte et le taxi entre dans le parc. Le téléphone retentit... : « *For you !* »

C'est Christian. Il m'explique qu'ils passeront me prendre à Baguio cet après-midi pour aller voir les terrasses de Banawe (la huitième merveille du monde), puis nous irons filmer Mercado. Il s'excuse de m'appeler à cette heure matinale, mais il va dès maintenant faire vérifier la dernière caméra louée et dont le chargeur ne fonctionne pas bien. Dès la réparation faite ils me rejoindront.

— Impossible, je rentre à Paris, le taxi est là, on charge mes bagages.

Il insiste. Je ne peux leur faire ça au moment où tout s'arrange, et Banawe vaut le détour ! Je me laisse convaincre, mais qu'ils se hâtent ! Le taxi est renvoyé, les bagages portés dans la chambre. Huit heures d'attente... Comment les utiliser ? Le soleil rend le jardin accueillant. Qu'y faire, sinon écrire !

— *Merry Christmas to you, Merry Christmas to you.*

Quatre charmants bambins chantent Noël sous le soleil. Le temps de les remercier, d'écrire deux lignes, ils chantent déjà à la porte de la villa voisine.

— *You are always writing, Maam,* murmure un employé passant près de moi.

Oui j'écris, je suis contrainte d'écrire, et d'ailleurs je n'ai rien d'autre à faire, je perds mon temps depuis bientôt trois semaines ! Où est mon libre arbitre ?... Guettant la camionnette, j'imagine le sourire de Mondo et me vois grimpant près de lui, mes amis sont assis sur le siège arrière et les innombrables bagages au fond de la voiture.

J'attends. Ma valise est sur le pas de la porte, mes vêtements d'hiver relégués au fond de celle-ci et chaque bruit de moteur me fait imaginer qu'ils arrivent. J'attends une heure...

— *Telephone for you !*

— La caméra ne peut être réparée. C'est la troisième que nous louons et qui ne fonctionne pas. Mais venez à Manille, nous avons rencontré le chef de la section spirite et un groupe de parapsychologues. Vous pourrez vous entretenir avec eux en attendant qu'une nouvelle caméra arrive.

— Désolée, ces gens-là ne m'intéressent pas. Ce que je veux, c'est entrer directement en contact avec les guérisseurs sans personne interposée. Je me considère désormais indépendante du groupe et vous souhaite bonne chance.

Partant immédiatement pour le centre-ville, je m'imagine pouvoir faire une réservation pour Paris dans le premier avion. A l'agence, on lève les bras au ciel : « Tous les vols sont complets jusqu'à Noël ! »

Je suis prisonnière ! Tout est donc prévu à ce point et Agpaoa savait ! Ne serais-je pas plus libre qu'un oiseau dans sa cage ? Je suis exaspérée, révoltée. Munie d'une nouvelle provision de papier avion, je réintègre mon hôtel contrainte d'écrire.

Le crépuscule s'annonce, le petit salon devient mon refuge. « *Merry Christmas to you.* » Ils sont dix, dans le noir, nez collés et déformés par la vitre, souriants, coquins, charmants. Le personnel qui regarde la télévision les considère comme des importuns et les chasse... « *You are always writing, Maam...* »

Oui, j'écris, mais pourquoi ne pas m'installer à Bauang pour le faire ?

4. BAUANG

Le lendemain matin, dès 7 heures, me voici traversant d'un bon pas le parc de Baguio pour me rendre en jeepney au centre-ville : the *low town*. Ces véhicules bariolés, sans vitres, aux rideaux volants au vent, circulent très vite et transportent à bon marché huit à dix personnes chacun.

Les taxis sont d'un prix abordables. Aussi, en marchandant, je peux, sans grever trop mon budget, en trouver un qui nous transportera, mes bagages et moi, à Bauang via l'hôtel.

Je m'appartiens enfin ! Nous empruntons une somptueuse route de montagne où vallées, terrasses, villages se succèdent. En passant, j'assiste à un déménagement : une paillote arrimée sur deux troncs d'arbre est transportée à dos d'homme par ceux du village. Le petit dernier, nez à la fenêtre, reste dans la maisonnette. Nous arrivons, sans encombre, et je me jette avec joie dans la mer de Chine, en décembre ! Quelle sensation exquise ! Les marchandes de coquillages m'assaillent à la sortie, cela fait partie des rites.

Entre deux baignades, négligeant la terrasse de l'hôtel, je me réfugie sous un simple abri de bambou pour écrire. Tout à coup une présence me distrait : un jeune homme s'installe en face de moi, me dévisage et dans un sourire me salue en anglais. Je réponds dans la même langue. Après quelques banalités, il me demande d'où je suis : « Paris. » Un grand éclat de rire me répond. Il est français et nous nous parlions en anglais !

238

BAUANG

Dominique, c'est son nom, est venu chercher le calme aux Philippines pour relater ses aventures dans un livre : il voyageait pour son plaisir quand il fut pris pour un espion et fait prisonnier par les Cambodgiens. Il vit dans une paillote de la dune. Nous restons là, bavardant jusqu'au coucher du soleil. Il habite le Japon et m'explique comment il y vit. Il a installé son chez lui en ramassant dans la rue le mobilier et le matériel électrique dont il avait besoin. L'esprit de consommation est tel que réfrigérateurs ou machines diverses sont constamment renouvelés et jetés. Il raconte son étonnement en découvrant jour après jour le paradoxe d'une société hiérarchisée et traditionnelle sur laquelle s'est greffée, quant au plan matériel, une façon de vivre à l'américaine.

Il parle et, de temps en temps, s'interrompt, savoure le moment présent et recommence. Il a le raisonnement d'un vieux sage et sait prendre du recul vis-à-vis des événements. C'est un autodidacte formé par l'expérience de la vie et des rencontres.

Depuis mon arrivée, un sentiment de libération m'envahit. J'accepte maintenant avec bonheur mon séjour forcé.

Le lendemain matin, prévoyante, je me rends au village voisin afin de connaître les horaires des cars et le prix des taxis pour Manille un jour de Noël. Mais dans ce village, il n'existe pas de taxis traditionnels, le vélomoteur-side-car est roi. Bariolé comme les jeepneys, protégé du soleil ou de la pluie par une capote follement décorée, il apporte fantaisie et gaieté à la rue.

Assise à l'ombre, dans un coin du marché, je les détaille, amusée, en dégustant la spécialité du pays le « halo-halo », composé de glace à la noix de coco, haricots en grains confits, riz sucré, fragments de patates douces et fruit violet dont j'ignore le nom. Je me sens bien ici. J'en oublie la couleur de ma peau tant je me suis intégrée à ce peuple qui me sourit en me souhaitant un bon Noël. Soudain, je prends conscience que je suis là à 18 000 kilomètres de la France. Il me faut faire un réel effort pour réaliser le pourquoi de ma présence ici. Comme s'ils venaient de très loin, d'un mauvais rêve, les souvenirs émergent : cinéastes, caméras, films, bobines, chargeurs, Mercado. Tout cela a-t-il vraiment existé ? Je touche la table de bois, elle vibre sous ma main ! Et je peux entrer moi-même, progressivement, tout entière en vibration : tout est enfin normal !

C'est un émerveillement que de pouvoir à nouveau sentir vibrer les choses qui vous entourent. Chacune possède sa « saveur ». Pour la main qui sent, c'est une autre ouverture sur le monde. Comment l'expliquer ?

Cette impression ressemble à celle que j'ai éprouvée à Cozumel (Mexique), lieu célèbre pour ses fonds marins. Je contemplais d'abord la surface de l'océan, rien ne m'étonnait. Quand, munie d'un masque, je regardai dans l'eau, un monde nouveau m'apparut, des centaines de poissons : des dorades roses se mouvaient tranquillement, des espadons au nez pointu glissaient à ras de l'eau, des spécimens d'aquarium, bleus, jaunes, roses ou verts s'approchaient... J'avais découvert un autre monde ! Il suffisait de mettre un masque et de regarder, sans même plonger ! Un monde fabuleux me devenait accessible sous une lumière inconnue jusqu'alors !

Il est un peu moins simple de sentir les vibrations de ce qui nous entoure, mais la surprise est la même, et la joie identique. Oui, j'ai retrouvé aujourd'hui cet univers privilégié dans lequel Agpaoa a su me mener.

Après avoir dégusté le halo-halo et glané dans le marché, je retourne sous mon abri de bambou à la plage et m'installe à une table pour y écrire. Dominique est un peu plus loin en compagnie de Philippins. Soudain, il m'interpelle : « Avez-vous vu l'enterrement sur la plage ? » Je regarde et ne vois rien qui puisse ressembler à un enterrement ; j'en ai pourtant croisé durant les excursions de ces derniers week-ends : une voiture américaine follement décorée accueille sur son toit un cercueil de plastique doré et des gerbes de fleurs artificielles ; un puissant haut-parleur diffuse une musique religieuse qui annonce le cortège. La famille suit, abritée du soleil par des ombrelles colorées. De loin, on dirait des grappes fleuries s'échappant du corbillard.

Rien de tout cela sur la plage. Rien qu'un petit groupe près de l'hôtel où j'ai vu, en passant tout à l'heure, des Philippins creuser un trou dans le sable et une jeune femme blonde s'agiter.

Dominique se lève et m'entraîne... La jeune femme, très pâle, est maintenant ensevelie sous le sable, seule sa tête dépasse. Un Philippin lui masse la région du troisième œil (entre les sourcils).

Dominique interroge, et apprend que l'homme est un guérisseur du Diplomat Hotel. Je bondis et dis : « Je n'ai jamais vu ce charlatan. » La jeune femme ouvre alors les yeux, esquisse un sourire, puis avec un accent américain :

— J'espère que ce sont de vrais guérisseurs ! On m'a dit qu'Agpaoa avait perdu ses pouvoirs et l'on m'a donné leur adresse en m'assurant que je serais mieux soignée.

Je comprends : une organisation vit sur la réputation que Tony et quelques autres ont donnée à Baguio ; les malades arrivés dans la ville sont alors dirigés par les chauffeurs de taxi ou les garçons d'hôtel vers de « petits » guérisseurs qui se créent ainsi une clientèle pour le plus grand bénéfice de leurs indicateurs. Voici deux associés, et l'un d'eux me glisse une carte dans la main, se faisant ainsi de la publicité sans perdre une seconde.

Avec leur permission et celle de la jeune femme, j'examine celle-ci alors qu'elle est enfouie dans le sable et que l'on masse son front. Je voudrais savoir s'il m'est possible de percevoir sur elle l'énergie que sont supposés lui transmettre les guérisseurs. Les mains à dix centimètres du sable, je l'explore de la tête aux pieds : les vibrations n'apparaissent qu'à la hauteur de l'ombilic, donc loin des mains du guérisseur.

Chez Agpaoa, sans doute aurai-je senti l'énergie dégagée par le guérisseur. Quant au barrage au niveau de l'ombilic, sans doute aurait-il été forcé et l'énergie mieux répartie sur tout le corps.

Je me présente, avide de connaître leurs réactions : médecin, élève d'Agpaoa... Tout va alors très vite. Ils sortent leur cliente de son linceul de sable ; l'envoient à la mer se laver avant de rentrer à Baguio pour lui faire « pressi-puncture ». Le soleil est encore haut. La jeune femme triste de partir si vite, je propose que les soins aient lieu dans ma chambre. Non ! Ils feront pressi-puncture à Baguio. Je devine qu'ils ne souhaitent pas qu'elle et moi fassions davantage connaissance. On m'explique qu'en poussant ici et là, on va rétablir la verticalité de la colonne vertébrale sur laquelle je vois la cicatrice d'une intervention pour scoliose évolutive. Je doute que leurs beaux projets soient réalisables. Ils s'en vont.

J'éprouve à leur égard une hostilité teintée de scepticisme. Je sais que pour aborder le problème des guérisseurs, il faut se défaire de son savoir antérieur, accepter toutes les informations, garder une grande liberté de pensée, mais leur fausse identité me les a fait considérer dès le premier instant comme des hommes malhonnêtes.

Je souris de l'incident qui s'est produit quand, pour leur demander l'autorisation de tester la jeune femme, me tournant vers l'un d'eux, en le regardant bien en face, j'ai prononcé : « *Can I* », ce qui fut immédiatement interprété par les deux francophones en « canaille » et répété dans un grand éclat de rire. En une seconde, ils avaient perdu la face.

Puis, j'essaie de retrouver le calme et l'humilité pour aborder le problème à froid. J'essaie de maîtriser mes pulsions négatives et de me remettre en question. Ensevelir leur patiente dans le sable avait peut-être un sens symbolique qui m'a échappé. L'abandon (symbolique) du corps physique auquel cette jolie femme est peut-être trop attachée pouvait, quelque part dans son inconscient, commencer à se faire. Cette longue cicatrice perdait peut-être un peu d'importance à ses yeux. Le blocage énergétique causé par cette cicatrice sera peut-être levé par pressi-puncture (c'est un phénomène bien connu en neural-thérapie).

Cette femme était livide sous le sable. Il se passait donc quelque chose ! Son visage a rosi dès que j'ai parlé. Aurais-je rompu le charme ?

Il eût été plus intelligent d'entrer totalement dans leur jeu. J'aurais dû, comme je l'avais fait chez Agpaoa, être là non pas pour juger mais pour apprendre. A cette époque, j'étais convalescente. J'avais perdu la faculté d'utiliser mon savoir antérieur et mon esprit critique. En deux mois de temps, j'ai déjà trop récupéré. Entrer dans l'état d'esprit d'un autre système de pensée est devenu plus difficile.

Pourtant, mon esprit scientifique lui-même fut mis en défaut. Chaque fait considéré doit être vérifié avant d'être retenu pour valable et je me suis appuyée sur des on-dit. Pourquoi ne leur ai-je pas fait préciser leurs origines ? De toute façon, le seul intellect ne permet pas d'aborder ces phénomènes qui relèvent d'un tout autre ordre. Il fallait « couper », passer sur un autre registre, communiquer de façon subtile avec eux, grâce à une autre partie de moi-même. Mais ce déclic ne se produit chez moi qu'après un effort de volonté car trop d'années de culture occidentale m'accablent ! Pourtant, les motivations affectives facilitent ce déclic, qui peut même se faire spontanément comme ce fut le cas au moment de la mort de mon père.

Ce déclic peut être facilité par l'amour de la nature. Il consiste à oublier son corps pour se fondre dans le cosmos avec lequel on ne fait plus qu'un. Marchant sur la plage, ou me baignant dans cette eau tiède, tout cela devient facile. Tout est calme, harmonie, beauté en ce crépuscule. J'entre en communion avec les éléments du paysage. Je me fonds dans le ciel qui s'éteint, dans la mer qui scintille, dans les dernières lueurs de cette journée qui s'achève. Mon corps physique marche seul au bord de l'eau, l'autre se fond dans les éléments du cosmos.

C'est ainsi qu'il faut aborder le malade, en se coulant dans son problème sans aucun préjugé. Alors, le plus souvent, une solution originale se présente que l'on peut ensuite éventuellement contrôler par la méthode analytique. Peut-être est-ce là une application de la médiumnité à la médecine.

L'essentiel n'est pas d'apporter une explication théorique à ces phénomènes, mais plutôt d'être capable de les vivre, de savoir les faire apparaître. Alors, seulement, on sait de quoi on parle ! Cela me semble être les prémisses essentielles.

A l'opposé de la plupart de mes confrères hospitaliers, ces phénomènes ne m'inquiètent pas. Ils me sont familiers et excitent même ma curiosité. Si, allant plus loin, je m'interroge sur l'origine des états mentaux altérés, je peux émettre l'hypothèse que leur cause profonde réside parfois dans l'ignorance que l'on a de l'existence des phénomènes qui habitent l'étage du corps éthérique et spirituel. Le corps physique (ligoté dès l'enfance par les normes du monde judéo-chrétien qui lui imposent un mode de perception, un système de référence) se refuse, le moment venu, d'admettre l'existence des perceptions extra-sensorielles qui appartiennent aux autres corps. Il en résulte un conflit. Les diverses parties de l'être s'affrontent sans se reconnaître d'un tout.

La logique intellectuelle VEUT imposer SA logique à l'univers et se trouve être mise en échec au niveau de la réalité vécue. Je partage l'opinion de Castaneda (*L'Herbe et la petite fumée*) qui distingue la réalité ordinaire et la réalité non ordinaire.

Je sais par expérience l'effroi qui nous saisit quand on est affronté brutalement aux réalités du monde invisible. Je devine les moments horribles que vivent ceux qui y accèdent sans structure préalable solide et sans guide...

Je m'interroge sur les qualités que doit posséder un médecin et sur la meilleure façon d'orienter un diagnostic et une thérapeutique.

Est-il bon, comme le fait un ami par exemple, de savoir

pénétrer la psychologie du patient par le biais de la médiumnité et de lui situer ainsi son problème ? Est-il préférable d'utiliser l'interrogatoire serré, accompagné de toute une batterie d'examens et de tests ? Faut-il s'interroger sur le mode de sélection qui préside aux choix des futurs médecins ? Et remettre tout un système en question ?

J'avoue me l'être sérieusement demandé le jour où j'ai vu une malade (portant une agrafe posée à l'oreille « pour maigrir ») et quand, en l'examinant, j'ai découvert un cancer récidivé du sein et des métastases pulmonaires bilatérales ; l'agrafe avait été posée quinze jours plus tôt par un ancien interne des hôpitaux qui avait omis de procéder à l'examen le plus élémentaire. Il m'a suffi de passer la main à distance du sein pour sentir pétiller sous mes doigts l'énorme foyer : Agpaoa, merci !

5. RIEN N'ARRIVE PAR HASARD A BAGUIO

C'est ce que prétendait Jean-Noël, fort d'un séjour de huit mois près de Tony. Certains disent même que ceux qui viennent ici sont chargés de mission par une puissance supérieure. Ils auraient un rôle, petit ou grand, à jouer pour préparer l'avènement de l'ère du Verseau qui s'annonce comme une ère de profonde mutation, durant laquelle la spiritualité prendra le pas sur le matérialisme.

Sous mon abri de bambou, assise face à la mer, à quelques jours de Noël, le hasard, tel qu'il m'est échu, me convient ! Ecrire dans ces conditions est une agréable mission. J'observe les pêcheurs lançant leur filet. Je reconnais de loin la grand-mère à la peau sèche et puissamment ridée, qui descendait hier de la barque munie de sa bouée : un morceau de bois en forme de banane ceignant sa taille, nouée devant par des ficelles. Tous s'activent pour ramasser de minuscules poissons qu'ils feront sécher. Cette vie ponctuée de couleurs, de parfums, de sourires, cette profusion des produits du sol et de la mer me font aimer cette île de Luzon. Des hommes et des femmes déambulent sur la plage. Ils ont l'élégance des pauvres : la minceur, la propreté, la richesse des couleurs ; leur regard amical, leur belle chevelure sombre contrastent avec la blancheur de leurs dents. Ils sont riches de soleil, de sable gris, de mer bleue, de ciels lumineux.

— *Merry Christmas to you, from where are you ?*

Ici chacun sait communiquer avec l'autre. C'est pour le Français un étonnement permanent, tant l'habitude de paraître mutuellement s'ignorer est de bon ton chez nous.

J'écris... Deux jeunes Philippins surgissent, le regard sombre, intelligent, l'air décidé. Ils s'asseyent à ma table, juste en face de moi, m'observant un certain temps, puis me bombardent de questions. Quel est votre nom ? D'où venez-vous ? Pour combien de jours ? Dans quel hôtel ? Qu'écrivez-vous ?... Je contemple mes feuillets : plus de cent pages de papier avion, et répond évasivement :

— Ma correspondance.

— *So much ?*

— Le texte d'une leçon de médecine, dis-je en continuant...

C'est un peu vrai. Je dois faire une conférence sur l'auriculomédecine à des acupuncteurs, dans quelques semaines. Mes interlocuteurs se présentent : ils sont étudiants en médecine au collège Saint-Louis de Baguio, un établissement réputé, m'a dit dans le car Manille-Baguio un jeune Américain venu pour y faire un stage de chirurgie.

Les nouveaux venus vont droit au but.

— Pourquoi, hier, avez-vous mis les mains au-dessus de la femme blanche ?

— Pour l'examiner.

— Mais elle était vêtue et recouverte de sable !

On me soumet à un véritable interrogatoire... J'explique qu'effectivement je peux, de la sorte, examiner un malade. Oui, j'ai fait mes études à Paris, oui j'étais médecin hospitalier.

Ils mènent l'enquête ne me laissant pas le temps de souffler. J'accepte de répondre à leurs questions. Je peux ainsi juger leur tournure d'esprit, leur forme d'éducation. Ils sont intelligents, doués d'une logique implacable et d'une faculté de dégager l'essentiel surprenante.

Tout à coup, ils se lèvent, me tendent la main et déclarent qu'ils sont très heureux d'avoir rencontré un médecin tel que moi et se rasseyent. Je les trouve adorables dans la façon dont ils mènent leur inquisition enthousiaste et polie.

L'un d'eux se gratte la tête et en revient à la femme blanche.

— Comment pouvez-vous sentir sans toucher ?

Deux visages curieux, quatre yeux noirs qui brillent dans la nuit tombante.

— Pourquoi avez-vous mis les mains au-dessus du corps de cette femme ?

Je devine leur problème. Pourquoi moi, femme blanche, médecin de surcroît, ai-je fait ce geste de guérisseur ? Comment m'y suis-je prise pour mettre en déroute par ce geste les deux guérisseurs locaux ? Ces deux esprits rationalistes philippins s'étonnent et paniquent. Leur belle systématique se trouve en défaut. Ils m'ont soigneusement questionné sur mon passé, s'assurant de mon authenticité médicale, de mon bon sens et passent maintenant au deuxième temps de l'interrogatoire : l'aspect irrationnel de mon comportement.

Présents hier, ils surent m'observer, obtenir quelques renseignements du personnel de l'hôtel sans être pleinement satisfaits. Alors ils décidèrent de faire plus ample connaissance par l'abord direct, ce qui explique la façon décidée, autoritaire, avec laquelle ils s'installèrent devant moi.

Que leur dire, sinon qu'à Baguio, « tout près de votre collège de médecine, existe un grand guérisseur connu dans le monde entier. C'est auprès de lui que j'apprends ce que je sais. — C'est donc vrai, il a un *power*, dans quels livres cela s'apprend-il ? »

J'essaie de leur expliquer la première leçon d'acupuncture de Lavier : imaginez une table, sur cette table, des objets. Il y a deux façons de les connaître : inventorier à la façon d'une tortue qui contournerait et analyserait chaque objet, ou survoler l'ensemble comme l'aigle. Oui, j'ai senti les vibrations qui émanaient de la malade et détecté les blocages énergétiques. Comment sentir ? En passant les mains au-dessus de son corps. En développant ses sens, en travaillant sur soi-même... pas dans les livres.

Je ne peux que leur donner l'adresse d'Agpaoa. Mais je pressens que ces futurs médecins craindraient de choir du piédestal où ils se veulent juchés en allant s'instruire auprès d'un guérisseur. Ils ne peuvent encore accepter de faire ma démarche. Ils ne possèdent pas encore l'humilité nécessaire pour passer l'étroite porte de la connaissance. Ils veulent bien apprendre ce qui vient de moi, car j'appartiens au corps médical. Ils refusent le guérisseur Agpaoa. Si jeunes et déjà installés dans leur tour d'ivoire !

Ils me quittent à la nuit noire, pensifs, inquiets, ébranlés par un dialogue avec un médecin qui vient de loin. Ils me laissent, ayant honnêtement tenté de faire le tour de la question.

Le lendemain matin, près des feux d'artifices de palmiers verts qui jaillissent du sein des bougainvilliers roses, en prenant mon petit déjeuner, je songe à mon aventure, à l'étrange chemin parcouru ces dernières années. Comment me suis-je dégagée de la notion de devoir inculquée par ma mère ? De cette soumission à une vision du monde, convenable certes, mais qui n'avait aucune correspondance avec ma réalité intérieure.

Comment ai-je compris notre dépendance vis-à-vis du cosmos, seule réalité ? Comment ai-je su que tout le reste n'était qu'artifice ? L'étude de l'astrologie m'y a beaucoup aidée et côtoyer régulièrement les symboles planétaires prend parfois l'allure d'une méditation. Les positions respectives des planètes le jour de notre naissance constituent le véritable squelette de nos corps physique, éthérique et spirituel. Au long des jours, un même symbole peut s'éclairer différemment. Cet éclairage dépend du cycle propre de la planète considérée mais aussi des aspects qu'elle contracte avec les autres planètes qui se déplacent dans le ciel.

Longtemps un symbole peut demeurer muet : il est représenté par une planète lente, mais quand arrive pour lui le temps de s'éveiller, il se manifeste pleinement. On découvre alors la fabuleuse organisation du monde, et le caractère inexorable de ses lois. L'astrologie prévisionnelle permet de situer la date à laquelle le condensé symbolique se déploiera. Mais elle ne nous autorise pas vraiment à savoir de quelle façon nous le vivrons. Là, intervient éventuellement le sens prémonitoire... et sans doute le libre arbitre ! Mais faut-il connaître l'avenir ? Je préfère pour ma part garder la sensation de me diriger à ma guise. Encore que... pour l'instant ça n'en soit pas le cas.

Je recherche un abri de bambou disponible. Peter, un Anglais que m'a présenté Dominique, déjà là.

Même esprit curieux, mêmes pauses silencieuses. Moi qui fus si longtemps en contact avec ceux qui ont un bagage livresque et suis maintenant confrontée avec ceux qui ont un vécu, je suis étonnée de la qualité de ces derniers. Ils ont un sens de la vie, une forme de connaissance des êtres qui me stupéfie. J'en viens à penser que les études atrophient peut-être l'intelligence au profit d'une forme de mémoire. Trop de bons élèves s'embarquent ainsi avec les dés pipés d'un savoir officiel en oubliant de vivre et d'apprendre à penser par eux-mêmes. Ils ne se réfèrent dans la vie qu'à des modèles qui leur sont imposés. Cet automatisme est particulièrement caricatural chez les hommes politiques qui sont contraints de s'enfermer dans un système.

RIEN N'ARRIVE PAR HASARD A BAGUIO

Peter me propose de m'accompagner à San Fernando pour m'aider à réserver un taxi pour rejoindre Manille le 25 décembre. Quelques heures plus tard, je reviens sous la paillote. La marchande de coquillages s'y trouve déjà. Elle engage la conversation.

— Que faites-vous ici ? pourquoi êtes-vous seule ? où est votre mari ? pourquoi écrivez-vous toute la journée ? Vous êtes déjà venue la semaine dernière avec un monsieur et quelques semaines plus tôt avec d'autres ! Vous m'aviez acheté un gros coquillage.

On se croit seule, inconnue, loin de tout...

Je révèle mon identité, ma profession, avoue que les guérisseurs m'intéressent.

— Tony Agpaoa est arrivé, annonce-t-elle.

Sans doute s'est-elle méprise ! Mais peut-être viendra-t-il bientôt rejoindre ici un groupe de Français.

— Je n'aime pas Agpaoa. Il est trop difficile de l'approcher. Je préfère Mercado, il reçoit tout le monde.

Je lui explique que parmi les guérisseurs philippins, Agpaoa fait figure de vedette internationale et que son temps est absorbé par la réalisation d'un ashram. Mais Rudy et Nieves le secondent fort bien et sont accessibles à tous. Lui doit se protéger de la foule. Il disait un jour que lors d'un voyage en Amérique du Sud, nombreux étaient ceux qui, rassemblés autour de lui, voulaient un souvenir. On commença par arracher un bouton de sa veste, laquelle finit par s'en aller en pièces détachées. N'ayant plus rien à prendre de ses vêtements, la foule voulu s'approprier poils et cheveux en souvenir. La police lui sauva la vie en l'arrachant à cette foule tortionnaire ! Venu en France pour connaître Paris, on le sollicita tellement, le pressant de soigner, qu'il partit sans rien visiter et sans faire honneur à notre cuisine comme il l'eût souhaité !

Elle admet mon point de vue, puis raconte sa propre histoire, et veut me prouver que la mer et le soleil sont les meilleurs guérisseurs.

Vivant à Baguio, entre la chaleur du feu, le froid et l'humidité de la saison des pluies, ne cessant d'avoir des rhumatismes et de tousser, elle pensait en mourir. Un jour, elle a tout quitté pour venir vivre à Bauang, à la chaleur. Elle se baigne chaque jour, fait de longues marches pour vendre ses coquillages, ne mange plus de viande, mais seulement des légumes, du poisson et des fruits. Elle se porte bien, heureuse de vivre ainsi et de parcourir cette belle plage toute la journée, son panier au bras. Le soir, elle fabrique ses colliers. Elle est en bonne santé, libre au soleil. Ses articulations, ses sinus, ses poumons vont bien ! Oui, les meilleurs guérisseurs sont le climat, le soleil, le repos ! Quand les étrangers débarquent, elle devine qui sera guéri et qui ne le sera pas. Les malades de naissance, elle décrit ceux qui boitent, dont les membres sont atrophiés, les aveugles, ceux qui sont dans des voitures roulantes, ne seront pas guéris. C'est le karma. Il faut savoir reconnaître le karma.

Certains maux peuvent guérir avec le soleil, le régime, le jeûne, les bains de mer, les massages d'algues. Il faut savoir choisir sa vie et l'endroit où l'on vit, mais aussi son travail. Il faut savoir tout quitter pour le calme, la tranquillité. Comment, par exemple, vivre à Manille sans tomber malade ? Je partage son avis.

— Vous êtes médecin, poursuit-elle, mais moi, j'ai cinquante ans d'expérience de la vie. Il suffit de regarder autour de soi pour apprendre, je regarde, et sais qui va guérir et qui porte un karma.

La troisième catégorie de malades, ceux qui peuvent guérir si quelqu'un intervient, elle n'en parle pas, je le regrette. Elle a pourtant compris qu'il existait des maladies congénitales, acquises et de dégénérescence liées au climat, à l'alimentation, au mal de vivre, à la dépendance.

Elle a saisi et peut exprimer clairement l'intérêt de la balnéothérapie, du massage, du régime, des cures climatiques, de la vie équilibrée.

Elle me quitte pour fabriquer des colliers à double rang, tels que je le lui ai suggéré, et me montre d'un air entendu ses réserves de fils de pêche et la traction qu'ils sont capables de subir.

Le soleil descend. Dominique et Peter me rejoignent. Ce soir encore nous bavardons tous les trois face au soleil couchant. Nous nous connaissons à peine et ne nous reverrons sans doute jamais : une rencontre de sable, mais entente et complicité sont totales. Venus de trois pays différents, réunis à Bauang, nous appartenons au même monde. Le paradis pour moi, cela doit ressembler à cela, une longue plage déserte, la mer bleue, les palmiers qui frissonnent, des personnages détendus et souriants, en pointillé : le mystère, l'imprévisible, l'incroyable qui à chaque instant peuvent survenir dans un monde magique.

Une petite fille passe, me regarde avec attention et gentillesse, puis s'en va en courant. Je la connais, mais où l'ai-je rencontrée ? Quelques minutes plus tard, elle surgit de nouveau, en compagnie de Mme Agpaoa et de sa secrétaire. C'est la petite fille d'Agpaoa. Mme Agpaoa s'étonne de ne pas m'avoir vue plus tôt. J'explique : San Antonio, la mer, la paillote.

Tony lui-même s'avance, me tend la main, dit combien il est heureux de me voir là, et enchaînant immédiatement demande :

— *Have you your material ?*

Phrase bien connue qui prépare sans doute la suivante :

— *Can you treat this people ?*

Qui donc à cette heure peut solliciter mon intervention ? J'imagine quelque affection grave dans l'entourage.

Contrairement à mon attente, il continue :

— Voulez-vous me soigner, et soigner ma femme et ma secrétaire ?

Je reste sans voix. Il ajoute :

— Nous commencerons par moi.

Cette arrivée inattendue, cette demande brutale et l'extraordinaire chance que représente cette proposition me troublent un instant ! C'est le dénouement brutal d'une situation qui stagnait depuis trois semaines.

Que vais-je voir, ressentir, en le traitant ? Je sais, pour avoir lu le livre d'Alfred Setler *Les Guérisons psi*, que Tony peut difficilement être testé par les moyens habituels. Le Dr Motoyama de Tokyo a voulu pratiquer à plusieurs reprises un électro-encéphalogramme quand Tony entrait en transe, mais l'appareil tomba toujours en panne.

Tandis que nous gagnons ma chambre, j'établis mon plan. Je sais qu'il me faudra être prompte dans l'examen autant que dans le traitement. Tout va très vite dans la vie de Tony. Je choisis d'examiner correctement une oreille plutôt que de voir superficiellement les deux.

En me demandant de le traiter, il me rassure sur la qualité de mes vibrations. Il lui arrivait autrefois de me dire : « N'approchez pas cette personne, il y a incompatibilité entre vos vibrations et les siennes, cela vous ferait du mal. » Je sais qu'il n'y a pas d'incompatibilité entre celles de Tony et les miennes. Après les affronts que m'infligea Rudy, je me sens toute ragaillardie.

Nous atteignons les premières marches du bâtiment. Un instant, je m'inquiète. Est-ce une simple mise en ordre de l'énergie qu'il me demande ou bien est-il réellement souffrant ?

Nous entrons. Tandis que je sors de leur trousse mes plaques de couleur, il répond à ma question sans que je la lui pose : « Je suis juste hypersensible. » Comment s'en étonner ?

J'apprécie la situation à sa juste valeur : depuis bientôt trois semaines je désespère de rencontrer, de voir travailler un guérisseur, et tout à coup, je vis dans l'intimité du plus grand, testant son pouls et son oreille, en passe de découvrir comment circule l'énergie chez cet homme.

Je vérifie la projection des couleurs sur les différentes parties de son oreille. Tout se présente comme je l'imaginais, selon les normes, mais je constate ce qu'il m'a annoncé : une extrême sensibilité qui va sans doute de pair avec ses dons, et qui le rend d'une certaine façon vulnérable. Je comprends mieux pourquoi il se protège (après les agressions dont on a agrémenté le cours de sa vie), et pourquoi il esquive les vibrations des interlocuteurs avec lesquels il ne se sent pas en harmonie. Tony et moi n'échangeâmes jamais de grandes conversations, mais je l'ai entendu dire combien les calomnies répandues sur lui le peinaient. En l'examinant, je suis à même de constater qu'elles l'affectent au plus haut point.

Je pose deux aiguilles, et veux vérifier l'autre oreille, mais il m'arrête comme prévu et dit : « *Now, feeling.* » Il s'étend. Je m'agenouille. La situation prend un tour de plus en plus inattendu. C'est mon tour de pratiquer le *feeling* sur Agpaoa ! Cela me semble tellement cocasse qu'il me faut un instant pour rassembler mes idées. J'écarte les doigts, étends les bras à distance de son corps, et fais se produire le déclic qui me met en état de réceptivité : je deviens attentive aux vibrations qui atteignent mes mains. Puis, une seconde d'inquiétude : si je n'allais rien sentir ? « *No !* » dit Agpaoa ; je comprends, il sait que je m'égare. En me concentrant, je perçois de très fines vibrations, rapides, ténues.

A genoux, les mains planant au-dessus du maître philippin, j'imagine que de l'extérieur cette situation prête à rire... « *No !* » dit-il encore.

Je me ressaisis, je sens vibrer ses bras, sa main, remonte jusqu'à sa tête pour passer vers l'autre bras. « *Ya...* » Si mes amis d'autrefois me voyaient pratiquer ainsi, quelle tête feraient-ils ? « *No !* » répète Agpaoa qui s'impatiente !

Comment sait-il que je m'égare ? Je comprends alors que

ce traitement constitue en fait un test auquel il me soumet, afin de me connaître mieux. Cette fois, je fais le vide, me mets en état de receptivité. Parcourant le corps tout entier je rencontre des vibrations très fines, rapides, vivantes, légères et les « inscrits » dans mes mains, imaginant que c'est là une référence qu'il veut bien m'accorder.

Je m'en assure en lui demandant :

— Vous trouvez-vous dans un état normal en ce moment ?

— *Ya, but sometimes, I feel you,* dit-il légèrement moqueur.

Oui, je passe un examen ! Pendant que je perçois ses vibrations, lui me devine.

C'est fini. Il se lève pour mettre un terme à cette séance, s'appuie sur le bord d'un secrétaire, et me parle anglais. J'essaie de le suivre, de comprendre sans le faire répéter. Il m'a conseillé depuis longtemps de perfectionner cette langue.

Il explique que je suis difficile à suivre, car je passe sans cesse d'un corps à l'autre. Je suis partagée en trois plans : sensitif, émotionnel, intellectuel. Je me disperse, je ne sais pas me réunir et être « une ». Je dois apprendre à faire cela pour profiter au maximum de mon énergie, mais aussi pour que lui-même puisse me communiquer ses forces.

Il me révèle encore que je prends un risque en soignant certains grands malades. J'ai le tort de me mettre directement en communication avec eux. Tout cela est « *very bad* » pour moi. Je recueille directement les mauvaises vibrations, et je donne ma propre énergie. C'est ce qu'il ne faut pas faire. Il faut la prendre à l'extérieur de soi : de la lumière, du soleil. Il me dessine un triangle fléché sur un morceau de papier.

Je me souviens de l'expérience qu'il m'avait un jour infligée, en faisant du magnétisme. Mes forces s'en allaient, j'avais dû m'asseoir et me trouvais couverte de sueur. Il s'était volontairement « branché » sur moi, pour « recharger » le malade, pour me faire comprendre, sans parole, l'existence du phénomène. Aujourd'hui, il daigne parler, ici !

Il explique encore comment l'énergie circule, et nomme les chakras : cela est trop compliqué pour moi, il s'est mis à parler vite, j'étudierai les chakras avant mon prochain voyage pour mieux profiter de son enseignement. Les deux aiguilles sont toujours sur l'oreille. Je les enlève, un point saigne, je veux l'essuyer, il refuse ; sans doute a-t-il ses raisons !

Ne perdant pas de vue... mon corps intellectuel, je lui demande s'il accepterait de se laisser examiner en « état de guérisseur ». Il y consent. Il est debout. Je le vois de profil, dans la glace du secrétaire, et m'y vois aussi. Sa couleur et son type asiatique, mes yeux bleus, mes cheveux blonds et frisés, quelle étrange association nous formons !

Son poignet dans une main, ma lampe coudée dans l'autre, je sens qu'il entre en vibration. Que va-t-il advenir de ma lampe, va-t-elle, comme ce fut le cas des appareils sophistiqués japonais, tomber en panne ? Je secoue son poignet pour le relaxer et lui dit : « *Slowly, please, can you take care of my light ?* » Il comprend, sourit, relâche la tension qui allait croissante. Je le teste alors rapidement, et discerne comment il fonctionne à cet instant. Il est parfaitement « réuni ». Toutes les vibrations se manifestent ensemble, sur toutes les plages de l'oreille, ce qui est anormal. Les gens fatigués perdent ainsi leur énergie, et dispersent d'une façon plus ou moins homogène leurs sept énergies sur les sept plages, mais leur pouls dans ce cas offre à la palpation une sensation qui témoigne de la défaillance de l'organisme. Le pouls de Tony est normalement frappé, c'est là toute la différence.

Je ne peux examiner qu'un côté, il m'interrompt : « *It's finished.* » Tout doit aller vite pour le satisfaire. Ce n'est pas de l'impatience, c'est une vivacité d'esprit. « *And now, I give you my forces.* » Il pose ses mains sur mon front et mon occiput, murmure en tagalog des paroles incompréhensibles. Je reçois les forces qu'il veut bien me transmettre.

« Maintenant, c'est terminé, venez prendre quelque chose dans le bungalow où nous sommes installés. Nous en avons plusieurs : un pour Niéves et Rudy, un pour Fred et sa femme, deux pour nous... »

Ainsi je vais avoir... le déplaisir de revoir Rudy et Fred.

Nous croisons Dominique dans le jardin. Je le présente à Tony. A mon grand étonnement, il l'invite aimablement à nous suivre !

Pendant que nous bavardons sur la terrasse, Dominique fume cigarette sur cigarette. Je lui assure que dans les cas les plus simples, une aiguille à demeure correctement placée permet de diminuer ce besoin.

Curieux de tout, Tony m'invite à essayer la technique sur Dominique, qui s'y prête de bonne grâce.

Bientôt, nous nous séparons et Tony me désigne une grande table installée dehors. « C'est là que nous prenons nos repas. Venez tous deux prendre le petit déjeuner demain matin, puis

254

déjeuner et le soir partager avec nous le réveillon de Noël. » A-t-il oublié que le groupe français arrive demain ? Veut-il m'en isoler ? Est-ce une faveur qu'il nous accorde ?

Dois-je préciser qu'à partir de cet instant, je cesse d'écrire. J'ai l'impression que quelqu'un, et pourquoi ne pas le nommer, Tony Agpaoa lui-même, se tient derrière moi et lit par-dessus mon épaule, alors que je m'apprête à tracer quelques lettres. Je veux résister à la suggestion qu'il pourrait, à cette occasion, exercer, tout comme j'éprouve une répulsion à pratiquer l'écriture automatique. Par là, je prétends défendre mon libre arbitre, tout en sachant que je me prive d'explorer tout un domaine.

Soudain je comprends après la leçon d'Agpaoa pourquoi « *Rudy no matter* ». L'important, c'est moi, c'est la résistance que j'éprouve à me laisser aller, à me concentrer, à me « réunir », mais aussi à me soumettre aux forces extérieures, aux forces cosmiques auxquelles il convient d'adhérer. Je ne parviens pas à me fondre dans l'événement pour le connaître. Mon corps intellectuel domine trop souvent la situation et s'isole de mes autres corps. Cela m'interdit de me « réunir », désespère Rudy qui, par mon exclusion du groupe, veut me contraindre à me soumettre à ses lois.

Rudy, en fait, est un ami, je n'avais pas compris le sens à donner à son comportement, ou plutôt n'avais pas voulu entendre ses conseils. Combien de fois a-t-il dit : « *Close your eyes !* »

J'ai appris en une heure plus qu'en trois semaines d'attente. Je range toutes les feuilles de papier avion sur lesquelles j'ai tant et tant écrit, je sais qu'il me faudra terminer cette ébauche de livre à Paris.

Je me lève tôt le lendemain pour courir me baigner dès 7 heures.

— *No, doc*, ne vous baignez pas là, c'est mieux sur ma plage.

En fait, Tony dit « *my place* », et je ne comprends pas très bien ce qu'il entend par là. Il m'entraîne vers un bateau, paie le pêcheur, fait signe à un jeune homme de m'y accompagner et me le présente : c'est le frère de Rudy !

La situation ne manque pas de piquant. Nous glissons sur l'eau bleue. Au loin, la montagne cerne la côte, une vue somptueuse s'offre à nos regards. Il est difficile d'entretenir une conversation, le moteur étant bruyant.

Il est fils de guérisseur, frère de guérisseur, neveu de

guérisseur, mais lui n'a pas « le don » alors il fait ses études de médecine ! Ce qui relève de la plus élémentaire logique !

Nous arrivons sur une très jolie plage de sable blanc et brillant. J'invite mon nouvel ami à se baigner avec moi. Il me confie qu'il ne sait pas nager. Il essaie des mouvements de brasse en gardant un pied sur le fond. J'explique qu'il existe une nage très simple : le dos crawlé, et lui en fais la démonstration. Je dois me montrer convaincante sans doute car il s'exécute, avec précaution d'abord, puis, rapidement tient sur l'eau. Je suis aussi étonnée que lui. Entre deux exercices, nous bavardons. En fait, il m'interroge, je trouve chez lui le même esprit rigoureux, la même technique d'interrogatoire que chez les étudiants rencontrés sur la plage.

D'autres bateaux nous rejoignent, des amis, des aides, et les autres enfants de Niéves (elle en a six). Tout le monde s'ébat dans l'eau claire et scintillante. Mais nous devons quitter la plage. Tout à coup, mon compagnon me demande : « Comment recevez-vous les gens à la peau brune ? » Je fais répéter deux fois la question. Mon problème réside justement dans la blancheur de ma peau et la blondeur de mes cheveux qui me font repérer partout. La couleur de peau des Philippins est très belle et le contraste avec leurs dents très blanches d'un bel effet. Il me demande si je connais les résultats du *peeling* pour éclaircir le teint. Je suis étonnée de l'entendre évoquer ce problème. Il voudrait étudier à l'étranger. Peut-être aux Etats-Unis. Est-ce pour cela ? Nous croisons un bateau sur lequel se trouve Tony en compagnie du couple suisse qui, en octobre dernier, accompagnait Gerda et Hans.

Le frère de Rudy et moi nous nous quittons sur la plage. Il rejoint Manille. Nous n'avons pas abordé la question qui brûlait nos lèvres : notre opinion réciproque sur les guérisseurs philippins et le *power*. Il en est de certains sujets comme de certains secrets de famille : on n'en parle pas à la première rencontre.

Nous nous retrouvons tous un peu plus tard autour de la grande table devant les bungalows d'Agpaoa. L'imposante cuisinière de Baguio qui préparait les *farewell parties* est là. Elle prépare depuis hier tout ce qui orne la table : des poissons cuits et crus, des légumes variés, des viandes accommodées de sauces étranges, des bananes en beignets, des pâtes de noix de coco, de cacahuètes, des galettes de riz, etc. Tony regarde avec joie tout l'assortiment, explique comment on prépare les plats. Je suis à sa droite, mon assiette n'est pas assez grande pour contenir tout ce qu'il souhaite me faire goûter, alors il m'en garnit une seconde !

Nous devisons gaiement en anglais ou en français, car les Suisses sont de la partie ! Quand un car passe dans le jardin, des mains s'agitent aux fenêtres : c'est le groupe français qui arrive. Je vais les accueillir, quittant la table quelques instants.

Plus tard, Tony m'invite à l'accompagner pour souhaiter à tous la bienvenue. Je ne résiste pas au plaisir de m'installer près de mes amis ; la sieste, la plage, les bavardages et la nuit tombe... Les lumières s'allument, les décorations flamboient.

Je dîne avec Tony et sa famille en ce soir de Noël, partagée entre le plaisir d'être accueillie par lui et le désir de profiter de mes amis. Ils vivent loin de Paris et prirent soin de moi lors de ma convalescence.

Tony réunit tout le monde dans une salle à la fin du repas. Il ouvre une bouteille de champagne offerte par un Français, m'en sert une coupe.

Terme inattendu à ce voyage si mal commencé, je fête Noël avec un petit îlot de Français réunis autour de Tony, une coupe de champagne à la main. Comment imaginer cela, quelques semaines plus tôt, quand il évoquait ma présence aux Philippines en décembre !

Puis les aides entonnent des chants au son de la guitare jusqu'à l'heure de la messe de minuit. Dans la nef de l'église de San Antonio, les robes colorées magnifient femmes et petites filles. Tout le monde chante, en anglais, en latin, en tagalog, parfaitement recueilli. Beauté, laideur, santé, misère physiologique se côtoient. Tony est là en compagnie de sa famille mais ne communie pas. Je calque mon comportement sur le sien.

Et c'est le retour. Un cochon de lait cuit au barbecue devant le bungalow. C'est la surprise que nous réservait le guérisseur.

La table est entourée d'arbres ; alors que chacun se régale des préparations culinaires, je vois Tony dissimulé derrière un tronc d'arbre, seul, recueilli. Il passe d'un arbre à l'autre, et observe chacun des membres du nouveau groupe, à l'insu de tous. Il écoute je ne sais quelle voix qui l'informe, il connaît déjà l'essentiel de la vie et de la santé de chacun...

6. NOËL 77

Après quelques heures de sommeil, gourmande d'eau et de soleil, je vais à la plage rejoindre une dernière fois le village bordé de palmiers. J'alterne natation et marche, les pieds dans l'eau tiède. Nostalgique je fais demi-tour. J'aimerais vivre ici six mois de l'année... Comme à l'habitude, en arrivant à la hauteur des dernières paillotes du village, je sens l'agrafe du haut de mon maillot de bain se défaire. Je le retiens agacée. Dès que je passe à cet endroit, depuis que je suis à Bauang, l'agrafe saute, non pas à l'aller mais au retour ! J'ai d'abord cru à une coïncidence et me demande maintenant si un sorcier dans ces cahutes ne guette pas mon passage et ne le signale ainsi ! Je lui jette le mauvais œil...

Je vais prendre le petit déjeuner sur la terrasse de l'hôtel avant de rejoindre Manille en taxi.

Des membres du groupe français sont déjà là et m'invitent à leur table. Je les observe : une guérisseuse sympathique, solide paysanne, de frêles jeunes femmes (vêtues d'orange et de blanc), l'une d'entre elles plus âgée est plus assurée que les autres et parle de la « Mère ». La « Mère » aux Indes l'a saluée, l'a embrassée, est-ce la cause de son assurance ?

Le savoir et le pouvoir qu'ont ces femmes de communiquer directement avec là-haut me troublent. A les entendre, je commence à penser que je manque d'informations et qu'il eût été plus aisé et moins coûteux d'entrer en contact avec les maîtres à penser français et les guérisseurs de chez nous dont quelques-uns séjournent ici plutôt que de confier mon âme à Sunny et à Tony !

Tout à coup, l'une d'elles m'annonce :

— Vous avez quelque chose au cœur...

— Moi ?

— Oui, on me dit que vous avez quelque chose au cœur.

J'essaie timidement de nier, un électrocardiogramme de contrôle après l'accident n'a rien montré.

— Vous avez quelque chose à la valvule mitrale...

La femme transmet le message avec tant d'assurance qu'instinctivement je pose ma main sur le cœur. Je n'y perçois pas de frémissement sous la main.

Comment n'ai-je jamais songé à m'ausculter ? Mon ami cardiologue l'a fait pour moi quand il vint me voir après l'accident. Je cours, je nage plusieurs kilomètres par jour : imprudence ou preuve que tout va bien ?

— C'est quelque chose qui se trouve sous la valvule.

Elle insiste !

Aurais-je quelque atteinte des cordages ?

— On me dit que c'est l'aorte, dit une autre.

— On me dit qu'il y a quelque chose à l'hypophyse, dit encore une autre.

— Non, ce sont plutôt les surrénales...

— C'est psychique, conclut la suivante.

J'éprouve la sensation désagréable d'être déchirée en morceaux par des harpies qui me cernent en jacassant. Je remercie mentalement Agpaoa qui sut me retenir près de lui hier, au risque de me priver de mes amis.

Une sorte de nausée monte en moi et je bénis le ciel de partir dans quelques minutes, sinon, ma spontanéité et mon esprit critique m'entraîneraient très vite à dire leur fait à ces dames. Ce qui m'étonne le plus, c'est qu'un collègue médecin les accompagne. Il portait hier une écharpe orange, à moins que ce ne fût une cravate. Il était assis près de moi hier soir dans le car. Tony nous observa un long moment à travers la vitre comme si quelque chose l'intriguait. Je m'étais alors interrogée sur la signification de ce regard prolongé. Il le testait, lui aussi, et peut-être comparait-il nos vibrations ou se laissait-il conter sa vie.

Ne voulant plus rien savoir de mes maladies, je récupère mes bagages, dis au revoir à Tony qui s'éveille, à Mme Agpaoa, et croise Fred qui m'invite à rester parmi eux ! ! !

Au revoir Bauang ! Je continuerai de suivre Agpaoa. J'ai appris autour du petit déjeuner que pour vivre en dehors des vérités palpables, mieux vaut être sûre de son guide ! Lucidité, esprit critique doivent présider au choix d'un maître ou d'un groupe de recherches.

A Manille, dans le jardin de Philippine Village Hotel, je reprends la plume stérile depuis le vendredi 23 décembre.

J'admire la piscine bleue alimentée par une cascade artificielle et cernée de touffes de plantes tropicales.

J'attendrai deux heures dans une relative fraîcheur faisant le point sur les derniers événements.

— *You are writing a book ?* me dit en riant un Américain installé à la table voisine en désignant mon stock de papier.

— *Ya*, dis-je en riant, moi aussi.

Quelque chose a changé. J'ai répondu « *ya* » me conformant aux usages du pays. J'étais jusqu'alors restée fidèle au « *yes* » anglais de mes études classiques.

Dois-je ajouter que les caméras de Christian de Corguol fonctionnèrent parfaitement, quand il les rendit à Paris à la maison qui les lui avait livrées ? Aucune explication rationnelle ne peut éclairer l'origine des pannes dont elles furent l'objet. Mais nous pouvons imaginer avoir vécu un formidable phénomène psi dont l'issue fut la rédaction de ce livre.

LIVRE IV

LIVRE IV

1. LA MÉDECINE DES TROIS CORPS

« *You'll find your way...* » Vous trouverez votre chemin m'avait dit un jour Agpaoa. De retour à Paris, et persuadée que ces deux derniers voyages ont éveillé en moi de nouvelles possibilités, j'en viens au point crucial de l'expérience : comment utiliser ce nouveau potentiel thérapeutique ? Dois-je modifier ma méthode de travail ?

Celle-ci est bien codifiée quand il s'agit de la réception des patients. Je ne soigne que mes amis et les amis de mes amis. Seule façon de travailler correctement si je veux accorder à chacun le temps qu'il mérite et m'en réserver pour la recherche et les loisirs. Il faut éviter tout surmenage et tout écart pour garder un équilibre parfait durant cette période de mutation.

Je tiens à cette organisation-là, il n'est pas question de la modifier.

Dois-je alors changer quelque chose à mes procédés diagnostiques et thérapeutiques ? Dois-je en un mot utiliser mon *power* au détriment de mon savoir (tout en considérant que ce savoir-là échappe aux normes classiques) ?

Après mûre réflexion, je me refuse momentanément le droit au *power*, ne m'accordant le droit au *feeling* qu'à titre diagnostique, puis je contrôle ce dernier à l'aide de l'oreille et du thème astrologique, et confronte ensuite le résultat de ces différentes formes d'examen. Je sais qu'il est très difficile d'accomplir une mutation totale comme celle qui s'offre à moi, et pratiquement impossible de réduire à néant toute une vie d'étude. Comment accepter de « savoir » (sans même avoir réuni les données du problème à résoudre), puis d'invoquer Dieu afin qu'il exauce nos souhaits si des circonstances s'y prêtent ! Et puis vais-je tolérer de me priver des joies de la recherche et de la découverte ?

Je ne me sens capable de guérir que par aiguilles, granules homéopathiques ou *terpnos logos* interposés, après avoir établi un diagnostic à ma façon.

Pourtant, à mon insu, d'étranges phénomènes se produisent : le transfert de mes forces vers le malade, la perception par celui-ci de chaleur ou de vibrations émanant de mes mains quand je pratique le *feeling*. Parfois même sa douleur s'atténue ou disparaît avant que je l'aie traitée. Je ne veux pas tenir compte de ces avertissements donnés par les patients. Je ne veux pas... savoir que mon action échappe souvent à ma volonté.

Parfois, je suis prise, au cours de l'examen, de tremblements. Ils apparaissent au niveau des mains et des bras, s'intensifient ; que faire alors, sinon laisser tomber les bras et passer les mains sous l'eau !

Essuyant l'oreille avec un coton imprégné d'alcool, il peut arriver que le sang perle spontanément alors que je n'ai pas encore piqué ! Regardant la région à l'aide d'une forte loupe, je vois que certains pores de la peau se dilatent, prenant la forme d'un cratère pour laisser sourdre le sang. Le phénomène peut avoir lieu en un ou plusieurs points, voire même sur toute une ligne !

A la suite de certains traitements, on me signale parfois qu'à distance de l'oreille du sang est apparu, se manifestant sous forme d'un hématome, d'une petite hémorragie utérine ou urinaire, ou qu'une pigmentation cutanée s'est soudainement constituée. Tout cela ne correspond en rien à une aggravation de la maladie, bien au contraire, mais présente le seul inconvénient de me laisser désarçonnée devant ce mystère. J'y vois un lien avec ce qui se produit chez Agpaoa.

Des phénomènes plus étranges, car d'un ordre différent, apparaissent : parfois, au terme d'une imagerie mentale, j'hésite avant de formuler la conclusion positive qui va clore l'exercice, un blanc se fait dans mon esprit, monte alors en moi une phrase qui se formule toute seule, apparemment très éloignée de celle que j'aurais pu évoquer, mais en correspondance parfaite avec la situation.

LA MÉDECINE DES TROIS CORPS

Un jour, après avoir un long moment tapé à la machine, je ferme les yeux pour me reposer : sur un fond noir une silhouette plus claire apparaît, qui dans un large mouvement croise les bras derrière le dos ; pour saisir la signification de cette vision, je fais ce geste ; une succession de mouvements anime la silhouette de ce professeur qui dans l'ombre me guide, j'accepte par curiosité de poursuivre l'expérience... celle-ci terminée, je suis reposée, le dos libéré de toute contracture.

Tout cela ne m'inquiète pas, mais j'éprouve une répugnance à lâcher prise en abandonnant la direction de mes actes. Me voici entre deux mondes, vivant un dilemme. Il faudra trouver le compromis.

Le *feeling* me réserve encore d'autres surprises : la table d'examen est placée près du radiateur et nous sommes en hiver, il faut donc dissocier les impressions fournies par le mouvement d'air chaud de celles émanant du patient ; en quelques jours, il m'est possible de le faire. Or, les magnétiseurs prétendent travailler sur des sensations de chaud ou de froid, me voici donc en dehors des normes évoquées par les magnétiseurs classiques.

Rapidement, il m'est possible de qualifier les sensations en d'autres termes : piquantes, brûlantes, douces, métalliques, douloureuses, visqueuses, agréables... Elles peuvent être tout cela.

Le hasard faisant bien les choses, un jour où le *feeling* s'est révélé particulièrement brûlant, je constate, en examinant le thème, que la planète Uranus, planète de feu, se trouve placée juste à la pointe de l'ascendant (qui caractérise sur un thème la personnalité physique). Ainsi la planète qui transite sur l'ascendant à l'instant de la naissance continuerait de vibrer, tel un diapason, toute la vie durant ?

Comme Alice au pays des merveilles, je découvre la face cachée des choses. Quel émerveillement quand, faisant un *feeling* très précis, je constate que sur le corps, le nombre des pôles perturbés et leur emplacement concordent avec ce que me disent l'oreille et le thème astrologique. En somme, les troubles peuvent donc être représentés sur des schémas très simples.

Alors je suis tentée de réduire le corps humain à l'association d'un certain nombre d'éléments électromagnétiques obéissant à des lois bio-physico-chimiques élémentaires. Ayant oublié ce que m'avaient enseigné les maîtres du certificat de physique-chimie-biologie, je deviens une habituée du palais de la Découverte, assiste aux expériences, prends connaissance des planches explicatives des expositions, achète des livres et des coffrets d'expérience.

Une évidence criante m'apparaît : en un coin quelconque de son corps, au niveau d'une fonction biologique, d'une réaction chimique, d'une donnée microscopique... l'homme possède la qualité spécifique de telle plante, tel poisson, tel métal ou telle roche ! J'admets que nous sommes réellement au sommet de l'échelle des créations de Dieu, en nous sont réunies les propriétés dispersées dans les autres règnes.

Mais, rapidement, j'abandonne cette recherche analytique et reporte à plus tard mes tentatives de compréhension par la voie scientifique.

Alors, j'écris à Agpaoa et lui explique ce qui se passe. « Tout cela est très bien », répond-il, sans m'accorder d'explication supplémentaire.

J'essaie, péniblement, de lire deux de ses livres écrits en anglais, rapportés de Baguio et dont je n'avais pas encore pris connaissance. Selon lui, et en substance, Dieu a deux façons de se manifester, l'une par l'enseignement donné par les prédicateurs de ses églises, l'autre plus directe, plus convaincante, par la guérison spirituelle.

J'ai préparé mon baccalauréat dans une école religieuse, mais dois, à ma courte honte, avouer mon ignorance en matière de théologie et confesser que mes heures de piano je les plaçais à l'heure de l'enseignement religieux et que ces leçons-là d'histoire et de géographie étaient apprises pendant la prière et le sermon du matin. Je ne bafouais pas Dieu, estimant que ces leçons étaient réservées aux incrédules. Elles avaient un petit goût de publicité ou de bourrage de crâne. Croyant en Lui, spontanément, les mots me paraissaient dérisoires et ne m'atteignaient pas.

Il me semble encore que cette croyance immédiate est la plus belle. Il existe des choses indémontrables que les mots ne savent expliquer. Et ce qui m'arrive en est la meilleure preuve, puisque me voici plongée dans un mode de guérison pour le moins surprenant.

Ainsi Dieu m'accorderait des vertus de guérisseur ? J'ai peine à croire qu'une chose semblable puisse m'arriver à moi, médecin. Je médite sur mon thème astrologique, le compare à celui de Tony. Il existe entre nous des accords et des analogies incontestables, bien que nos deux soleils soient au carré. Puis je lis la Bible, guidée par les références qu'il donne dans ses livres. Mon intellect n'en est pas totalement satisfait, mais je découvre que le Christ se sert de l'oreille, parfois, pour guérir !

Combien d'années me faudra-t-il pour mettre en système logique ce vécu qui fait appel à tant de notions disparates ?

En ce printemps 78, je réunis dans ma maison de campagne quelques amis, certains sont allés aux Philippines, d'autres sont très ouverts, d'autres enfin sont des amis, de vrais amis, qui s'intéressent à la démarche que je poursuis simplement parce qu'ils ont de l'affection pour moi, quoique leurs préoccupations habituelles ne les orientent pas vers ce qui m'intéresse.

On parle de l'aura. L'un d'entre eux propose un exercice, l'un des premiers à pratiquer pour voir l'aura, semble-t-il.

Je n'ai jamais vu l'aura (je la sens par le *feeling*). Sans doute ne suis-je pas douée, je juge donc cet exercice inutile et préfère photographier la rangée d'amis alignés sur l'herbe verte. Je les regarde, prête à cadrer, et vois quelque chose que je qualifierais aujourd'hui d'extraordinaire, mais qui, à cet instant, me semble normal. Certains de mes amis présentent autour de la tête une auréole brillante, scintillant comme des diamants !

Les dimensions de ces somptueuses auras diffèrent de l'un à l'autre et certains n'en ont pas. Je commente tout naturellement, et nul ne s'étonne quand je m'écrie : « Geneviève, quelle belle aura vous avez ! »

Ce n'est que le lendemain que je m'étonne d'avoir assisté à ce phénomène, quand je me souviens d'avoir été peinée de n'avoir pas vu ce scintillement autour de la tête de tous ceux qui étaient là.

Trois jours de réflexion me conduisent à la remarque suivante : seuls ceux qui étaient entrés en contact avec Tony Agpaoa avaient non pas l'aura colorée que tous les livres décrivent, mais cette aura de diamants. Un ami m'apprend qu'il est rare de voir ou de posséder cette aura. Elle signifie que le guide spirituel est présent. Je suis donc maintenant persuadée que le révérend Tony Agpaoa peut éveiller le corps spirituel et sans doute nous mettre en relation avec nos aides spirituels et les forces divines.

L'été m'apporte une grande joie : je rencontre le maître Mikhaël Aïvanhov. Il est bien vivant et passe trois mois au Bonfin en Provence. J'apprends que ce maître est la victime tout comme Agpaoa d'un réseau bien organisé qui diffuse fausses nouvelles et calomnies. Mais j'ai lu ses livres et veux le connaître. Une lettre de recommandation me permet d'entrer au Bonfin. En y vivant quelques jours, j'espère avoir la possibilité de l'apercevoir. On m'avertit qu'il est très difficile d'obtenir un entretien avec lui au mois d'août. Je ne m'inscris donc pas sur la liste d'attente car le voir vivre me suffit.

Les conférences se font dans une immense salle à manger (avant et après le repas). Elles sont un régal pour le cœur et l'esprit. Son accent bulgare donne un relief particulier à sa voix. Son beau visage, noble, respire l'intelligence et la bonté.

L'enseignement coïncide avec celui de frère Sunny. L'Orient et l'Occident se rejoignent dans l'expression d'une vérité unique dont le but essentiel est d'apprendre à vivre, à être, plus qu'à paraître.

Sur le plan pratique, il enseigne la maîtrise de soi.

Le matin, se lever avant le jour est une dure discipline. Nous montons en silence sur les rochers qui dominent la propriété et méditons alors que le soleil doucement paraît, deux heures durant.

Le maître monte et descend lestement les rochers sans le moindre essoufflement apparent malgré son âge.

Dans la matinée, exercices, chants et prières précèdent un repas végétarien. Les habitués me disent que bien des états allergiques, des affections cutanées et des douleurs rhumatismales ont disparu pendant qu'ils faisaient ce régime.

Je constate avec surprise que trois cents personnes peuvent dans le silence déjeuner ensemble sans faire le moindre bruit d'assiette ni de couverts !

Le maître considère qu'il s'agit là d'un exercice de maîtrise de soi. Je range mes bagues, montre et bracelet qui, heurtant l'assiette, font que tous me regardent d'un œil culpabilisant car le moindre bruit fait écho.

Tous doivent participer aux exercices physiques, aux chants, aux travaux d'entretien de la propriété. Le travail dans les champs au son de la musique diffusée par des haut-parleurs savamment répartis.

Mais il existe, comme à Baguio, le gardien du seuil. Je rencontre le premier jour une dame particulièrement désagréable qui m'explique ce que je dois faire. La chambre où je dors est chaude et bruyante, située juste au-dessus de la boulangerie dont les moteurs tournent la nuit, quand le calme revient à l'aube, il est temps de se lever pour la méditation. L'insomnie et le changement de régime m'épuisent. Je décide de tenir trois jours complets, pas plus.

Exception faite de cette désagréable personne, tout le monde est calme, détendu. On se sourit quand on se croise. On se déplace et l'on travaille au son de la musique, celle-ci, admirablement choisie, donne un rythme tout particulier à la vie, j'ai l'impression que tous se déplacent dans un autre monde !

La veille de mon départ, je suis, à mon étonnement, convoquée par le maître. Il me reçoit dans son jardin et ressemble au Bon Dieu des images d'Epinal au paradis terrestre. Je demeure là, éblouie par cette apparition. Il me demande de demeurer quelques jours de plus et me propose d'habiter avec ses invités dans une dépendance de son propre jardin. Il affirme que je sais beaucoup de choses mais que commençant déjà à me « disloquer », j'ai besoin d'être aidée.

Ainsi je vais pouvoir observer comment s'effectue la mutation en France, dans les meilleures conditions : mutation douce, protégée, encadrée par la présence du maître et des anciens. Quand les premiers bouleversements physiques et psychiques apparaissent, tout est simple. Il est normal d'en parler. Les anciens en connaissent toutes les phases pour les avoir déjà vécues. Ceux qui sont déjà partis et n'ont pu supporter le début de l'initiation accableront sans doute le maître, le rendront responsable de leurs propres faiblesses qu'ils ne savent admettre ni reconnaître. Il leur faut donc un bouc émissaire !

Tous ne comprennent pas les vertus du silence, de la maîtrise du corps, du travail de l'esprit ! Le maître insiste d'ailleurs sur la nécessité de posséder un bon équilibre pour venir travailler près de lui. Il est un éveilleur et non pas un thérapeute. Cela demanderait un encadrement tout particulier.

Je suis frappée par l'importance des phénomènes physiques que je ressens au cours de cette initiation : maux de tête, douleurs osseuses. J'ai l'impression que mon sternum s'ouvre, que mon thorax se disloque ; des rêves étranges, des phénomènes de dédoublement, de brèves angoisses m'affectent beaucoup moins. Je connais tout cela.

Des propos s'échangent entre individus de milieux très différents : on vient ici du Canada, de l'Amérique, de l'Europe occidentale. Je rencontre même quelques Soviétiques et la femme d'un dirigeant africain !

Chacun raconte son éveil, sa joie, son extase et le chemin difficile qu'il a fallu parcourir. Musicien, chef d'orchestre, poète, peintre, médecin, ingénieur, architecte ou danseur, chacun a son histoire, exprimant avec des mots différents une même aventure. Je retrouve là avec étonnement quelques personnes rencontrées ailleurs, au cours de ma vie, telle une esthéticienne dont la qualité des propos m'avait frappée dix ans plus tôt (elle suit Mikhaël Aïvanhov depuis vingt ans) et l'employé qui surveille l'entrée du pont de l'île d'Oléron où je passe souvent mes vacances : la profondeur de son regard, la bonté qui en émanait me l'avaient fait remarquer.

Tous s'éveillent, osant se le dire, et les entretiens amicaux auxquels je participe m'apprennent beaucoup.

A la lumière de mon expérience de thérapeute et de ces conversations, il me semble possible de dire que bon nombre de maladies psychiques, de névroses, de phobies et peut-être de pulsions suicidaires, représentent des manifestations spontanées de l'éveil de l'âme à l'occasion d'une période de crise : chagrin, perte d'un être cher, drame financier... Cet éveil spontané, cette prise de conscience d'une autre dimension de soi et de sa solitude face à l'univers et à son destin, se produit là dans des conditions particulièrement défavorables.

Au lieu d'exister, l'individu s'était identifié à quelqu'un ou quelque chose d'autre : personne aimée, argent, travail, qui lui tenait lieu de personnalité. Son individualité, il ne la connaissait pas ! La disparition de ce qui lui servait de prothèse à vivre laisse une vacuité au sein de l'être. La prise de conscience de l'inoccupation d'une partie de soi-même engendre l'angoisse. Pour venir à bout de cette angoisse, il va falloir... trouver une autre prothèse ou développer la dimension de soi qui était atrophiée.

La période de crise n'en favorise pas le développement harmonieux. Le médecin ou le psychiatre ne sont qu'exceptionnellement initiés. Ils seront incapables d'accomplir le travail d'un maître, ou plutôt ils travailleront dans le sens contraire, en étouffant ce moi qui s'éveille, par des hypnotiques et des tranquillisants.

Qui saura expliquer au patient ce qui lui arrive et le diriger dans cet affrontement avec les forces de l'invisible ? Nul ne lui expliquera que ses facultés assoupies s'éveillent, qu'il s'agit là d'une chance, que c'est un grand moment de sa vie. Tout se passera très bien s'il comprend où il va, grâce à quelques lectures, à l'acceptation calme d'une expérience vécue et peut-être à l'appui d'un maître.

270

Dans cette faille qu'offre la médecine et dans l'actuelle incapacité de la plupart des membres du clergé, réside l'origine de la floraison de sectes variées (de qualité sans doute inégale, et qui peuvent faire appel aux forces d'en bas plutôt qu'à celles d'en haut, mais peut-être à tout prendre, moins toxiques que les thérapeutiques psychiatriques. Elles ont au moins compris que nous avions une âme prête à se manifester et à se développer).

Mais le plus sage est sans doute de pratiquer régulièrement un stage initiatique afin d'être armé quand arrive la crise. Et la plupart de ceux qui sont autour de moi ont adopté cette mesure préventive depuis des années.

Me voici donc, ayant parcouru un long chemin depuis l'instant où je quittai mes fonctions hospitalières. Je ne connaissais qu'une médecine, traitant un corps matériel fait d'os, d'organes, de muscles, d'un système nerveux... J'ai découvert, par la pratique, le corps éthérique, en relation étroite avec la lumière et les couleurs, il vibre et possède une fonction énergétique *, il anime le corps et lui donne la vie. Enfin, je découvre l'aura spirituelle, et en devine les manifestations.

Je suis amenée tout naturellement à penser qu'il existe trois sortes de médecine : la première s'adresse au corps physique, c'est notre médecine classique ; la seconde s'adresse au corps éthérique, qui répond aux vibrations émises par les médicaments homéopathiques, aux manipulations d'énergie de l'acupuncture, de l'auriculomédecine, au *terpnos logos* et probablement aux guérisseurs.

Enfin, il existe un corps spirituel, que seuls les maîtres véritables peuvent éveiller, diriger, et qui sans doute possède lui aussi sa pathologie propre. Mieux que tout autre, il nous fait entrer en communication avec la face cachée des choses mais aussi avec la force divine.

Je me sens, après cette mise en ordre, satisfaite. J'ai donné un tour logique à mes perceptions nouvelles. Je les ai mises en forme. Elles perdent leur apparente incohérence.

---

* Il serait éventuellement capable d'expliquer le mystère du suaire de Jésus-Christ.

2. LE QUATRIÈME VOYAGE

L'état de santé de ma grand-mère me retient en France durant l'année 78. Je repars en février 79 pour les Philippines. Sans demander conseil à Tony Agpaoa, je fixe la durée de mon « travail » à trois semaines, estimant cette période suffisante pour franchir une nouvelle étape. De retour en France, j'espère mûrir sans douleur. Si j'analyse les raisons de cette décision, je découvre une certaine faiblesse de ma part : partant en initiation, donc vers une période d'épreuves, je ne veux point trop en supporter. J'additionne à ce temps le nombre de jours de voyage nécessaires et retiens ma place d'avion aller et retour. J'élimine une partie des circonstances imprévues qui pourraient me retenir aux Philippines !

Un autre problème : mon éventuel pouvoir de matérialiser. Certes cela m'intéresserait d'être capable de le faire, mais j'envisage avec effroi les conséquences pratiques de ce pouvoir, j'espère en un sursis.

Il existe un temps pour tout et je me persuade que dans les semaines à venir il me suffira d'explorer les possibilités d'un autre mode de pensée et de connaissance : j'adopte la formule de Mikhaël Aïvanhov : « Je m'instruis auprès de l'intelligence de la nature, car elle ne trompe jamais, elle n'a aucune défaillance, elle possède tous les critères, c'est la seule autorité à laquelle je me réfère. » Ce n'est pas une démission face à mes éventuelles possibilités, c'est une lente maturation, je me construis sur de solides assises.

LE QUATRIÈME VOYAGE

Me voici donc à Baguio un samedi en fin de matinée. La séance de *healing room* se termine : Tony a déjà disparu, les aides vont se disperser. Je distribue mes petits souvenirs de Paris. Ils s'en amusent. Tous m'accueillent avec joie et m'annoncent avec fierté que le nouvel ashram est ouvert. Le Diplomat Hotel vit ses derniers instants. La gracieuse Vilma m'y accueille et je m'y installe pour quelques jours, le temps de trouver une petite maison ou un appartement à louer. En dehors de tout problème financier, se glisser dans le système de pensée des guérisseurs, tout en vivant dans un hôtel de standing international, me semble impossible.

Dès la première nuit, je rêve que Tony vient me dire qu'il est heureux de me voir de nouveau parmi les membres de son équipe et m'assure que tout ira bien avec Rudy. Mais, soudain, il se plaint de ressentir une douleur brûlante à la jambe. J'entends sa plainte, visualise sa jambe, sa cheville, son pied. La conversation se fait en anglais, s'accompagne de sensations et d'images. Mais un point demeure obscur. J'entends le mot « injection » qui se répète et voit deux choses qui, animées d'un mouvement convergent, se dirigent d'avant en arrière et de dehors en dedans, au-dessus de la région sus-claviculaire, en direction de la bouche. Je ne peux définir ce dont il s'agit. Tony me demande de le soigner, essaie à nouveau de m'expliquer qu'il se passe quelque chose au niveau du cou. Je ne comprends pas et m'éveille agacée !

Ce premier week-end se passe en compagnie de Français, un groupe se trouvant là pour quelques jours encore.

Le lundi matin, tout commence comme autrefois, par la prière en compagnie de frère Sunny qui prêche. « Chacun porte en soi de l'amour qu'il doit transmettre aux autres. L'amour se transforme en énergie. Celui qui donne son amour est toujours récompensé. S'il ne le fait pas, il bloque cette énergie et s'épuise en conflits émotionnels. Dieu nous accorde, nous transmet cet amour d'une façon inconditionnelle, sans mesure. Acceptez, puis libérez cette énergie quand vous pénétrez en salle de *healing*. Vous communiquerez plus facilement avec les guérisseurs qui vous mettent en relation avec l'énergie divine. Ils sont les instruments de Dieu. »

Je me dirige vers la salle de *healing* en même temps que le groupe. Sur le pas de la porte, tous sont là et m'embrassent. Tony lui-même apparaît et me donne le baiser de l'arrivée.

Un peu anxieuse, je me demande s'ils vont me permettre de pénétrer dans la salle. Oui, on me fait un signe d'accueil.

Les premiers malades entrent et je me place à la tête d'une table. Pendant qu'ils se déshabillent, Tony pose ses mains sur mon front, puis sur mon plexus solaire, et enfin place les miennes sur le thorax du malade qui s'allonge. Quelques minutes plus tard, c'est Nieves qui, en passant et se tenant debout derrière moi, palpe d'une main mon plexus solaire, de l'autre ma région dorso-lombaire, comme pour équilibrer quelque chose. Je travaille avec Tony (évitant prudemment Rudy) en fermant les yeux pour me concentrer malgré la curiosité qui me tenaille. Je sens les odeurs de sang, j'entends son bruit de clapotis sous les doigts du maître, mais n'ouvre les yeux que lorsque le O.K. de l'aide avertit le patient qu'il peut se lever.

Quelques jours se passent, tous semblables : prières et sermon du matin devant saint Martin du Porès, patron des pauvres et des affligés ; *healing room*, repos et conférence à 13 heures. Sunny délivre une heure durant son enseignement aux Français, Canadiens, Néo-Zélandais, Argentins, Américains présents. Bientôt, Rudy me félicite de garder les yeux fermés, de bien me concentrer et d'émettre à présent de bonnes vibrations. Il me soulage ainsi d'un grand poids !

Chaque matin, je me demande si l'on va m'accepter en salle de *healing*, chaque matin, l'aide me fait signe d'entrer.

Je suppose que Tony, en me faisant poser les mains sur le malade, m'a soustrait à la tentation de parcourir la surface du corps à la recherche des diverses qualités de vibrations et fait taire ainsi mon intellect curieux. Je me consacre entièrement à recueillir les sensations correspondant à une zone très précise, celle qui se trouve sous mes mains immobiles.

Angelo, un aide, me trouve chez des amis une chambre à louer. Elle est au pied de la colline, tout près de la ville. Je visite un soir cette maisonnette humble, propre ; en entrant, une pièce où la télévision tient la place d'honneur, deux petites chambres à droite, un escalier qui descend en colimaçon à gauche. Le père, la mère, le bébé, une jeune fille me reçoivent.

J'imagine le bruit de la télévision, les cris de l'enfant, non, aucune de ces chambres ne me convient. On m'explique qu'en bas existe une autre pièce, tout près de la cuisine et de la douche. Ce n'est qu'un débarras pour l'instant, mais on l'arrangera si bien ! La maison est si tranquille ! La femme est seule toute la journée avec le bébé ; sa sœur et son mari travaillent à Manille (300 kilomètres). Je sens qu'ils attendent ce revenu inespéré, mais aussi que mon épreuve pourrait bien se situer dans ces lieux. Ces visages souriants, cette façon de vous accueillir avec chaleur me donnent envie d'accepter que l'épreuve ait lieu ici. Je la limite en ne m'engageant que pour huit jours...

En voyant cette misérable pièce dans laquelle je vais vivre une semaine de mon plein gré, je pense que ma famille serait définitivement convaincue de ma folie. Mais j'ai suffisamment compris comment fonctionne le système initiatique pour savoir où je me dirige, même dans l'invraisemblable. Et puis, l'épreuve sera abrégée par un week-end à Bauang, en compagnie du groupe français.

Quand je reviens pour m'installer le lendemain, une bonne surprise m'attend : un tapis de coco est posé sur le sol de ciment ; sur les misérables murs, du papier, « sur une partie seulement car on n'avait pas assez d'argent pour en mettre partout », des morceaux de ruban adhésif retiennent chaque lé. Sur des ficelles accrochées au plafond, des cintres sont suspendus. On espère, plus tard, mettre un rideau à la fenêtre pour que le jour ne m'éveille pas. Suprême confort, Angelo m'a déposé sa radiotélévision pour que je ne m'ennuie pas !

Mais quand je veux faire ma toilette du soir, j'apprends que la douche dont on m'avait parlé est située dans les w.c. et qu'elle fonctionne à l'eau froide. D'ailleurs, il n'y a pas d'eau, celle-ci est coupée pour quarante-huit heures dans cette partie de la ville.

J'ôte le mince couvre-lit : ni drap, ni couverture, ni traversin, ni oreiller. Ils n'ont pas cela. M'enroulant dans le dessus de lit, je me couvre de mon manteau et pose ma tête sur un petit coussin.

Gardant tout mon calme, je sais que l'épreuve est commencée et feuillette le livre de Rudolph Steiner intitulé *L'Initiation*, pour rechercher quel stade je vis. Une trop faible lumière descend du plafond. Je réclame une lampe. Ils me prêtent la leur ; en l'installant, ils s'étonnent que je préfère lire plutôt que de regarder la télévision d'Angelo. Comment leur expliquer...

Je me tais.

A peine endormie, les moustiques, sans doute mis en appétit par ma peau claire, se déchaînent. Les couleurs douteuses et les recoins de la chambre ne facilitent pas leur détection.

Vers 2 heures du matin, l'eau coule (bonne nouvelle) mais des assiettes s'entrechoquent, des va-et-vient au-dessus de ma tête et dans la cuisine (séparée de ma chambre par une mince cloison) m'apprennent qu'à cette heure tout le monde est debout. Cet horaire me semble bizarre.

A 4 heures du matin, les nombreux chiens de la ville basse commencent à hurler. Savent-ils quelle menace pèse sur eux ? (On se nourrit parfois à Baguio de chiens et de chats.)

Un peu plus tard, le calme est à peu près revenu et le sommeil commence à me prendre, mais un soleil brillant éclaire mon visage de plein fouet et me réveille. Le travail commençant bien souvent à 7 heures, il est temps de se lever.

Alors mon hôtesse s'active, me proposant de faire chauffer de l'eau pour ma toilette dans sa bouilloire, sur le petit réchaud à alcool. Mon bol est déjà sur la table, des petits pains chauds apportés par Angelo m'attendent. On sort de la confiture, des œufs.

Quittant la maison pour rejoindre le Diplomat, je reconnais la voiture du maître, qui s'arrête à cet instant et m'emporte. J'arrive sans fatigue supplémentaire au sommet de la colline.

Les nuits blanches se répètent. Je comprends très vite que le mari part à Manille une nuit, pour revenir la nuit suivante. Certes, les journées sont calmes mais que m'importe, je vis ailleurs le jour !

Ces insomnies me laissent le loisir de réfléchir et de méditer. Le décalage horaire, qui en raison de mon nouveau rythme de vie approche les douze heures, me laisse dans un curieux état de conscience. J'en profite pour faire connaissance avec ce nouvel aspect de moi-même et remarque combien l'épreuve de non-sommeil est enrichissante.

Depuis que j'ai, à Paris, obtenu à mon insu la production de sang, mon état d'esprit s'est transformé. Je ne doute plus. Tout est simple dans mon attitude. J'en prends tout particulièrement conscience le matin, où le froid de la nuit m'ayant surprise, je sens mon nez couler alors que je suis en *healing room*.

Je n'ai pas de mouchoir, mais il y a sur la table un monceau de bouts de coton tout préparés à l'intention des guérisseurs. Je demande la permission de me servir. Des paroles s'échangent en tagalog entre les aides, Nieves et Rudy, puis on me fait signe : « Oui. » J'en reprendrai à plusieurs reprises ce matin-là.

Autrefois, je regardais ce coton avec intérêt, suspicion, quelque ampoule s'y cachait peut-être, destinée à donner l'impression du sang ; quelque matière y était peut-être dissimulée que l'on ferait apparaître le moment venu (c'était écrit dans tous les journaux).

Ce monceau de coton représentait un pôle d'attraction, un coin gardé, défendu, j'en avais presque peur ! Je m'aperçois que tout cela n'était qu'une construction créée de toutes pièces dans mon esprit à partir d'idées préconçues.

Un autre jour, le sang gicle si fort que mes mains en sont éclaboussées. Je souhaite les laver. J'en demande la permission tout en désignant la petite pièce réservée aux guérisseurs. Ils s'y rendent entre chaque intervention pour s'y laver les mains dégoulinantes de sang.

Le même entretien en tagalog précède l'autorisation. Je me souviens combien cet endroit était pour moi mystérieux, chargé d'interdits, de suspicion et de mystère. N'y avait-il pas là une réserve d'intestins et autres déchets animaux ? J'y entre aujourd'hui et ne découvre qu'un lavabo et un w.c., strictement rien d'autre !

Je suis persuadée que ce sont les journalistes qui avaient induit en moi le doute sur le coton et les lavabos. Mais je n'ai jamais fait de fixation sur le dessous des tables ; ma position à la table des guérisseurs excluait cette possibilité de fraude.

Tout devient simple et clair. En lisant *L'Initiation* de Rudolf Steiner, je comprends ce soir-là le sens de la phrase : « Un homme ne peut découvrir sur les mystères de l'existence que ce qui répond à son degré de maturité. C'est pour cette raison qu'il rencontre des obstacles à mesure qu'il avance vers des degrés supérieurs qui doivent lui permettre de savoir et de pouvoir. »

Je suis persuadée que les obstacles sont très souvent des créations artificielles de notre esprit et que le jugement que l'on qualifie en Europe d'objectif est un leurre. Cette objectivité ne repose que sur des éléments pris çà et là au gré de ce qui nous convient. La vérité, que l'on pourrait appeler cosmique, est tout autre ; et celle-là ne change pas de part et d'autre d'une frontière.

Le week-end à Bauang est bienvenu. J'apprécie une nuit calme de douze heures et la douche chaude au réveil. La marchande de coquillages est toujours là et me reproche de n'être pas venue l'an passé : « Je vous ai attendue toute l'année. »

Rentrant le dimanche soir par le car du groupe français

au Diplomat, je dispose d'une heure en attendant que débute la *farewell party*, et demeure dans le hall bavardant avec le groupe canadien. Tony paraît, marchant avec difficulté : au cours d'un repas traditionnel pris en compagnie de Japonais, sur une table basse, jambes repliées, il s'est levé rapidement pour répondre au téléphone. Mais ses pieds engourdis ne l'ont pas porté. Il s'est fait une entorse. « Nieves a remis en place et fait un bandage », me dit-il.

Le sens du rêve de la première nuit m'est alors dévoilé : le mouvement des deux injections vers le cou correspond à celui des baguettes utilisées pendant le repas ; il est clair que la douleur brûlante correspond à celle de l'entorse. Comme il me demandait dans le rêve de le soigner, je le lui propose. J'éprouve une bizarre sensation à cette instant, car je relie le rêve à la réalité, et nous sommes complices du phénomène. Il accepte ; c'était prévu.

Sans doute va-t-il mettre ma technique à l'épreuve et peut-être pratiquer sur moi un *feeling* déguisé, comme autrefois.

Le groupe de Japonais viendra se faire soigner dans un instant en *healing room*. Nous nous installons dans la salle de massage.

Je l'examine et traite le côté homologue de l'entorse ; quand je veux vérifier l'autre côté, il m'interrompt : il se garde un côté pour travailler en *healing room*, pendant ce temps l'énergie circulera entre l'oreille et le pied et soignera son entorse.

Sur le seuil de la salle de massage, Niéves et Rudy apparaissent dans l'ombre, stupéfaits de voir l'élève soignant le maître !

Je comprends ce qu'il entend faire de son énergie quand, quelques minutes plus tard, il me refuse le droit d'ôter ses aiguilles, et se dirige vers la salle de *healing* rejoindre les malades, arborant celles-ci plantées sur l'oreille ! Au plafond les ampoules fonctionnent par intermittence tandis que Tony travaille. Quelqu'un vient les vérifier à la demande du chef de groupe. Rien n'y fait. C'est dans une ambiance disco (selon Rudy) que nous travaillons. Je suis près de Tony et garde les yeux bien ouverts. Mes mains ne sont parfois qu'à quelques centimètres des siennes et j'observe. Il joue la grande forme : à vive allure, il matérialise, extirpe quelque chose, puis « *one, two, three* » dématérialise ce qui était sous sa main droite, à moins que cela ne réintègre le corps ! Les lumières s'allument et s'éteignent à un rythme rapide. Je n'ai jamais vécu dans une telle ambiance. Est-ce de la magie, du music-hall, du théâtre, ou tout simplement une manifestation du *power* ? Il me semble que Tony, fatigué par l'accident, perturbé dans ses circuits par mes aiguilles et privé de l'énergie solaire, se branche sur celle de la lumière électrique et la transmet aux Japonais souriants et polis, qui s'inclinent, mains jointes, saluent, s'allongent, resaluent et défilent sous nos mains à un rythme qui s'accélère. Je me souviens du triangle qu'il m'avait dessiné : source d'énergie (soleil ou lumière), transmetteur (guérisseur) et receveur (malade).

Le sang coule. Tony va et vient, se rinçant les mains entre chaque malade. Je surveille mes aiguilles au cours de ses déplacements. Va-t-il les perdre ?

Les trois guérisseurs travaillent à un rythme accéléré sous cette danse des lumières et dans un coude à coude. Rien ne favorise la concentration, je m'accorde d'assister à un spectacle unique dans cette ambiance magique et singulière, d'une intensité exceptionnelle.

Parfois, en fin de traitement (j'ai remarqué cela depuis longtemps), les guérisseurs sont pris de toux ou amorcent un effort de vomissement. Ce soir les circonstances me permettent de porter attention à tous les trois en même temps, et je remarque la relative fréquence du phénomène. Elimineraient-ils par la toux, ou cet effort d'expulsion gastrique, quelque énergie pathologique subtile qui ne se serait pas fixée sur le coton, qui les aurait traversés, ou bien sont-ils eux-mêmes en désordre vago-sympathique à la fin de l'effort ?

Tout est terminé. Les malades disparaissent de la salle, les lumières se stabilisent. Tony me tend son oreille. J'en retire les aiguilles. « *Very strong effect* », dit-il en me remerciant.

Puis, c'est la *farewell party*. Les Français s'en vont demain. J'en suis un peu triste mais il est mieux de couper le contact avec la civilisation occidentale...

Habiter dans une famille philippine resserre les liens qui m'unissaient aux aides. Depuis longtemps, j'étais amie de June et d'Angelo. Le premier avait déniché les villas que j'avais habitées lors de mon précédent séjour, le second m'avait indiqué l'actuelle location.

Souvent, les uns et les autres entrent dans la maison, bavardent avec mes hôtes et moi-même. Ils souhaitent me distraire et m'inviter quand ils se rendent ensemble à une soirée. Mon ex-ennemi Fred, lui-même, est devenu un ami : souvent il prend son petit déjeuner au minuscule bar voisin et m'invite alors à remonter au Diplomat dans sa voiture. Souvent, quand je grimpe lestement cette route, les uns ou les autres me prennent au passage, mais je ne suis pas très pressée de faire une rencontre car j'aime marcher sur cette route, admirant le paysage, respirant l'air frais du matin, sous un soleil tout neuf, alors que c'est l'hiver à Paris.

Un soir, en bavardant, je demande à Angelo s'il connaît Mlle X, ethnologue, diplômée de la faculté des sciences (si l'on m'a bien informée), venue passer quelques mois aux Philippines pour étudier sérieusement la question des guérisseurs philippins. Elle aurait été envoyée par un organisme de recherche expérimentale. Au terme de cette étude, ses conclusions étaient, m'avait-on dit, en formelle contradiction avec les miennes. Je lui téléphonai. Elle m'apprit alors que les matérialisations n'avaient jamais existé aux Philippines et qu'elle avait détecté la façon dont les guérisseurs faisaient leurs tours de passe-passe. Elle ajoutait encore que (étrange honnêteté !) lorsqu'elle n'avait pas su repérer le truc, ils le lui avaient indiqué ! Je lui répondis qu'ils ne manquaient pas d'humour et s'étaient bien moqués d'elle. Elle ajoutait, pour confirmer sa version des faits, que les aides lui avaient avoué qu'ils allaient faire le marché très tôt le matin, pour s'approvisionner en matière première.

Angelo et moi parlons d'elle. Oui, il s'en souvient. Quand je lui raconte la version du marché et des trucs, il éclate de rire : c'est une farce, on s'est moqué d'elle ! La matérialisation existe bien. Eux-mêmes parfois la font quand ils se soignent entre eux pour quelques petits maux sans faire appel à Rudy ou Niéves.

Pourquoi l'a-t-on laissée s'enfoncer dans l'erreur ? Pourquoi ce conciliabule avant de me laisser toucher moi-même au coton ou entrer dans les lavabos alors que rien n'y était caché ? Créent-ils artificiellement une barrière entre leur pouvoir et notre curiosité ? Cela ressemblerait-il aux erreurs volontaires de certains livres, comme l'évoquait un jour Lavier, ou bien à l'attitude qu'avait Paul Nogier parfois au début de mon stage chez lui. « Je vous révélerai cela plus tard, il serait dangereux de brûler les étapes. Il faut éviter les chocs que produisent la révélation de certaines choses. »

Peut-être savent-ils qu'un homme ne doit découvrir sur les mystères de l'existence que ce qui répond à son degré de maturité ?

Cette jeune femme est allée explorer le monde des guérisseurs munie d'une bonne foi de parapsychologue et d'ethnologue occidentale. Elle est allée s'informer et juger, envoyée là par un organisme officiel. Elle a voulu étudier ces hommes à la façon dont on étudie une colonie de souris ou de cobayes. Or, « si l'on veut juger, on ne peut en principe rien apprendre » (R. Steiner). Quant à moi, j'ai eu la chance d'y aller envoyée là par un enchaînement de circonstances exceptionnelles et de trouver un maître qui m'invite à travailler sous sa direction. Il était fatal que nous n'aboutissions pas aux mêmes conclusions bien qu'armées initialement de la même sincérité.

Tout le problème de l'étude des phénomènes parapsychologiques se situe à ce niveau. Le terme « parapsychologie » a été proposé par Max Dessoir en 1889 pour caractériser « toute une région frontière encore inconnue qui sépare les états psychologiques habituels des états pathologiques ». Et c'est par des moyens scientifiques qu'elle est actuellement étudiée. Au terme de chaque étude, on ne peut se borner qu'à vérifier l'existence de ces phénomènes, par des méthodes statistiques par exemple, mais on est amené à conclure qu'ils ne sont pas reproductibles et qu'ils défient nos lois.

Il ne peut s'établir qu'un dialogue de sourds entre ceux qui ont accès au « pouvoir » et ceux qui n'y ont pas accès. Car pour l'étudier encore faut-il réellement avoir accès à ce monde étrange. Le phénomène se produit à notre insu, il semble donc être non reproductible ; de là à prétendre qu'il faut un ensemble de circonstances particulières et mystérieuses pour le reproduire, il n'y a qu'un pas. En fait, pour un homme comme Agpaoa, tout est clair : il sait quand il peut matérialiser, il sait quand il doit interrompre son action car l'aura du patient et ses modifications de couleurs le guident.

Il ne faut donc pas conclure que les lois de la parapsychologie sont le fait du hasard. Disons au contraire que nous Occidentaux ne connaissons pas les lois de reproductibilité.

Une bonne définition est donnée en 1967 par Zdenek Rejdak qui, sous le nom de psychotronique, désigne l'étude des « phénomènes dans lesquels l'énergie est dégagée par le processus de la pensée ou par la pulsion de la volonté humaine ».

Reste à deviner les lois qui président au dégagement de l'énergie humaine par le processus de la pensée ou de la volonté.

3. TRANSITION

La semaine de location terminée, je quitte ma famille philippine, en ayant l'impression d'avoir achevé mon pensum. Je retrouve le Diplomat Hotel mais chacun des aides me dit qu'en réalité il me faut trouver maintenant un appartement près de l'ashram où les malades commencent à affluer. Je m'accorde quelques jours de paix au Diplomat où je suis sur place pour commencer à 7 heures la matinée de travail.

Un jour, la séance se terminant, Fred — le chef des aides — m'avertit que je dois aujourd'hui me joindre à l'équipe qui part travailler à Luknab, le révérend Agpaoa en a décidé ainsi. La voiture du maître m'y conduira. Le chauffeur me fait signe de monter à l'arrière, puis Tony arrive et sans un mot s'installe aux côtés de celui-ci. Il est muet. Je n'ose engager la conversation, mais pense qu'il est très impoli de faire ainsi semblant d'ignorer ma présence. Soudain, je réalise qu'il est capable de me deviner. J'essaie d'oblitérer en me concentrant sur le paysage... pendant environ une demi-heure et c'est bien difficile. Je crois maintenant qu'il eût été plus astucieux de me mettre à son écoute secrète.

Après avoir descendu Dominican Hill, traversé la ville, puis le parc de Baguio, nous voyons surgir Luknab. C'est un véritable nid, abrité du vent, du froid, des brouillards, et cerné par un cirque de montagnes dont les silhouettes s'échelonnent à l'horizon. On y descend par une route abrupte. Nous croisons des paysans. Je m'apitoie sur leur sort difficile, car ils vont à pied. Plus tard, je changerai d'avis.

282

Luknab, c'est la réalisation du rêve que Tony caresse depuis si longtemps ! Avec l'argent des dons qui lui sont faits et le concours d'architectes japonais, il a réalisé ce centre de traitement.

Un côté est réservé aux Occidentaux, et les chambres donnent sur une immense piscine encore vide. L'autre est conçu pour les Orientaux : pièce d'eau et cygnes qu'enjambe un pont tel que les gravures japonaises anciennes le suggèrent. Dans ce parc oriental : une chapelle couverte, protégée sur ses neuf faces par des parois de verre.

Dans la salle de *healing* provisoire, cinq lits bas sont alignés ; sur la droite, une petite salle d'eau et un bureau à l'entrée duquel se tient un homme jeune d'origine philippine. Tony me présente le Dr Ramos, jeune chirurgien classique. Puis je salue le Dr Païsing, l'acupuncteur que je connais bien.

Nous voici : trois médecins, trois guérisseurs, sept aides, pieds nus, attendant l'arrivée des malades.

Un aide, puis un autre, puis un troisième, viennent m'expliquer qu'il me faudra faire « *magnetic healing* ». Je les sens inquiets de ma réaction à cette proposition. Tous craignent un refus de ma part et se souviennent des problèmes créés au Diplomat en 77. Ils ne me donnent pas un ordre. Ils transmettent ce qu'a demandé le révérend Tony Agpaoa : je dois me tenir aux côtés du chirurgien dans la petite pièce dont la porte est ouverte. Je travaillerai là. Ce dernier verra les malades qui le demandent, prendra leur tension artérielle et moi je ferai *magnetic healing*.

J'accepte. J'admets l'idée de rester en *healing room* le matin au Diplomat, et de compléter l'enseignement par le *magnetic healing* à Luknab ensuite. Je me sens bien dans cette pièce qui communique avec celle des guérisseurs. De mon poste je vois tout. Le jeune chirurgien est sympathique. Il a des dossiers sur le bureau. Je suis à l'aise. Une belle fenêtre donne sur la montagne et la forêt qui seront mes sources d'énergie.

Nous travaillerons ici encore cet après-midi.

Rudy et Niéves me raccompagnent en ville le soir. Après un tour de marché, je rejoins le Diplomat.

Quelques jours vont ainsi passer, entre le Diplomat et Luknab. Nous voyons parfois plus de cent malades dans la même journée.

Un certain nombre me sont destinés. On veille à ce que je ne les voie pas la première. Je n'ai le droit de travailler que lorsqu'ils sont déjà traités. J'imagine que c'est pour me protéger car je ne sais pas encore bien manipuler l'énergie, et au rythme d'enfer auquel nous travaillons, certaines interférences avec l'énergie perverse, par leur répétition, seraient capables de me nuire.

Agpaoa vient un instant m'observer. Il répète : « Vous posez les mains et vous prenez l'énergie à l'extérieur. »

Oui, je sais que je ne dois pas donner mon énergie mais être un transmetteur.

Les malades sont encore tout vibrants de celle des guérisseurs quand ils s'allongent sur le lit bas, leur tension déjà prise par le Dr Ramos. C'est lui qui les dirige vers moi, expliquant que je suis *faith healer* (guérisseur par la foi), mais aussi médecin et que c'est très rare de pratiquer les deux médecines. Je semble l'étonner. Il dit que j'ai « fortune » dans les mains. Je fais la moue. Vérifiant dans le dictionnaire, j'apprends que c'est la chance, le don. J'accepte cette fortune-là. J'admets qu'il puisse le penser, je n'en suis pas convaincue. Puis-je vraiment transmettre l'énergie ainsi ? En fait, je ne sais que localiser les perturbations. Je m'arrête là. Je n'émets pas. Même parvenue au niveau d'élève guérisseur, je suis affligée du défaut qui affecte le corps médical : le diagnostic avant toute chose. Pourtant, ne voyant les malades qu'après traitement, les guérisseurs m'ont pipé les dés ! Les perturbations sont en grande partie gommées.

Comme je n'obtiens que peu d'informations, je suis donc contrainte de m'exercer à transmettre.

Prenant l'énergie qu'émet la lumière, la forêt et la force qui émane des montagnes face à moi, je veux les absorber, puis les transmettre au patient. Je formule ce vœu avec sincérité, je doute du résultat.

Je ne conteste pas un instant la réalité ni le pouvoir thérapeutique dont jouissent les trois guérisseurs, mais je suis persuadée pour ma part être lancée dans l'aléatoire.

Le soir, solitaire, après avoir dîné de quelques fruits et de cacahuètes chaudes toutes décortiquées, je me donne des leçons de sagesse, et relis les notes prises durant les conférences de Sunny. Elles concernent les sept formes de guérison.

La première forme vient du *prana*. Nous respirons de l'air qui contient de l'oxygène, et nous rejetons du gaz carbonique, mais ce n'est pas tout. Nous respirons encore le *prana*, cette forme d'énergie qui se localise dans le corps éthérique. Si une personne a un *prana* négatif, elle peut épuiser son entourage.

On doit observer certaines règles pour absorber le *prana* et conserver un *prana* positif.

L'eau elle aussi contient du *prana* : si l'on se place sous une chute d'eau, les bulles qu'elle contient sont des facteurs « nettoyants » du corps éthérique.

Puis vient la guérison par la nourriture que nous absorbons. La viande contient des cellules mortes. Il faut l'éviter. Les mystiques qui font des cures de jeûne frugal absorbent alors uniquement des cellules vivantes.

Le *magnetic healing* est une autre forme de guérison. « Beaucoup de guérisseurs s'imaginent que le flot d'énergie vient d'eux. C'est erreur. L'énergie provient de l'énergie divine, le guérisseur n'est qu'un intermédiaire, entre Dieu et vous. Beaucoup d'entre vous peuvent devenir guérisseurs. Il n'est pas nécessaire pour cela d'être un saint. Il faut simplement que tous nos corps soient en harmonie et avoir développé tous les niveaux de soi : physique, émotionnel, mental, spirituel. Ces quatre niveaux doivent être harmonieusement développés ; alors le courant peut passer entre Dieu et le malade par l'intermédiaire du guérisseur. Il s'agit d'un transfert d'énergie. Si vous avez un bon équilibre entre ces corps, quand vous approchez avec compassion quelqu'un qui souffre, et si vous le touchez avec bonté, vous êtes déjà un peu guérisseur !

« Une autre forme de guérison est la guérison par le verbe, donc par la suggestion. Les mots jouent un rôle important car chacune de vos paroles est quelque part enregistrée. " Dis-moi ce que tu dis, je te dirai qui tu es. "

« Si vous prononcez trop de paroles négatives, il va se dégager de vous de la négativité, si vous écoutez trop de paroles négatives, vous allez être la victime innocente de la négativité du verbe. Il faut être très prudent à cet égard... et savoir en protéger les enfants.

« La bonne musique et les bons films sont des éléments qui peuvent vous positiver. Evitez d'écouter la radio ou de regarder la télévision quand elles diffusent de mauvaises publicités ou de la violence.

« Pourquoi ne publier que les mauvaises nouvelles ? Il faut savoir trier et ne pas être la victime de la suggestion négative qui vous entoure.

« La guérison à distance se fait à partir des vibrations du

malade. En méditant sur une photographie, par exemple, on entre en communication avec le corps astral du patient. Son corps astral peut être traité par l'intermédiaire du corps astral du guérisseur, mais c'est l'énergie divine que ce dernier transmet. Il faut travailler sur une photographie en pied où l'individu est seul.

« Dans la guérison par la chirurgie psychique, le guérisseur travaille sur le corps éthérique du patient. Il visionne le point malade par le biais de l'aura et recherche le point d'entrée dans le corps éthérique.

« Alors, tel un laser, l'énergie entre par cette ouverture du corps éthérique et pénètre par un pore à l'intérieur du corps physique. Par ce pore qui est un point d'acupuncture et qui s'est dilaté, un flot d'énergie cosmique circule à travers le corps physique. La diffusion terminée, le pore se referme, il n'y a pas de cicatrice car il n'y a pas eu d'incision. »

Mais il ne peut y avoir de guérison sans intervention spirituelle d'abord. Le frère Sunny ne s'étend pas sur cette forme de guérison, peut-être parce qu'il a déjà beaucoup parlé, peut-être parce que c'est l'objet d'une autre conférence. J'espérais qu'il allait en venir aux miracles de Lourdes par exemple.

Ses conférences sont très suivies par les malades. A 13 heures, tous sont là et je profite de la traduction française pour ne pas commettre de contresens. Les Français viennent rarement à Baguio. D'une certaine façon, je préfère qu'il en soit ainsi car ma coupure avec la pensée occidentale est plus certaine.

Chaque matin, je m'émerveille en traversant le parc de Baguio puis en découvrant les chaînes de montagnes qui encerclent le petit nid du Luknab. J'éprouve des bonheurs simples, profonds, jusque-là inconnus.

Parfois Tony est déjà parti seul. Alors Rudy ou Sunny m'y conduisent. Nous nous entassons à l'intérieur des deux voitures, guérisseurs, aides et moi. Mais cette longue course occasionne quotidiennement perte de temps et fatigue.

La matinée est donc ponctuée par cette promenade et une halte chez le pâtissier. Rudy est friand de petits pains chauds fourrés de mangue. Parfois Tony nous fait préparer à Luknab un vrai repas pour cette équipe au solide appétit. Je ne prends qu'un fruit ou une boisson. J'ai maintenant la sensation d'être totalement intégrée au groupe. Peut-être fallait-il passer huit jours dans ma chambre-débarras pour les mieux connaître !

Quand je descends du Diplomat en compagnie de Tony, toujours muet, je continue d'être un peu gênée par cette étrange situation. J'observe ce moderne thaumaturge parfaitement intégré à la vie actuelle en sachant qu'il me devine quand bien même je serais assise derrière son dos ! Tantôt il s'arrête en ville, des papiers officiels à la main qu'il dépose où il se doit ; tantôt il va, avec le même sérieux, acheter quelque poudre pour les jardiniers de Luknab.

A 7 heures chaque matin, une dame blonde qui accompagne le groupe canadien au Diplomat me sourit. C'est Mrs. Atkins, qui doit être un peu guérisseuse car elle pose les mains sur les malades au cours du traitement. Un soir, je remonte à l'hôtel avant la nuit et la croise dans le jardin. Elle m'invite à prendre un *calamanci-juice* (minuscules citrons verts) et me conte sa vie. Elle a travaillé deux ans avec Tony quand il était à Manille. Elle y a étudié la Bible avec un agent de police qui lui a révélé des prières secrètes. Elle est capable de matérialiser « pour les yeux et les oreilles » seulement. Un jour, Rudy lui a dit : « Vous êtes prête, vous pouvez », et cela s'est produit. Elle sort de son sac une photographie de sa famille composée de nombreux enfants. Elle était mariée, mais son mari a divorcé quand elle est devenue guérisseuse. Elle a perdu tous ses anciens amis. Mais depuis, tout s'est renouvelé. Pourtant, la destruction de son foyer l'a perturbée, car certains de ses enfants se sont en même temps éloignés d'elle.

Nous sommes silencieuses quelques instants, sans rien ajouter, sans critiquer. Nous savons qu'il existe deux mondes et que le monde rationaliste a peur de celui qu'il ignore et ne peut saisir. Nous avons le même vécu. Je connais ces épreuves : incompréhension d'un enfant, du mari, des amis. Mais la découverte de ses propres dimensions intérieures, cette conviction absolue d'apprendre à deviner le sens caché des choses, je la connais aussi. Je sais qu'à partir d'un certain instant, il n'y a plus de choix à opérer. La vie intérieure est la plus forte.

Elle accompagne donc de temps en temps des groupes de malades qui viennent du Canada et se retrempe à cette occasion dans l'ambiance. Elle me demande pourquoi je suis seule, pourquoi je n'accompagne pas des malades. Cela m'éviterait bien des problèmes financiers et me permettrait de venir plus souvent.

La raison en est très simple. Bien que l'on sache ici et là

quel genre de recherches je pratique, et que le milieu médical ne me manifeste à cet égard qu'indifférence ou mépris, parfois les deux, nul ne peut dire qu'il s'agit chez moi de convictions émanant d'un désir de profit !

Je vis donc en solitaire ayant eu la chance d'avoir beaucoup travaillé et autrefois gagné ma vie ; délivrée maintenant des charges familiales, n'ayant point trop d'exigences, j'ai acquis une indépendance qui me semble indispensable à cette évolution. Je ne voudrais pas me montrer amère, mais je suis persuadée que bon nombre de mes adversaires sont plus soucieux de ne pas remettre en question leur prestige, leur situation sociale ou leurs sources de profit que du bien des malades ou de la vérité scientifique qu'ils violent journellement, drapés dans leur superbe hypocrisie. Le mystificateur n'est pas celui qu'on pense !

Une excuse : celle de l'éducation qui pervertit les informations que nous accordent nos sens, atrophie ces derniers, cultive l'infantilisme et nous soumet à des rites inventés pour ne glorifier trop souvent que les états régressifs !

Quand j'ai voulu étudier l'anesthésie, j'ai fait le tour des hôpitaux à la recherche de la meilleure technique. Voulant apprendre la cardiologie, j'ai suivi Soulié, Lenègre et leurs assistants. Pour la transfusion, ce furent Robert André et Jean-Pierre Soulier... Quand j'ai voulu juger des mérites de l'astrologie, je me suis inscrite à une école puis l'ai pratiquée journellement. Avant de porter le moindre avis sur Tony Agpaoa, il convient, encore plus si l'on est responsable d'informer ou d'enseigner, de vivre aux côtés de son équipe un temps suffisant et de se glisser dans son modèle de pensée.

Il n'y a pas d'autre logique.

Et si pour le faire je dois suivre le chemin d'une aventure spirituelle et initiatique, je l'accepte.

Rien ne peut me faire démordre de cette attitude d'esprit si, précisément, je veux adopter un comportement rationnel et demeurer sincère. Je dis tout cela à Mme Atkins, la guérisseuse canadienne.

Nous poursuivons notre conversation dans ma chambre. Je souhaite l'aider à ma façon. Je vois, inscrites en elle, toutes ses peines et ses angoisses. Nulle parole de regret, simplement un gros soupir. Ce n'est qu'en surmontant les épreuves mises sur notre chemin que nous éveillons notre âme et renforçons notre aura. Point de passivité douloureuse tout au long de l'initiation.

TRANSITION

On ne dit pas : « Il n'est pas possible que Dieu ait permis cela », ni : « S'il y avait un Dieu, cela n'existerait pas », encore moins : « Mon Dieu, je vous offre toutes mes souffrances pour la rédemption des pécheurs. » Non, il ne faut rester ni passif ni indifférent. Il ne faut pas imaginer que la faute en revient à Dieu ou aux autres. Nous sommes sur la terre, chacun pour assumer notre propre évolution spirituelle et ce n'est qu'en étant fort quelque part en soi que l'on peut aider les autres. Nous sommes victorieux chaque fois que nous avons franchi une dure étape de la meilleure façon possible et c'est en améliorant la qualité des vibrations émises et que nous émettons et en nous élevant dans l'échelle des valeurs (réelles) que nous aidons l'humanité.

Alors les difficultés sont vécues d'une façon totalement différente. Mais la religion chrétienne ne nous façonne pas avec ces principes, aussi est-elle le plus souvent inopérante. Elle a glissé, au cours des siècles, hors des sentiers spirituels. On nous abreuve, on nous drogue de mots et de belles phrases creuses. On ne nous arme pas pour la vie. On ne nous initie pas !

« Il y a des gens bizarres qui ont écrit des livres où ils accusent le clergé d'avoir inventé des règles et des pratiques pour asservir et chloroformer le peuple *. »

Nos concitoyens, conscients du vide de son enseignement, quittent l'Eglise, certains se réfugient dans les sectes, parfois la drogue. Les damnés passeront leur vie dans l'hôpital psychiatrique.

Nous avons la chance, Mrs. Atkins et moi, d'être au purgatoire. Un heureux avenir nous attend mais elle est beaucoup plus près du Ciel que je ne le suis !

J'apprends que Francis est aux Indes. Elle aussi a perdu son mari, ses enfants, mais plus tard son fils puis sa fille l'ont comprise. Mrs. Atkins porte la conclusion qui convient : « Il est très mauvais de vivre auprès de personnes négatives, mieux vaut en être séparé. »

---

* Mikhaël Aïvanhov.

4. LUKNAB

Ce matin, tous les malades, les soins terminés, devront quitter le Diplomat pour rejoindre l'ashram où l'on groupe les malades et je m'en réjouis. Ces va-et-vient entre deux hôtels fatiguaient l'équipe.

Le Diplomat Hotel est riche de souvenirs. Pour mes amis, c'est une page de leur vie qu'ils tournent...

Pour la dernière fois, je monte dans la voiture de Rudy, avec Niéves et Fred. Rudy nous arrête devant la boutique aux mille bonnes choses et j'achète des petits pains fourrés aux mangues pour toute l'équipe !

A Luknab, grande agitation : deux nouveaux groupes viennent d'arriver et l'un d'eux est accompagné par Mamassa. C'est une grande joie pour moi de la revoir. En fin de matinée, je l'aperçois dans un car, près du chauffeur. Elle me fait signe de grimper. Je ne sais pas vers quelle aventure elle m'embarque mais j'obtempère.

Nous visitons la ville avant d'aller déjeuner dans un restaurant... chinois. La toute petite Mamassa me prend par la main, me dirige, et m'installe près d'elle. Prudente, elle place de l'autre côté sa secrétaire qui parle bien anglais et qui vécut un an en France. La secrétaire me dit qui est Mamassa : c'est la plus célèbre guérisseuse du Japon, et grand-prêtre de la *Spiritual Church of Japan*.

Mamassa veut savoir comment pratiquent en France les guérisseurs. Est-ce légal ou illégal ? Je ne suis pas très au fait de ce problème. Je pense que c'est toléré. Pour mon compte personnel, étant médecin par définition, j'ai le choix de ma technique thérapeutique puisque je suis supposée connaître les avantages et les inconvénients de chacune d'elles.

Qu'importe ! L'essentiel, c'est d'aider.

Elle se renseigne sur la façon dont je vis cet état de médecin-guérisseur. « Vous avez la tête auréolée d'un soleil d'or, mais il y a comme du coton entre la tête et ce soleil. Vous ne voyez pas encore bien le monde invisible », dit-elle. Oui, je sais ! Je suis entre deux mondes, en mutation. Précisément, j'écris un livre qui permettra peut-être de faire comprendre cet état, et qui aidera ceux qui s'intéressent au sujet ; comment comprendre un médecin en passe d'être guérisseur.

Je dois lui envoyer ce livre, elle le préfacera et le fera traduire en japonais, puis ajoute : « Dites que l'on oublie trop de parler avec Dieu. »

Mamassa ne dit pas « prier », elle dit « parler ».

Elle ajoute encore : « Notez vos rêves et méditez-les. »

Un groupe venu de l'Alaska est encore plus perplexe que Mamassa quand il me voit travailler avec les Philippins. « *Magnetic healing with a faith-healer, she is also a medical doctor* », dit le chirurgien dont je partage le bureau, qui les pousse vers moi. Pour lui, je suis *faith-healer* en premier, médecin en second, dans l'ordre hiérarchique des valeurs.

A l'heure du déjeuner (un bain de soleil en dégustant quelques fruits) les malades s'approchent de moi. On me pose des questions. On attend un pronostic. Je leur réponds que je ne sais rien de l'avenir. Je peux à la rigueur pratiquer un examen avant le traitement par une technique personnelle, puis vérifier leur état après le *healing* afin d'établir une comparaison entre les deux séries d'informations. En répétant ces examens, je pourrai suivre l'évolution de leur maladie au long des jours qui viennent. C'est le Dr Nogier qui m'a révélé l'importance des sept couleurs. Mikhaël Aïvanhov m'a appris à assimiler le corps humain à un prisme qui décomposerait la lumière en sept couleurs, donc en sept formes d'énergie. Quant à une amie, Michelle Pagani, elle a eu l'idée de repérer sur l'oreille l'emplacement des cinq éléments chinois en observant un tableau de Jérôme Bosch, qui les symbolisent. Cette dernière notion est importante, car elle permet d'y manipuler l'énergie en fonction des saisons. En interprétant à ma façon ces grandes idées, j'établis donc à l'aide de douze informations un diagnostic des perturbations énergétiques qui me semble satisfaisant.

Le lendemain matin, dès mon arrivée, un malade atteint d'un cancer généralisé me demande un rendez-vous ; puis un diabétique. J'aperçois Tony et lui demande s'il me permet de contrôler l'efficacité de son traitement par ma technique.

— *Ya*, dit-il sans autre commentaire.

J'examine avant, après... Si je m'en réfère à mes critères personnels après le traitement, l'état est considérablement amélioré, tant sur le plan des sept couleurs que des cinq éléments. Mais pour combien de temps ?

Je peux établir avec certitude que l'amélioration tient de plus en plus longtemps au fur et à mesure du traitement. A la fin de la semaine, l'état énergétique de ceux que j'examine est pratiquement normal déjà avant le traitement du matin.

Ce genre de vérification a du succès. Une file d'attente s'établit devant notre bureau. Les guérisseurs observent, silencieux. Bientôt, les aides, le Dr Ramos et même Rudy veulent que je les examine et je devine leurs petits maux. Je ne fais pas d'erreur diagnostique et pose même à leur demande quelques aiguilles.

J'ai la certitude que cela ne déplaît pas à Tony Agpaoa qui, un jour, entre deux groupes de malades, me dit : « *Good doc !* » et, stupéfaction, me donne même l'accolade. Je dois être sur le bon chemin. Il regarde la paume de mes mains, les palpe, pose les siennes sous les miennes comme pour soupeser cet invisible qui sans doute en émane, puis me fait un signe en fermant les poings, en les propulsant en avant : « *More strong.* »

Je sens quelque chose changer en moi. Je suis moins obsédée par le diagnostic en pratiquant *magnetic healing*. J'ai l'étonnement un jour, en posant simplement mes mains sur une malade, les yeux bien fermés, bien concentrée, en inspirant l'énergie de cette montagne et du ciel en face de moi, de sentir ses respirations devenir de plus en plus amples. Elle se lève, tout étourdie, la main sur le front, et dit, soutenue par son mari : « Mais qu'est-ce que vous m'avez fait, je me sens toute drôle ! »

Je soigne un médecin tout à fait rationaliste. Il n'est là qu'en accompagnateur, mais, par curiosité, se soumet à mon traitement et me fait la remarque : « C'est très curieux, je sens des vibrations quand vous passez les mains au-dessus de mon corps. »

Agacée et perplexe, je m'approche de Tony et lui demande à brûle-pourpoint, presque agressive :

— Pourquoi dites-vous que je suis guérisseur ?

— A cause des radiations électromagnétiques de votre aura.

Puis il s'en va. Je n'en suis pas plus convaincue pour autant.

J'ai quitté le Diplomat. Luknab est éloigné de toute habitation et mon séjour trop bref pour me permettre de mener à bien toute tentative de location. Le quartier n'est pas suffisamment connu des aides, pour qu'ils puissent m'introduire dans une famille. C'est le Dr Païsing qui me conseille un petit hôtel tranquille, m'y conduit en voiture et ajoute : « Vous pourrez descendre et monter à pied, *good exercise.* » Je pense qu'il se moque de moi ; il y a au moins une heure de marche en pente abrupte !

J'habite donc maintenant une bâtisse bourgeoise qui laisse ignorer qu'il s'agit d'un hôtel avec deux chambres. Des travaux d'agrandissement sont en cours. Les ouvriers travaillent jusqu'à 20 heures, mais passé cette heure, le silence m'est assuré.

Je rentre « chez moi » le premier soir, vers 18 heures et m'installe dans le jardin, un livre d'anglais à la main, des boules de cire dans les oreilles. N'ayant pas séjourné en salle d'attente, je n'ai pas fait beaucoup d'anglais.

La propriétaire de l'hôtel vient s'asseoir près de moi et m'interroge. C'est une femme distinguée, agréable. Comme ses questions deviennent insistantes et que je suis lasse d'être interrogée tout au long de la journée par les malades, voulant couper court, j'affirme que mon anglais ne me permet pas d'en dire plus sur la vie auprès d'Agpaoa.

Alors, jetant le masque, elle avoue apprendre, elle aussi, avec une guérisseuse peu connue, sans doute, mais remarquable. Elle habite en ville et soigne sans accepter d'argent. Elle veut m'emmener la voir ce soir, mais il ne faudra pas le dire à Agpaoa ! Je sais déjà qu'elle le connaît mal, car si je veux lui cacher quelque chose, il le verra sur mon aura !

Je dis oui à tout, mais dès que le soir tombe, je la quitte, me couche et m'endors, bien décidée à ne pas me retrouver bloquée comme au dernier voyage, en entrant en contact avec d'autres guérisseurs sans la permission d'Agpaoa.

Des coups énergiquement frappés à la porte m'éveillent. La propriétaire toute pimpante est là. Je lui montre le lit ouvert, mon pyjama, mon air endormi : « Demain, oui demain, j'irai. »

Pas question, elle est prête, on m'attend, le taxi est appelé !

Je suis encore tout endormie quand le taxi nous emmène, et je ne sais plus ce qu'elle me dit. Je fais un effort pour dire un mot poli. Elle renouvelle son conseil : ne pas en parler à Agpaoa ! Pourquoi me faire aller avec elle ? Veut-elle me rendre service ou me le faire quitter ?

De toute façon, il n'y a pas à résister, si je veux habiter son hôtel. Alors je m'endors, tête contre la vitre. M'extirper du taxi le moment venu et me réveiller dans la nuit glaciale est bien cruel. Nous sommes dans un lieu que je ne connais pas. Je bâille. Une porte donnant sur la rue, un petit escalier, une dame en blanc qui nous ouvre. Très belle, cinquante ans, un peu de sang indien, une voix douce et persuasive, un bon anglais bien articulé. Mais je me sens en situation inconfortable, puisque l'on m'a dit de ne pas en parler à Agpaoa. Un rideau sépare la pièce dans laquelle nous sommes de ce qui doit être la cuisine. Des images pieuses, des symboles au mur. Elle parle un long moment. Les mots, qu'elle prononce bien, je les comprends mais ne parviens pas à les associer entre eux pour saisir le sens de la phrase. Ai-je donc tellement sommeil ?

En sortant, je ne me souviens que d'une scène : « Il faut se mettre au nord. » Sans doute ai-je pris un air intéressé car elle ajoutait : « Agpaoa ne vous a donc pas dit cela ?

— Non, il ne dit rien, pratiquement rien ! »

Regards désolés et culpabilisants... Pour rattraper la situation, et ne pas paraître trop stupide, j'ajoute : « C'est par la transmission de pensée et le rêve surtout. » J'ai dû dire quelque chose d'énorme car le silence s'établit, pesant, et l'on s'en va !

Elle me donne son nom, l'écrit sur un papier. Je plie celui-ci en deux et le mets dans mon sac sans le regarder, n'importe où (si j'ai le droit de le connaître, il resurgira au bon moment). Nous sortons, attendons un taxi qui ne vient pas. J'ai froid et ne me souviens plus de la conversation. Il ne me reste que le souvenir de symboles accrochés au mur, de l'image d'un Esprit-Saint qui envoyait ses rayons de là-haut jusqu'à la ceinture d'un homme. Le lendemain persiste un souvenir, celui d'avoir été à peine polie tant j'avais sommeil et de ne pas avoir établi les liens qui convenaient avec une guérisseuse qui me faisait l'honneur de me consacrer sa soirée. Quelque chose en moi n'a pas fonctionné, involontairement, mon esprit a décroché, je m'en veux mais en même temps éprouve un soulagement ! Car dans ces conditions, son aura n'a pu s'inscrire sur la mienne ! J'ai toutes les chances de ne pas tomber en panne comme au temps des cinéastes.

Avec soulagement, je vérifie que je « perçois » encore...

Je ne reverrai plus mon hôtesse. Elle ne m'invitera plus et ne me saluera pas même à l'instant du départ. Pourquoi ?

Chaque matin, je me rends à l'ashram, un sac dans chaque main pour équilibrer les poids car la marche peut être longue : une heure pour descendre, un peu plus pour monter. D'un côté, les livres qui meubleront les temps morts et de l'autre, serviette de bain, maillot, pull-over. Je répartis les fruits qui me serviront de repas : mangues, bananes, un morceau de papaye, des cacahuètes ; le livre de Rudolph Steiner, *L'Initiation*, ne me quitte plus. Rudolf Steiner me permet d'intellectualiser ce qu'Agpaoa m'a fait vivre.

Je me refuse d'appeler un taxi, la nature est trop belle. Les deux bras en équilibre, marchant d'un bon pas, j'admire le paysage nouveau : la route est lisse dans le parc, les sapins s'élancent vers le ciel bleu du petit matin. Je dépasse quelques somptueuses villas, puis s'amorce la descente par une route cahoteuse. Au carrefour, « Bonjour » aux étudiants qui vont au lycée, eux grimpent, je descends. Un peu plus loin, on construit une maison : « Salut » aux ouvriers. Plus l'on va et plus la descente est raide, il faut prendre les carres comme en ski. La succession de chaînes de montagnes se profile au loin, les terrasses de la vallée brillent car elles retiennent l'eau. Sur les bords de la route, une végétation luxuriante, des maisons de bambou, des chiens qui aboient, des enfants qui jouent, des vieillards qui attendent.

En quelques jours, tout le monde me connaît et je connais tout le monde. Seuls les pauvres montent ou descendent à pied. Je mesure leurs « richesses »... Il va m'être dur à Paris de ne pas aller travailler sur le coup de 6 heures et demie du matin, parfois plus tôt... et d'être privée de cette fastueuse promenade. Chaque jour, mon endurance à la marche croît.

Le soir, la grimpée est aussi belle, mais la difficulté accrue. Je dois m'asseoir sur une borne à mi-chemin pour reprendre mon souffle. Tony lui-même, que je croise alors qu'il surveille la construction d'un bâtiment à l'entrée de l'hôtel, s'étonne : « *You'll climb that ?* » et du regard vérifie qu'une voiture n'est pas disponible dans les parages pour m'emmener.

Sur cette route, je pense que la vraie richesse et la vraie liberté consistent à savoir apprécier les charmes de la vie en chaque circonstance, sans être esclave de ce qui se fait ou de ce qui ne se fait pas, en échappant aux normes de standing de la société à laquelle on appartient.

Je continue d'examiner certains malades avant et après traitement. Avec un peu de recul, j'aboutis aux conclusions suivantes : la régularisation opérée le matin du premier jour de traitement ne tient pas. Le traitement biquotidien des malades dans un état très grave me semble nécessaire. Au fur et à mesure des soins, l'action thérapeutique se prolonge. Après quatre ou cinq jours, toutes les perturbations énergétiques sont pratiquement régularisées si le patient respecte le repos qui lui est conseillé.

Mais un week-end qui mène le groupe à Bauang me permettra de faire une constatation importante : les malades, ce jour-là, sont en droit de choisir d'aller directement à Bauang s'ils se sentent fatigués, ou de prendre la route des écoliers pour rendre visite à Joséphine. Ce qui suppose un détour par les Basses Terres surchauffées...

J'examine le lundi deux malades particulièrement bien suivis jusque-là : le cancer généralisé et le diabète. Ce dernier avait pu, en quelques jours, sans trouble, abaisser de dix unités d'insuline sa dose quotidienne ! Je constate la réapparition des troubles énergétiques (il a dû ce matin augmenter la dose d'insuline). Le même phénomène se produit pour le malade porteur d'un cancer généralisé. Tous deux avaient pris le chemin des écoliers ! Je suis donc persuadée qu'il faut accepter un repos indispensable pour stabiliser le bénéfice thérapeutique. Trop souvent, dès qu'il a repris quelques forces, le malade part en excursion et va, par curiosité, visiter d'autres guérisseurs. C'est un tort, surtout si le séjour est inférieur à trois semaines.

Je revois Joséphine en accompagnant les malades. Je l'avais rencontrée en février et décembre 1977. Nous sommes en mars 1979. Elle me regarde et dit : « Je vous connais, vous êtes déjà venue me voir. » Me reconnaît-elle à mon aura ? Sans doute, car je me souviens l'avoir entendue dire que pour elle tous les Blancs avaient la même tête. Elle utilise ce jour-là peu de coton. Mais quand elle suit du doigt le trajet de la colonne vertébrale, il lui suffit d'en appuyer l'extrémité pour que tout naturellement le sang sourde tout au long de l'échine...

Je ne veux pas avancer d'opinion sur ses vertus thérapeutiques, n'ayant pas testé les patients avant-après.

Je revois Terté, le plus ancien guérisseur. Ses extractions sont toujours d'une matière terne et sale, grisâtre. Le sang (mais ce n'en est pas !) est d'un rose légèrement teinté de mauve, pratiquement de la couleur qui correspond dans le système de Nogier (et le mien) à la zone psychique.

Quand Terté prend un verre d'eau et secoue ses doigts au-dessus, cette couleur descend en zigzag, en filets minces. Il projette, dit-il, son énergie dans l'eau. Bien entendu, il affirme que cette énergie vient de Dieu.

Il me propose de travailler avec lui pour étudier la Bible. J'en dénicherai, dit-il, à la ville voisine une édition française et trouverai ainsi la traduction exacte des versets anglais sur lesquels nous travaillerons. Je le remercie sincèrement de sa proposition mais il me faut d'abord terminer un enseignement avec Agpaoa. Plus tard, je reviendrai. Nous tombons d'accord sur le principe.

Agpaoa aurait-il raison ? Terté ne me proposerait pas d'étudier la Bible avec lui s'il ne me « voyait » pas guérisseur !

Ma vie se partage entre Tony et son équipe, et la vie des groupes de malades. Si je suis muette sur toutes mes rencontres amicales, c'est par pure discrétion, car il est émouvant de pouvoir nouer des contacts avec des êtres venus des quatre coins du monde. Souvent je suis là pour les rassurer sur l'efficacité du traitement que parfois je complète par quelques aiguilles. Tony ne me fait jamais la moindre observation concernant mes initiatives thérapeutiques complémentaires. Pourtant je me suis demandé s'il n'était pas inélégant d'exercer cette surveillance constante de son efficacité sur tout un groupe. Jamais le Dr Païsing ni le chirurgien ne m'ont fait la moindre remarque hostile, au contraire, ils m'ont demandé des explications et ont souhaité apprendre ma technique.

J'éprouve vraiment le sentiment que nous travaillons tous les six, trois guérisseurs et trois médecins, en toute simplicité dans l'intérêt du malade et de la recherche médicale.

L'une des principales préoccupations de Tony consiste actuellement à surveiller la construction de son bâtiment de *healing*, situé à l'entrée de Luknab, bâti lui aussi à la japonaise. On y voit déjà comment s'y organiseront les traitements.

Une partie est réservée aux guérisseurs et l'autre aux médecins. Le chirurgien m'explique que nous bénéficierons d'appareils : radiographe, électrocardiographe, électro-encéphalographe, d'un rein artificiel et d'un laboratoire.

En riant, nous disons qu'en réunissant nos talents, tout pourrait un jour être fait ici ! La chirurgie classique et l'autre !

Agpaoa, tant dénigré, est en fait le premier à réaliser ce que la médecine mondiale n'a su instituer : la collaboration de tous ceux qui peuvent guérir. Autour de cet homme qui n'a pas quarante ans, un évangéliste (doublé parfois d'un second), deux guérisseurs : Rudy et Niéves, sept aides (qui sont des guérisseurs en puissance), deux médecins : l'un est chirurgien, l'autre acupuncteur. Je suis très flattée d'avoir de temps en temps l'occasion de me joindre à eux.

Je ne sais pourquoi certains observateurs ont cru bon de leur décocher des insultes variées. Je conserve une certaine littérature fort démonstrative sur ce sujet. On m'y a aussi mêlée. Pourtant, ma plus grande joie serait de participer aux premières recherches, aux premiers travaux qui se feront dans ce centre enfin réalisé. Peut-être les médecins se disputeront-ils alors cette place ? A moins que dans un grand mouvement unanime, ils ne provoquent la perte de ce centre thérapeutique, et de celui qui l'a conçu ?

J'observe encore Agpaoa, surveillant les travaux de construction et s'intéressant au jardinage. Il est bien différent des images représentant les maîtres pratiquant l'ascèse pour obtenir les pouvoirs, en se flagellant ou en se forçant à d'autres misères. Une phrase de Rudolf Steiner peut donner raison à Agpaoa le bien vivant : « Il se peut qu'on trouve dans l'ascétisme une volupté semblable à celle que l'ivrogne trouve à boire. Mais dans ce cas, il ne faut pas espérer de ce genre d'ascétisme qu'il serve les buts de la connaissance supérieure. » Parce qu'Agpaoa n'est pas un ascète, je me sens capable de travailler sous sa direction.

Je m'intéresse également au jardin, ou plutôt à la piscine en surveillant son remplissage qui n'en finit pas. Je m'y baigne sans doute la première, avant qu'elle ne soit pleine. Dès que je le peux, je vais à Hot Spring, profitant d'un car qui emporte un groupe de malades en promenade et me baigne dans la piscine alimentée par une source chaude. Je file à Bauang tous les week-ends, seule ou avec un groupe, nager et faire de longues promenades à pied. Ce qui fait dire innocemment à une charmante dame américaine qui ne me voit que quelques minutes dans la salle de traitement au cours de son *healing* quotidien, mais me rencontre plus longtemps à Bauang, Hot Spring ou à la piscine : « Que faites-vous à Baguio quand vous ne nagez pas ? » Elle me prendra un peu plus au sérieux quand je la soulagerai de ses troubles du rythme cardiaque.

C'est Rudy qui me fait prendre conscience de ma situation à Baguio.

Alors que j'attends les patients, nonchalamment assise : « Ne vous asseyez pas ainsi, ce n'est pas élégant », dit-il. Quelqu'un veut nous photographier ensemble : « Ne mettez pas les bras ainsi, ce n'est pas joli. »

Après quelques remarques de ce genre, je cesse de rester indifférente à cet aspect des choses. Je comprends pourquoi les aides sont si coquets. Pourquoi Niéves va chez le coiffeur et se maquille avec soin. Pourquoi Rudy lui-même arrange ses cheveux en passant devant la glace... Ils sont des vedettes photographiées en permanence et ces clichés se promèneront de par le monde. Je suis avec eux et cesse d'être anonyme, perds les avantages de la liberté et prends conscience d'être aussi sans cesse photographiée, filmée, dans la salle de *healing*, à la plage, à la piscine, me baignant ou nettoyant celle-ci avec un grand filet pour en retirer les herbes qui flottent.

Un groupe suisse arrive... certains parlent français. Un vieux monsieur s'approche et me dit : « J'arrive de si loin pour me faire soigner, et je vous vois là travaillant à leurs côtés et j'apprends que vous êtes médecin, le miracle pour moi, c'est cela ! »

Quoi qu'en pense la charmante Américaine, je travaille beaucoup !

Parfois des journées entières, avec une interruption de deux heures pour déjeuner ! Nous commençons à 7 heures, et finissons entre 17 et 18 heures. Certains groupes japonais ne viennent que pour cinq jours et sont traités biquotidiennement.

Examen avant-après *healing*, parfois traitements à l'aiguille, *magnetic healing*. Le lit est bas, mon dos devient douloureux à force de m'incliner. Tout à coup, je sens une série de petites tapes données avec le poing le long de ma colonne vertébrale. C'est Rudy ! « Je vois depuis longtemps déjà que votre dos est fatigué. » Son intervention me soulage mais il persiste un point douloureux dans le bas du dos.

Quand tous les malades seront partis, Niéves prendra le temps de me soigner et je me sentirai toute fraîche, prête à recommencer la journée !

Les jours « chargés », Rudy aura la même attention... au besoin, je l'aiderai à y penser !

Un jour il place mes mains bien à plat sur le malade, décontracte mes épaules, et dit : « *Only that* », seulement cela... Je sais le pourquoi de ma fatigue : je ne peux pratiquer un *magnetic healing* sans le faire précéder d'un *feeling* diagnostique sur tout le corps.

Parfois mes mains tremblent. Je décide d'en parler à Tony : « C'est l'énergie qui vient et qui s'amasse, vous devez la faire circuler avec la respiration. » Il fait un signe avec les poings : plus fort !

— Et les gouttes de sang qui parfois surgissent sur l'oreille ?

— C'est l'effet de votre corps éthérique sur le corps éthérique du malade. Cela doit pouvoir se maîtriser.

3. TONY AGPAOA

Ce matin, Tony annonce qu'il se rend à Manille. On veut lui supprimer le droit qu'il a d'importer directement des médicaments de Chine.

(Avant leur départ, nombreux sont les malades qui reçoivent quelques produits de la pharmacie traditionnelle chinoise, ou quelques pots d'herbes de la montagne, préparés par Tony.) Je l'avertis à cette occasion de mon prochain départ.

Quelques minutes plus tard, nous pénétrons dans la salle de *healing*. Le bureau est fermé. Le Dr Ramos prend la tension artérielle dans la grande salle. Je m'autorise donc à demeurer près des guérisseurs... et m'approche de Tony. Aucune protestation... Je pose les mains sur le malade... pas de contestation... Sans doute m'est-il permis d'approcher le maître avant son départ. Il n'est pas impossible que toute cette mise en scène soit faite pour me le faire comprendre sans avoir rien à dire ! Nous sommes en Orient ! Je m'autorise même à ouvrir les yeux. Il pratique en ce moment une injection d'un liquide rosé dans la région lombaire paravertébrale d'un malade atteint de sclérose en plaques. Puis il fait de même à la tête. Me glissant alors vers la région lombaire (pour lui laisser un peu de place), y posant mes mains, du bout du doigt, discrètement, sans afficher ma curiosité, je palpe. A l'exception d'un point de piqûre, je ne relève au palper aucune différence entre les deux côtés, cependant l'injection fut unilatérale ! Qu'est-il advenu de ce liquide ?

Il traite maintenant un cancer du poumon. Dans un premier temps, il matérialise puis il injecte dans cette matérialisation un produit. Il m'affirme que c'est bien mieux de faire un traitement local plutôt qu'un traitement général, car ainsi le produit pénètre directement dans la tumeur.

Qu'est-ce que ce produit ? Je tends mon carnet. Il écrit : « *Unborn lamb cells B.N.C.U. radium injection.* » N'osant pas lui demander d'explication supplémentaire alors qu'il est occupé, je demande à Païsing, puis aux aides. Une seule réponse :

— Une préparation de Tony.

J'observe : une infirmière lui tend un morceau de coton pris dans un gros paquet neuf. Il le mouille dans un haricot plein d'eau prélevée au robinet et le pose sur l'endroit choisi.

Il travaille au niveau du cou. Je magnétise la tête et mon regard plonge sur ses mains. Je vois parfaitement ce qui se passe.

Le coton mouillé est immobilisé dans la main droite. Les doigts de la main gauche en tirent des fragments. Tout à coup, ce tampon rosit ! Il jette dans la poubelle les déchets de coton jusque-là accumulés dans la main gauche. Il recommence. Même jeu, mêmes gestes. Il arrache des fragments du tampon rosi. Soudain, en l'espace de deux ou trois secondes, je vois le coton s'imprégner de matière ! Il est devenu quelque chose qui pourrait ressembler à un fragment d'organe et le sang coule ! C'est stupéfiant !

Tony fait signe à l'aide. Fred prend une pince et soulève une membrane très fine, puis avec des ciseaux l'incise, coupe un fragment du tissu sous-jacent. Il paraît savoir avec exactitude ce qu'il doit couper. « Voit »-il ? Tony travaille encore un peu la masse restante, la couvre de la main droite, puis passe la main gauche (débarrassée de ses déchets) au-dessus de la main droite comme pour la caresser. Et « *one, two, three* », plus rien !

Si j'ai bien compris, il peut aspirer de la main gauche ce qui est à éliminer tandis que la matérialisation se produit sous la main droite. Il peut aussi dématérialiser ce qu'il vient de matérialiser, à moins qu'il n'en provoque la résorption. Ce qui se résorbe permettrait alors d'apporter *in situ* le produit qu'il vient d'y injecter l'instant précédent.

Tony parti, il me faut dans les quelques jours qui restent accepter l'idée de devenir guérisseur. Je n'ai pas passé ce cap.

Interrompant alors les examens « avant-après », tout mon temps devient disponible pour le *magnetic healing*.

Il me faut capter l'énergie du dehors, la concentrer au

troisième œil, la faire circuler à l'intérieur de moi par la respiration et l'envoyer dans les mains. (De temps en temps il est bon d'obéir à Tony en quittant son petit chemin personnel.)

Un jour, en fin de matinée, une jeune fille japonaise vient me faire ses adieux : « Vous êtes un grand guérisseur ! J'ai senti votre énergie, vous m'avez beaucoup aidée. Je ne vous oublierai jamais ! » Cette déclaration me plonge dans un trouble profond.

Viendrait-elle pour me révéler à moi-même ? Je me sens placée devant la situation incongrue de me contrôler moi-même.

Justement un nouveau groupe de malades vient d'arriver. Je choisis l'un d'eux, qui me semble un peu égaré dans la salle, lui demande de s'allonger, puis le touchant à peine pour ne pas le « contaminer » avant le traitement, je fais un bilan énergétique.

Et puis j'envoie l'énergie.

Et c'est l'instant de vérité. Oui, j'ai bien corrigé les cinq éléments, modifié la répartition des couleurs. Est-ce une preuve ? Ayant autrefois pratiqué la même expérience à propos de la sophrologie, j'avais observé qu'il m'était déjà possible d'exercer une certaine action régulatrice. J'ai même, dans le passé, vérifié qu'un malade qui s'autosophronise exerce dans une certaine mesure un pouvoir de régulation sur sa propre énergie !

Quelle est la différence entre cette technique et le *magnetic healing* ? Il me semble avoir eu une action plus élective sur les cinq éléments. Je n'ai appliqué les mains qu'une ou deux minutes, contre quinze ou vingt minutes de travail en sophrologie. Il resterait à fixer dans des conditions superposables le temps et la durée d'application de l'une et l'autre technique pour en comparer les résultats.

Je conclus néanmoins que mon action a été positive et la complète par deux aiguilles. Ainsi les opinions émises par les malades et les faits tendent à prouver que je suis guérisseur. Il m'est difficile pourtant d'adhérer à cette éventualité. Je ne peux franchir ce cap.

En cette matinée, une histoire m'afflige. J'ai vu un enfant tristement assis dans le hall, en costume de ville. Le voici qui entre encadré de son père et de son médecin. Ils viennent de Chypre. Tout craintif, les lèvres en accent circonflexe, prêt à pleurer, il est déshabillé. Un énorme ventre apparaît. C'est une leucémie. Nous restons sans voix. En anglais, langue que l'enfant ne comprend pas, le médecin explique qu'il est perdu. Le père veut lui donner sa dernière chance. « De grâce, essayez ! » supplie-t-il.

Nous sommes habitués à la maladie, rencontrons la misère, côtoyons la mort, mais rien ne peut nous affecter à ce point.

Rudy me place à la tête de l'enfant et nous prions. Puis il pratique le *healing* à hauteur de la rate. L'enfant est brûlant de fièvre ! Niéves s'en approche, prie et magnétise. Rudy réapparaît, puis l'on me demande de pratiquer, seule, prières et magnétisme. Toutes nos forces se rejoignent. Les aides distraient l'enfant puis le rhabillent.

Le médecin s'inquiète auprès du Dr Ramos : « Comment surveiller le taux des plaquettes et des globules ? »

« Plus tard, nous serons équipés, aujourd'hui il faut aller à l'hôpital. » Le sang n'a manifesté aucune particularité entre les mains de Rudy, mais quelle est la différence entre le sang matérialisé et celui qui circule dans le système cardio-vasculaire ? Nul ne sait !

Encore attristée, je prends un taxi qui me conduit au Terminal où se trouve le car en partance pour Bauang. Le chauffeur de taxi m'avertit : « Prenez deux places ! » Je ne tiens pas compte de cet avertissement baroque. C'est aux dépens de mes voisins et à ma grande confusion, que je constate occuper une large surface dans ce car populaire, sans vitre et bon marché, taillé pour les petits Philippins ! La dernière venue peut à peine s'asseoir ! L'idée me prend qu'un jour peut-être je viendrai vivre ici six mois par an. J'aurais pour mes vieux jours une maison de bambou sur la montagne, un jardin où pousseraient des arbres tropicaux, et travaillerais avec l'équipe de Tony.

Bauang m'est précieux car j'ai le bonheur d'y trouver le calme, le soleil, l'eau et la possibilité de pratiquer ce qui est pour moi la façon la plus aisée de rejoindre Dieu dans ce que j'aime : la nature. Méditer devient une chose naturelle, qui ne demande aucun effort, aucune technique savante. Je suis dans la mer et je suis la mer ; à plat, sur le dos, j'oscille au gré des vagues et je suis les vagues ; j'entrouvre les yeux, vois le ciel bleu, je suis le ciel bleu. Courant sur le sable, je m'y allonge. J'attends le moment où je sens le sol vibrer et je suis le sable. M'appuyant contre un cocotier, je sens vibrer la sève de l'arbre qui monte, je suis dans sa vertigineuse ascension. Il faut choisir l'arbre le plus droit, le plus harmonieux, celui qui déploie le plus beau bouquet de branches, de feuilles. « Que faites-vous quand vous ne nagez pas ? » Je vis la nature. C'est ainsi que je prie.

Comme autrefois, je m'assieds sous la paillote, la marchande de coquillages me rejoint. Nous dînons ensemble d'un gros poisson cuit au gril sur la plage et parlons avec une de ses amies de mon aventure. « Vous avez bien fait de suivre ce chemin, si vous l'aviez refusé vous seriez tombée malade », me dit cette dernière. Elle a compris les causes de la maladie par blocage d'énergie !

Le lendemain, je m'éveille d'une sieste et c'est l'heure chaude de la journée. Une jeune fille s'approche de moi, une noix de coco à la main et m'invite à y goûter. J'accepte. Une autre paraît, d'autres encore. Puis un homme du groupe venant de l'Alaska qui a prolongé son séjour surgit, enfin quelques Philippins munis d'une caisse de bière qu'ils veulent partager. Puis c'est une baignade générale, promenade et invitations dans le village.

Et le soir, toute la bande rentre à Baguio. Arrivée seule, je repars en nombreuse compagnie.

Ce lundi est ma dernière journée. Elle sera calme. La plupart des groupes sont partis. Les « nouveaux » n'arriveront que demain.

Rudy est absent ce dernier jour. Par son attitude désagréable autant que par ses conseils ou ses soins, je suis obligée d'admettre qu'il a beaucoup œuvré pour moi. La semaine passée, il me commanda de m'étendre puis il dit des prières en frappant mon front à plusieurs reprises et en faisant des signes de croix. J'ai senti quelque chose d'étrange qui ressemblait à une grande décontraction de la région située entre les deux yeux que je fronce en réfléchissant. Ce n'était pas une sensation d'ordre musculaire ou superficielle. C'était quelque chose qui s'enfonçait très profondément à l'intérieur de mon crâne, puis se traduisait par une libération de tension. Il faut dire que pour ne pas lui déplaire, je m'étais tant et tant concentrée que j'en avais mal entre les deux yeux. L'avait-il vu ?

Tony et Niéves seuls sont présents aujourd'hui et l'on me laisse travailler avec Tony rentré de Manille. J'analyse encore le processus de matérialisation : les deux temps importants sont le premier, quand le tampon rosit, le second, quand le coton devient progressivement mais rapidement matière. Tout se passe comme si un mouvement aspiratif se produisait.

Comme au cinéma quand les lettres dispersées d'un titre se réunissent pour le reconstituer. Et cet instant doit correspondre à la sensation d'aspiration légèrement piquante que l'on sent sous les mains de Niéves quand elle « opère ».

Entre deux malades, je fais le point de la situation. J'ai progressé, mais ne vois pas l'aura. Cela ne m'arrive que très accidentellement, quand Sunny fait pratiquer l'exercice en plaçant un malade sur le fond blanc d'un drap devant tous les malades réunis et qu'il instruit. Je vois parfois. M'approchant de Tony :

— Pourquoi ne suis-je pas capable de voir l'aura ?

— Parce que votre troisième œil n'est pas ouvert.

Francis me disait souvent : « Demandez à Tony d'ouvrir votre troisième œil. »

Il m'advenait en ce temps-là suffisamment d'étranges choses pour que je n'en demande pas davantage !

M'éloignant un peu, je vais à la fenêtre pour m'isoler et réfléchir sur cette ouverture du troisième œil : voir l'aura, ce peut être amusant, dans une réunion, dans la rue, ou dans le métro, deviner par les couleurs l'état de ceux qui vous entourent. Un certain nombre de gens voient cela...

Mais l'ouverture du troisième œil, dans ce milieu, par Tony, cela risque de m'en faire voir davantage ! Je songe aux termes de Mikhaël Aïvanhov : la face cachée des choses, la face interne. Suis-je assez mûre pour cela ? Cette nuit, j'ai fait un rêve, un rêve de travail. Il n'a pas le même goût que le rêve de sommeil. Le contour des images est plus net, le relief un peu différent, et souvent il s'accompagne de mouvements perceptibles de l'énergie. Cette énergie circulante quand elle atteint un niveau suffisant alors parfois me réveille et je sais faire la différence entre un réveil ordinaire et celui-là.

Cette nuit, on m'a proposé de voir ma mère morte. J'étais comme au théâtre devant un grand rideau blanc. Je suis habituellement heureuse d'avoir rêvé d'elle. Cette nuit, tout était différent. Je savais que ce n'était pas ma mère « comme vivant autrefois » que j'allais voir, non, j'allais entrer en communication avec ma mère, telle qu'elle est maintenant, après son évolution au-delà de la mort. Alors, j'ai eu peur. J'ai dit : « Non. » Elle apparut malgré tout, d'une façon fugitive, en robe longue et blanche. J'ai crié : « Non », détournant mon regard. Je me suis réfugiée dans les bras de mon mari qui était à mes côtés. Je n'étais pas capable d'affronter cette expérience seule.

Cette incursion au royaume des morts, je l'ai refusée cette nuit.

On m'a proposé de voir ma mère mais on ne m'y a pas vraiment contrainte. Je me souviens des épouvantables expériences que je dus assumer autrefois : admettre que ma peau, mes muscles, un à un se détachaient de mes os. J'ai dû admettre de me voir réduite à l'état de squelette... et puis me reconstituer.

Rien ne peut plus être difficile à vivre que cela !

Donc courage ! M'approchant de Tony :

— *Please,* voulez-vous ouvrir mon troisième œil ?

Il me regarde, étonné, puis éclate de rire et s'exclame :

— Ce n'est pas possible, vous partez demain. Il faut vous préparer, réunir tous les guérisseurs qui seront en grande robe, préparer la cérémonie. Il faut des chants, des prières et couvrir votre corps de fleurs ! Parlez-m'en dès votre arrivée lors de votre prochain voyage. (Il avait cette expression quand il me disait : « il faut apprendre à vous élever, à sentir les vibrations », en février 1977.)

— Quand dois-je revenir ?

— Je vous écrirai le moment venu.

D'une certaine façon, je suis soulagée. J'ai le temps de me préparer à cela. Il me faut suivre les conseils de Mamassa : « Ecrivez vos rêves et méditez ensuite. » Quel long chemin avant d'être « soi », avant de vibrer de son essence propre, débarrassé de ses préjugés, des idées apprises ! Serai-je jamais assez forte pour être mise en face du visage réel mais caché des choses et cela sans frémir ? Peut-être la compagnie de Tony et de tous les guérisseurs m'aidera-t-elle à oser le faire un jour !

A Paris, je ferai un nouveau rêve : rêve intense. Je me promène, parcourant un coin de forêt, puis me retrouve dans une clairière, elle se poursuit par un chemin qui monte un peu. A ma droite, un mur fait de belles pierres campagnardes, à gauche un restaurant de campagne, agréable et de bon ton. Regardant à l'intérieur par la vaste fenêtre à petits carreaux, je vois une très belle salle dans laquelle sont attablés des groupes d'amis confortablement installés. Je dépasse ce restaurant et aperçois, descendant le chemin, paisiblement, ma mère ! J'ai l'impression qu'elle s'y rend. Nous ne sommes plus séparées que de quelques mètres. J'appréhende le moment où je vais la croiser ; ses lèvres sont un peu violettes, et témoignent encore de son agonie passée. Pourtant, son visage, bouffi, violacé, défiguré dans les heures qui suivirent le décès s'est normalisé. Elle est vêtue d'un tailleur rayé blanc et gris, tout droit. Je la vois, morte, mobile et vivante tout à la fois. Je sens qu'elle a presque achevé la mystérieuse mutation qui suit la mort. Quelques petites taches cyanotiques sur les lèvres sont les seuls indices qui m'indiquent que nous sommes dans un autre monde. Je vais la croiser, sans éprouver le désir de l'approcher, de l'embrasser. Elle-même reste distante et impassible. Répulsion ? Crainte ? Connivence ?

— Que fais-tu là, tu es donc morte, toi aussi ? dit-elle avec un calme parfait.

— Non, je ne suis pas morte, je me promène, simplement. Je ne fais que passer.

Et je m'éveille. Serais-je devenue capable de me promener au royaume des morts ? et d'assumer la vision de la face cachée du monde ?

Voici la séance de *healing* qui s'achève. Le médecin chypriote m'interpelle alors que j'enfile mes chaussures. Il souhaite me parler. Nous parlons... un verre de noix de coco à la main, quelques instants plus tard.

— Cet après-midi, Tony va traiter l'enfant. Nous ferons alors un prélèvement du tissu extrait pour en faire l'analyse histologique. Ce matin, il a travaillé sur les testicules, ce qui montre qu'il est au fait de la question, puisque de récents travaux ont montré que l'irradiation de cette région donnait de bons résultats dans cette maladie.

Je me souviens tout à coup d'une leucémie vue à l'hôpital. L'essentiel des signes, dans mon système, se condensait dans cette région. Il est bien évident que ce n'est pas la lecture des récents travaux scientifiques qui a conduit Tony à travailler à cet endroit. Il a « vu » ou senti par *feeling*, tout comme moi, qu'il fallait agir là ! Je regarde avec étonnement mon confrère avancer de pareilles absurdités !

— Pourquoi faire un prélèvement ?

— Pour prouver qu'il s'agit bien là d'un extrait de tissu de rate, ou de foie. Comment ! vous travaillez avec lui régulièrement et vous n'avez jamais pris le soin de pratiquer ce contrôle ?

— Je m'en suis bien gardée ! J'ai voulu rompre avec notre

système de pensée, et ne pas perturber ma nouvelle vision des choses.

Hors de lui, il s'agite sur son siège.

— Ce n'est pas une attitude scientifique !

— Le jour de ma première opération, j'ai trouvé, dans ce qui avait été prélevé dans ma région lombaire un tissu qui ne ressemblait à rien, tissé avec du coton, dont les fibres s'étaient orientées, au centre, j'ai retrouvé une minuscule aiguille d'acupuncture. J'ai compris que je ne pouvais aborder le phénomène par notre système de pensée. Je me suis donc refusée par principe à tenter d'aborder son étude par la pensée scientifique.

— Mais pourtant, il ouvre, il y a du sang, une partie de l'organe est extériorisée ! Eux-mêmes disent qu'ils ouvrent !

Ouvrir, *open* pour eux, ce n'est pas la même chose que pour nous ! Nous pensons qu'ils ouvrent le corps physique, en fait ils ouvrent le corps éthérique du malade, à l'aide de leur propre corps éthérique. Et par un point privilégié du corps physique qui semble toujours être un point d'acupuncture, lequel a des propriétés électromagnétiques particulières, ils interviennent sur le corps physique. Ce point est capable de se dilater, le pore s'ouvre en cratère, l'énergie cosmique y pénètre, des matières organiques en sortent. Elles sont probablement absorbées par le coton, et le sang s'écoule. N'oublions pas qu'en acupuncture, sang et énergie sont deux états interchangeables ! Entre leurs mains, énergie, sang et matière semblent interchangeables.

Mon confrère est stupéfait.

— Mais enfin, vous êtes médecin. Comment pouvez-vous considérer ainsi les choses ?

Il devient agressif.

Comme par miracle, Tony survient, et s'assied à notre table. Il continue la conversation :

— Nous ouvrons le corps éthérique, nous entrons par un point d'acupuncture pour transmettre l'énergie. Cette énergie et celle du malade entrent en compétition. L'énergie malade est chassée par l'énergie cosmique et s'élimine.

Le confrère, médusé, l'écoute expliquer comment le corps éthérique du malade et celui du guérisseur interfèrent. Puis Tony s'en va et m'invite à déjeuner avec son équipe. Le confrère essaie de me retenir encore un peu. Mais c'est le dernier jour ! Il est normal que je prenne ce repas en compagnie de Tony.

Il me vante un étrange plat de verdure crue, légèrement amère, fait de très petites feuilles vertes, puis il me présente un plat de poissons aux champignons. Le goût de tout cela est inhabituel. Je grignote... et veux bien tout expérimenter... un peu de tomates... cela je connais... un peu de ce mélange brun... Soudain, je rugis ! Tous rient de mes grimaces : c'est un mélange d'épices ! Il faut en prendre juste un petit peu ! Du riz apaise ma bouche en feu.

Ils essayent par politesse de parler anglais, mais immanquablement, la conversation se termine en tagalog en l'espace de quelques minutes. Je me trouve seule, devant mon assiette, ne pouvant participer à leur conversation. (Aussi je préfère habituellement déjeuner seule, de fruits, en profitant du soleil et de la piscine.)

Tony me demande si tout va bien car il me voit pensive... C'est vrai, la conversation précédente avec mon confrère frisait l'incommunicabilité et m'a fait découvrir le fossé qui existe entre lui et moi.

— Oui, tout va bien, mais je découvre que je suis beaucoup plus près de vous maintenant que de mes confrères.

— *Good !...*

Le repas terminé, ledit confrère m'entraîne et veut encore parler. Il a réfléchi pendant cette heure. Mon raisonnement lui semble étrange, mais il coïncide avec celui d'Agpaoa. Aussi admet-il qu'il peut y avoir dans cette approche de la maladie une part de vérité.

— Mais parlons des résultats !

— Oui, j'ai vu des résultats positifs.

— Pourquoi ne pas les publier ? Pourquoi ne pas le faire savoir ? Il y a tant de gens à aider sur cette terre !

— Parce que mes observations sont punctiformes. Parce qu'un travail publié dans les milieux médicaux ne peut être considéré comme sérieux que s'il porte sur quelques centaines de cas. Encore faudrait-il que ces cas aient échappé à tout autre traitement, que les malades aient observé une règle élémentaire : venir ici avec régularité, être suivis entre-temps par quelqu'un de moins doué mais qui travaille dans le même esprit. Ces conditions étant réalisées, on ne pourrait encore pas conclure d'une façon mathématique. Il faudrait pouvoir distinguer les maladies dues à une inadaptation aux conditions de vie (je pense à ma mère morte l'année de sa retraite, incapable d'envisager de vivre hors de son milieu de travail). Je

310

pense à ceux dont la durée de vie sur terre est réellement achevée, à ceux qui par leur maladie sont les instruments destinés à faire évoluer leur entourage, par les contraintes auxquelles ils l'obligent (au sens où Sunny l'entend). Je songe aux maladies karmiques. Non, je ne l'ai pas fait. Il me faudrait parler un langage que bien peu de mes confrères pourraient comprendre au sein d'une société médicale. Et puis, il me faudrait être tenue au courant des suites de tous les malades qui passent ici. Je suis trop seule pour entreprendre un tel travail.

— Non, vous n'êtes pas seule. Il vous est facile d'entretenir une correspondance avec tous ceux que vous rencontrez ici.

— Les renseignements fournis seront de toute façon incomplets. Je ne peux me permettre de publier un semblable document sans la plus extrême prudence, sous peine d'être ridiculisée et de faire plus de mal que de bien aux guérisseurs et aux malades !

Alors il m'agresse : comment, je bénéficie auprès d'Agpaoa d'une position tout à fait privilégiée, et je fuis devant mon devoir qui est de faire connaître la vérité au monde médical et d'éclairer les malades ! A la fois médecin et *healer* je sais de quoi il retourne et si cela est vrai, je me dois de le faire savoir.

J'essaie de m'expliquer :

— J'ai bien tenté, les premières années, de faire partager mon émerveillement devant ce que je découvrais. Je me suis trouvée devant des visages ricanants. J'ai connu les affronts, l'abandon, l'agression et le mépris. Non, cela ne me concerne pas. Je suis trop petite. Ce sont des commissions internationales de gens avertis qui doivent étudier cela. Des gens avertis, oui avertis ! Je me souviens des privilégiés auxquels on offrait le voyage pour aller étudier en Chine, d'une façon tout officielle, l'analgésie acupuncturale préopératoire, et qui n'étaient ni anesthésistes ni acupuncteurs ! ignorant même la différence qui existe entre l'analgésie et l'anesthésie ! Tout cela n'est pas mon affaire, je conserve mon énergie, mon temps, mes ressources à parcourir mon propre itinéraire d'une part, et à soigner des gens motivés d'autre part. Certains ne me pardonneraient jamais de les avoir guéris sans comprendre en langage rationnel ce qui leur arrive. Il y a aussi des médecins qui m'en veulent de guérir leurs patients ! J'ai déjà vécu cela. Ils ne veulent pas remettre en question leur propre pouvoir (celui des médicaments), leur propre système. Il y a des malades qui n'osent parler de moi à leur médecin, lequel peut même faire des publications erronées car mon malade est guéri sans avoir pris le traitement classique prescrit, et sans l'avouer ! Et puis, il y a des limites à la méthode : il est possible d'arrêter l'évolution d'une sclérose en plaques, d'une maladie de Charcot, mais il est impossible sans doute de récupérer les cellules mortes. Je ne peux que récupérer les fibres en souffrance ! Et je pense qu'il en est de même pour Tony. Il est possible de stopper l'évolution d'un cancer, d'une récidive, d'une métastase, les cellules perdent de leur pouvoir évolutif pour un temps, mais l'image radiologique parfois reste là ; troublante, pour le médecin classique non averti qui voudra prendre alors des mesures inadaptées à la situation, créera la panique, entreprendra un traitement inapproprié.

— Mais tout cela, vous devez le dire, le publier !

Il se transforme en accusateur.

De nouveau Tony surgit :

— *Do'nt disturb the doc with your questions, you make her mind confused* (Ne dérangez pas le doc avec vos questions vous le troublez.)

Il a dû de loin voir nos auras flamboyer. Il a dû sentir ma désespérance ! Délivrée de mon interlocuteur qui s'excuse, je file vers la piscine, le livrant à Tony. Malgré toutes ses promesses, le médecin dont il est question ne m'écrira jamais.

Le bain, le soleil, une noix de coco offerte par Tina, la barmaid (qui l'a rapportée de Bauang où nous nous sommes rencontrées), me remettent la tête en place. Etre à la fois rationnelle et irrationnelle en cours de discussion, passer d'un système à l'autre pour se mettre à la portée de l'interlocuteur, dans une langue étrangère, c'est bien fatigant ! Je suis reconnaissante à Tony d'avoir su reconnaître de loin l'instant où cela suffisait !

Mon confrère ne sait pas encore faire la différence entre la vie ici, à Baguio, où tout est simple, et l'état d'esprit qu'il rencontrera à Chypre, quand il réintégrera son service hospitalier.

Il est bientôt 16 heures, l'heure du traitement de l'enfant.

J'aperçois, sortant d'un taxi, l'air épuisés par la chaleur, le médecin et le père mais... voici l'enfant, lui aussi était au marché !

312

Je m'étonne. Il fallait le laisser se reposer, dormir ! Il est fébrile, harassé ! J'explique que les premiers jours, au rythme de deux traitements quotidiens, de grands mouvements d'énergie, des éliminations vont avoir lieu (au sens homéopathique du terme). Cet enfant est en état de moindre résistance, non seulement à cause de sa maladie, mais du voyage, du changement d'horaire et de saison !

— Mais le moral, me dit-on, cela l'amuse de se promener dans le marché !

Dans la salle de *healing*, son père le dévêt tandis qu'un aide tente de l'amuser. Tony arrive, riant de ses dents blanches, venant comme pour jouer avec lui, portant des cadeaux plein les mains !

— *Just massage,* dit-il en le faisant s'étendre.

Il me fait placer une glace de telle façon que l'enfant puisse assister à sa propre opération.

Il commence à travailler en poussant de joyeux gloussements étonnés, puis émerveillés quand le coton devient rose, puis quand le sang apparaît. Il prend l'enfant à témoin quand apparaît la matière. Le bambin n'a plus peur, il sourit presque, et quand il se relève il est l'ami de Tony. Ils s'en vont tous deux, main dans la main. Il faut mettre ce petit garçon au repos et au lit.

La salle se vide. Le médecin me demande de le soigner. Il souffre d'une migraine rebelle. Revenant sur nos pas, nous ouvrons la salle et nous y installons, seuls. Je n'ai pas cru nécessaire de demander la permission de disposer de ce lieu interdit et n'éprouve aucun scrupule à y entrer, sachant que rien n'y est caché.

Commençant l'examen, je lui annonce qu'il a d'autres maux qu'une migraine ! Je le devine, sans interroger.

La porte s'ouvre. C'est Tony. Je lui explique le pourquoi de notre présence. Il approuve et prend quelques pots dans la réserve à pharmacie chinoise.

Quand le confrère se relève, il ne souffre plus.

Dans le couloir, nous nous rechaussons, il me regarde et dit :

— *You are very clever !* (Vous êtes très intelligente.)

Une moue dubitative lui répond ; me voici très intelligente parce que je l'ai soulagé de sa migraine !

— *You are very clever !...* Oui, vous avez compris qu'il fallait quitter notre système de pensée pour pénétrer le leur...

313

Ce que vous venez de faire sur moi me prouve que vous avez raison.

Il ne s'agit pas d'intelligence, mais d'intuition, de sensibilité, d'ouverture d'esprit et de disponibilité.

« Il faut se décider un jour à remuer les couches les plus profondes de votre être pour arriver enfin à mettre en marche quelque chose qui est profondément enfoui et qui résiste. On veut passer pour spirituel et à l'intérieur rien ne vibre intensément. Pour les activités de l'âme, et de l'esprit, ça je l'ai vu (dit Mikhaël Aïvanhov), on plonge la main dans l'eau bénite, on balbutie quelques mots de prière avant de se coucher. Voilà la spiritualité. Mais le Ciel rit quand il voit de pareils spiritualistes ! »

La médecine, c'est comme la spiritualité. C'est moi qui le prétend, il faut la vivre d'une autre façon.

« Evidemment, on ne peut pas forcer les humains. Les humains réagissent suivant leur degré d'évolution. Que voulez-vous que fasse un chat ? Quoi que vous lui expliquiez, il vous dira : " Je ne sais pas jouer du piano, je ne sais pas faire de cours à l'université, je ne sais pas commander une armée mais je sais attraper une souris. " Donc expliquez à un chat tout ce que vous voudrez, il vous écoutera gentiment, il ronronnera un peu, puis d'un seul coup, il vous quittera pour se jeter sur une souris et reviendra en se léchant les babines. Donc, chacun ne comprend qu'autant que son degré d'évolution le lui permet. »

Aujourd'hui, j'ai lu un document concernant les médecines différentes jugées par un professeur de faculté responsable de la Santé publique. Il rejette ces médecines en concluant : « Trop d'irrationalité ! » Il est comme le chat : on lui a expliqué, il a peut-être lu quelques textes, mais comme cet animal, il n'a pas su comprendre que le principe même des médecines différentes est l'*irrationalité*. Ce qui n'en exclut pas la logique interne. Mais il n'a pas encore accès à ce monde. Le même écrit : « Là où les pouvoirs publics, par contre, peuvent éventuellement agir, c'est lorsque, contrairement au code de déontologie, le médecin ne met pas à la disposition de son malade toutes les données actuelles de la science. Et cela est un domaine où les pouvoirs publics. par l'intermédiaire des pouvoirs judiciaires peuvent agir. »

Remplaçons « les données actuelles de la science » par « les données actuelles de la connaissance », et je suis presque en accord avec ce texte menaçant, mais n'en continue pas moins

314

à penser qu'il est attristant de constater que la santé publique est sous la férule d'individus dont la bonne volonté et la sincérité ne sont pas à mettre en doute, mais dont le degré de connaissance et d'évolution est insuffisant. Et le bon sens populaire a saisi depuis longtemps que les pouvoirs publics étaient contraignants et restrictifs à cet égard. Alors les gens sont en quête d'autre chose. Ils s'accrochent aux premières informations rencontrées. Qu'un incompétent en la matière publie un article ou un livre sur un sujet médical, il est investi par ses lecteurs du savoir et du pouvoir thérapeutique. Et n'importe qui devient consultant et thérapeute, de n'importe quoi.

Il faut accorder à l'étudiant en médecine, une fois qu'il a acquis les principes de base, la possibilité de s'orienter soit vers un travail scientifique essentiellement technique, soit (pour les plus doués) vers une médecine irrationnelle. La collaboration simple entre guérisseurs et médecins qui existe chez Agpaoa peut exister au sein du corps médical.

Préférant à l'examen histologique un examen à ma façon, j'ai proposé au médecin un examen avant-après de l'enfant qui est maintenant dans sa chambre et dort, couvert de sueur. Le *healing* est terminé depuis une heure. Je le teste endormi. Tout reste normalisé, exception faite de la région qui correspond aux régions génitales qui semblent représenter la localisation essentielle de la perturbation énergétique. Celle qui ne se normalisera qu'en dernier, si le traitement est suffisamment prolongé.

Le père, le médecin m'interrogent. Que dire ? Nous sommes là, trois affligés devant ce petit enfant qui dort, et peut-être va mourir bientôt.

Tony m'a dit en aparté : « Nous l'aiderons ! » Mais aider, pour Tony, ne signifie pas nécessairement maintenir en vie le corps physique. Cela peut signifier qu'il va développer son corps spirituel et l'aider à passer au-delà.

— Combien de temps pensez-vous rester ?

— Une semaine encore.

— Dix jours sont insuffisants pour obtenir une stabilisation d'un état aussi avancé. Il faudra aussi revenir dans trois mois, pour faire tenir l'amélioration.

On me demande de rester à Baguio car le médecin, lui, doit rentrer pour assumer les soins de sa clientèle. Je me heurte à tout un système : le travail du médecin, la maman qui veut revoir son enfant lundi, l'enfant qui s'ennuiera de sa mère et dans trois mois, c'est le début de la saison des pluies : Il ne sera pas agréable d'être ici. On voudrait que cet enfant, aux portes de l'agonie, survive mais sans se plier à une quelconque discipline thérapeutique !

Je ne peux définir le malaise que j'en éprouve. Oui, on veut faire l'impossible et l'on demande de l'aide mais on refuse de se plier aux règles les plus élémentaires de repos et de fréquence des soins. Je tente, à l'aide de ma faible expérience, d'exprimer rationnellement les règles d'un traitement irrationnel.

Voyant, au niveau d'un raisonnement apparemment simple, et d'une intention finale qui ne peut être mise en doute, combien il est facile de « glisser », je comprends l'intérêt de la méditation prolongée sur un même thème. La pensée symbolique nous apprend à dégager l'essentiel de chaque situation et à nous concentrer car nous ne sommes pas bien « réunis ». Tony m'en fit un jour le reproche.

L'instinctif, l'affectif, l'intellect, chacun veut jouer son rôle et divise la personnalité : la finalité de l'action entreprise s'en trouve perturbée. Jean Le Couédic, astrologue et homme de théâtre, exprime cela sur la scène de son petit théâtre astrologique. Ce phénomène est patent quand se donnent *Les Gémeaux*. Un seul homme est joué par trois personnages dont les centres d'intérêt divergent. Dans la vie, chacun est sincère, vis-à-vis d'une partie de lui-même. Comme l'un donne le rôle essentiel à l'affectif, l'autre à l'instinctif, le troisième à l'intellect, nul ne s'y retrouve. Cela ne facilite pas la compréhension de soi-même, pas plus qu'entre les êtres. La difficulté de vivre réside là. L'éducation consiste précisément à faire prendre à chacun conscience de ces trois valeurs, puis à les ajuster.

La maladie est peut-être bien déclenchée par la déchirure causée par la fixité d'une de ces valeurs qui ne sait ni se mobiliser ni s'ajuster aux autres !

La nuit va tomber. Je quitte précipitamment les deux hommes et l'enfant qui dort, une goutte de sueur aux lèvres, deux pétéchies sur le bras témoignent de la gravité de la maladie. Courageuse mais pas téméraire, je ne veux pas grimper la montagne en pleine nuit.

Jamais je n'ai grimpé si vite. Je fais signe « Non » au taxi qui passe, car la brume donne au paysage un charme supplémentaire. Je m'assieds à mi-côte admirant une dernière fois le fabuleux spectacle.

La côte grimpée, une voiture est la bienvenue, elle me mène

dans la nuit au marché. Je dîne d'un œuf chaud fécondé et couvé (les enfants les vendent chauds, cachés sous un torchon, en criant « bellottes, bellottes ») de « one peso » de cacahuètes épluchées et grillées, de quelques fruits et rejoins l'hôtel.

Le lendemain matin, je suis bien avant l'heure au Terminal de Baguio. Vêtue pour le voyage d'une légère robe de laine et d'un manteau, je grelotte. Ma voisine également. Elle m'entretient de l'air glacial, puis se raconte, m'extrayant ainsi de la joie que j'éprouve à regarder le paysage.

Elle a connu Agpaoa tout petit, mais n'a jamais compris ce qu'il faisait. Tout cela est impossible ! Cependant, comme elle possède un magasin au Hilton, elle voit les gens qui arrivent avec une canne et repartent sans !

Les gens sont contents ! Tous le lui disent quand ils repassent à Manille pour prendre l'avion. Souvent, on lui demande des explications qu'elle ne sait donner. Elle rit ! Son frère, son fils sont médecins, tous sont hostiles à Agpaoa ! Voudrais-je lui expliquer ce qui se passe ? Elle pourrait en informer ses clients ! Elle me donne son adresse. Elle me trouvera un appartement à Baguio à mon prochain voyage.

Son mari l'attend au Terminal de Manille. Une fille, une petite fille, l'accompagne dans le car. Aussi a-t-elle de nombreux paquets, mais elle tient à me déposer elle-même en ville pour m'assurer de la réservation de la place d'avion ! Aimables Philippins ! Ils m'étonneront toujours.

J'ai un après-midi à vivre à Manille. Me réfugiant au Philippines Village Hotel, mes souvenirs s'égrènent. Mes perceptions sont tellement développées qu'au repos, assise sur un transat, je suis gênée en croisant mes bras car je perçois mes propres vibrations ! Les bras du fauteuil vibrent moins que moi et viennent à mon secours. Les Chinois, ceux qui ont décrit les méridiens d'acupuncture, avaient-ils, comme moi en cet instant, la perception de leurs propres courants d'énergie ? En auraient-ils tiré les lois de cet art ?

6. LA FIN DU VOYAGE, C'EST VOUS-MÊME

Une étude scientifique, exprimée en termes de biochimie, me paraissait autrefois la conclusion inéluctable de cette expérience vécue. Au terme de ce quatrième voyage, il en va tout autrement. J'ai abandonné au cours des derniers mois mes armes habituelles : le savoir appris et la certitude de la supériorité de l'intellect du médecin occidental. J'ai vécu et senti sur un nouveau clavier, sur un registre différent. Je me suis mise à l'écoute des mouvements de mon énergie, des sensations qui émanaient du plus profond de mon corps et de la nature des choses. Agpaoa avait dit : « N'essayez pas de comprendre, vous bloquez le passage de l'énergie, laissez aller ! » Aussi les perceptions qui se présentaient n'ont jamais été filtrées bien longtemps par mon intellect qui apprit à se taire... Alors, des gestes automatiques apparaissent, des perceptions inhabituelles surgissent. Quelque chose qui vivait en moi, mais qui était inhibé par l'action, les habitudes, l'éducation, croît et s'affirme. Dans le silence, j'apprends à « le » respecter, « le » laisser vivre, bientôt à « le » faire apparaître et à « le » reconnaître. Je lui fais confiance, il m'informe et résout pour moi les problèmes que je me pose, sans passer par le raisonnement. Il est plus rapide et mieux informé que mon intellect. Grâce aux connaissances acquises ces dernières années, je vis en accord avec lui, et adopte raisonnablement, quand il est nécessaire, cette attitude irrationnelle.

Malheureusement, je ne puis m'entretenir avec mon entourage de ces phénomènes. La pudeur m'en empêche, mais aussi la certitude que ce vécu n'est accessible à l'entendement que s'il a déjà été perçu.

Anciens amis et membres de ma famille m'ont fort heureusement et depuis longtemps appris à me taire. Je connais, depuis le début de mon virage, le goût amer de la critique injustifiée et de la calomnie ; j'en sais toutes les nuances, toutes les saveurs. J'ai découvert comment ceux qui comptaient pour moi savent cultiver la haine et devenir machiavéliques ; j'ignorais qu'il pouvait en être ainsi, cela n'existait, pensais-je, que dans les romans ! Non, j'ai commis le crime de remettre en cause leur acquis, leurs certitudes ; pour leur avoir laissé deviner que leur bel équilibre n'était que château de sable et la valeur de leurs médailles très relative, je dois payer très cher. Tout mon univers affectif s'effondre.

Ainsi, je sais très vite qu'il est vain de vouloir faire partager ses émerveillements. Les êtres dont je vénérais l'intelligence ou le savoir, les plus célébrés, les plus titrés, se révèlent souvent à cet endroit les plus agressifs car les plus vulnérables puisque les moins doués.

Mon refuge amical et affectif se trouve déplacé hors du monde intellectuel et reporté dans le monde artistique. Là, je suis spontanément admise et comprise. Ainsi, évoquant mon hypothèse des trois corps devant le célèbre trompettiste Maurice André, celui-ci me répondit immédiatement : « Je sais ce que tu veux dire, je connais le deuxième corps, c'est celui dans lequel je suis quand je joue de la musique. Les gens pensent que le meilleur moment d'un concert, c'est celui des applaudissements, c'est faux ! C'est le moment le plus désagréable, on descend brutalement dans la réalité, le choc est douloureux, désagréable, il faut un moment pour s'en remettre, on ne sait plus très bien où l'on est, il faut revenir sur terre, on devient lourd. » Maurice André, le plus grand trompettiste actuel, est un ancien mineur... qui n'a pas été déformé ni bloqué par les études en faculté, c'est un être authentique. Spontanément, il me décrit ce que j'ai péniblement appris à vivre chez Agpaoa, lui sait ce que veut dire : « Il faut apprendre à vous élever », c'est un être doué, il le fait naturellement, pour cela il est un grand artiste. M'entretenant du même sujet avec un ancien chanteur de l'Opéra de Paris, Henry Legay, celui-ci comprit immédiatement mon propos : il apprend à ses élèves à « s'élever », à oublier toute contingence matérielle quand ils chantent. Instinctivement conscient de l'aura, il est convaincu de la nécessité de se constituer un bouclier avant d'entrer en scène, pour ne pas recevoir de plein fouet les vibrations de la salle.

Le rationaliste, au contraire, face à mes propos, me considère avec stupéfaction, il est interdit car il n'a pas encore vécu sur ce plan, ou tout au moins il n'en n'a jamais encore pris conscience, plus il est scolarisé, plus il est éloigné de lui-même. Alors, il s'inquiète pour mon état de santé mental ! Ceci correspond à un état d'esprit très répandu. A l'issue d'un dîner chez un musicien, quelqu'un me dit : « Comment as-tu fait pour supporter ton voisin de table, il est complètement fou. » Mon voisin, en fait, m'avait éblouie par son niveau initiatique, par ses dons de médium, de voyant. Sans doute ce développement lui vaut-il d'être un des plus grands chefs d'orchestre étrangers actuellement vivants. On m'avait comblée en me plaçant à ses côtés.

Ceci explique pourquoi les artistes furent souvent tenus pour suspects par certains milieux bien-pensants.

Ainsi, ce quelque chose qui s'est éveillé en moi me permet d'élargir mon jugement, de modifier mon échelle des valeurs.

Ayant vécu en circuit fermé depuis quelques années, j'éprouve, achevant ce volume, le besoin de me relier à l'actualité et de lire « les autres ». Mon optique s'est modifiée ! Me voici amenée à classer les ouvrages lus en trois catégories : la première est constituée par les écrits de serviteurs disciplinés de la science, un monde à œillères ; comment ignorer l'ensemble des réalités que l'on côtoie tous les jours ? Mais ai-je le droit de les critiquer, étant sortie du ghetto il n'y a pas si longtemps ?

La seconde appartient à la littérature du psychisme. Les uns philosophent autour du Je Te Se Nous Vous Ils ; les autres lancent la balle entre le conscient, le subconscient, l'inconscient ou manipulent, tels des magiciens, les transferts, les complexes, les pulsions...

La troisième s'intéresse aux pouvoirs psychiques. Le psychisme n'est plus dépecé par des analystes plus ou moins culpabilisants mais par une catégorie d'individus qui ont compris que pensée = énergie. On rencontre alors deux sortes de textes. Les uns sont faits d'un ramassis d'informations prélevées çà et là, sans que l'auteur ait le moins du monde eu la possibilité de pénétrer au cœur du problème. Les autres sont écrits par des êtres qui sont au fait de la question. Ils ont compris que le pouvoir était communiqué par une savante utilisation des énergies du corps éthérique. Ils communiquent des recettes propres à en assurer le développement.

Il est inutile de dissimuler l'agréable étonnement qui me saisit quand je me sens capable de différencier « l'ersatz » d'un texte authentique. J'en étais, autrefois, incapable et rejetais tout en bloc.

Pourtant il existe une société qui s'intéresse au développement des forces psychiques... pour le meilleur et pour le pire. C'est le domaine de ceux qui recherchent les pouvoirs : voyants, mages, guérisseurs... mais aussi envoûteurs... Nier la réalité de l'envoûtement serait une ineptie, car la connaissance du maniement des lois de l'énergie psychique et l'utilisation des pouvoirs qu'il confère peuvent mener sur diverses voies... Aussi le développement des forces psychiques doit-il s'accompagner d'un développement des forces spirituelles, si l'on ne veut pas, à son insu, tomber dans les mailles du filet des forces malignes.

Il existe aussi des spiritualités artificielles : combien de sermons fades, vides de sens, utilisant des formules apprises, qui n'ont jamais su toucher l'âme ou exercer une action quelconque sur le comportement des pratiquants. Le pouvoir spirituel et la faculté de communiquer l'éveil n'appartiennent qu'aux grands maîtres, aux grands initiés.

L'expérience médicale m'incite à penser qu'il est nécessaire d'entreprendre une initiation spirituelle, fût-elle élémentaire, quand l'on commence à développer ses pouvoirs psychiques. Différencions l'initiation spirituelle réelle élémentaire de la spiritualité artificielle : l'âme ne se nourrit pas de mots, il lui faut un verbe capable de véhiculer des vibrations efficaces.

Tout comme je teste les livres, je teste ceux que je côtoie : j'utilise, pour ce faire, leur réaction à un texte de Mikhaël Aïvanhov. Il est possible d'apprécier ainsi, non pas leur potentialité, car tout être peut évoluer, mais leur dimension actuelle. S'ils n'ont pas pris conscience du corps éthérique, si leur corps spirituel n'est pas éveillé (bien qu'on puisse aller à la messe chaque dimanche et prier chaque jour !), si leur pensée symbolique n'est pas exercée, alors le texte du maître leur semble d'une banalité affligeante. On ne saisit ni la justesse du ton, ni la dimension du message. On s'en tient à distance en adoptant une superbe attitude de juge... vis-à-vis du texte. On le dénigre systématiquement, probablement parce que l'inconscient, lui, a saisi qu'il s'agissait d'un verbe puissant... qui pourrait bien amener à remettre un certain nombre de choses en question.

LA FIN DU VOYAGE, C'EST VOUS-MÊME

Pourtant, la persévérance dans cette lecture, de préférence en la faisant à haute voix, entraîne l'éveil sans heurt, ouvre à la pensée symbolique, amène tout naturellement à la méditation, apprend à raisonner plus juste.

Mais si je jette un regard ébloui, tout neuf, sur le monde, je n'ignore pas de quel œil on me voit. La lecture d'un ouvrage traitant des guérisseurs *, écrit par un confrère, me le fait deviner : « Petites âmes, petits esprits, petits caractères nous apparaissent... les guérisseurs. Leurs prétentions démesurées ne font qu'accuser davantage leur pauvreté psychique... Moins limité que le pur hystérique dans la reproduction des éléments suggérés, il ne subit pas la suggestibilité du pathologique, mais la suggestibilité du traditionnel. C'est son incapacité intellectuelle, son inertie sentimentale, en un mot sa débilité morale qui socialise son mysticisme, sa suggestibilité qui l'enchaîne à la religiosité populaire... » Qu'en termes élégants voici exprimées des vérités que l'on m'assène en mots plus crus.

Qu'importe, j'ose exister telle que je suis et considère que ma « folie » me va bien ! J'apprends à être « sentimentalement inerte » à l'égard de certains et retrouve ailleurs amitiés, affection, appuis, et continue mon chemin. « Dans la science initiatique, dit Aïvanhov, on apprend aux disciples à arrêter la pensée pour aller beaucoup plus loin, beaucoup plus haut, goûter des sensations sublimes de ravissement et d'extase. Les sages de l'Inde ont dit que l'intellect est l'assassin de la réalité et c'est vrai. Avec l'intellect, on ne connaîtra jamais la réalité. On connaîtra peut-être beaucoup de détails à la surface, mais jamais la réalité, la quintessence. C'est au cœur qu'il est donné la faculté de pénétrer dans la réalité. »

Avec le temps, je prends du recul sur les événements. Après les avoir vécus innocemment comme une succession d'incidents, je les insère progressivement dans un contexte général. C'est *L'Initiation* de Rudolf Steiner qui m'aide à me situer. En première lecture, ce livre m'avait procuré la sensation éprouvée au congrès de sophrologie de Barcelone : on y parlait de ce « quelque chose » jamais défini et qui flottait dans l'air sans jamais offrir un semblant de réalité concrète ; pourtant des gens en parlaient et y adhéraient. La sophrologie, était-ce une mystification ? Non, car plus tard, je pénétrai moi aussi au sein de cette réalité mystérieuse que l'on ne pouvait définir que par

---

* *Le problème des guérisseurs*, par le Dr Maurice Igert, Ed. Vigo.

ses effets. De la même façon, j'adhère maintenant au texte de Steiner qui est devenu pour moi une réalité brûlante d'actualité. Je sais ce dont on parle : c'est DU VECU INTERIEUR, j'en connais les stades évolutifs et c'est indéfinissable par les mots si on ne l'a pas vécu.

Je mets un nom sur cette initiation quand une dame appartenant à la société cultivée philippine me conseille de m'intéresser à l'histoire du chamanisme philippin et me donne le nom d'un ethnologue anglais spécialisé dans son étude. Il est en voyage et je ne puis le joindre, mais une rapide lecture de quelques documents m'éclaire instantanément. J'apprends que le « pouvoir chamanique » qui survit aux Philippines se révèle de deux façons.

L'une est héréditaire, c'est le cas de Rudy Jimenes dont le pouvoir est hérité de sa mère. Agpaoa disait l'avoir détecté dans son enfance, mais il avait attendu que le pouvoir fût assez développé pour l'utiliser.

L'autre est un « appel », son apparition coïncide souvent avec une épreuve douloureuse, une maladie grave qu'il faut dépasser : la vision prémonitoire, l'accident, les épreuves affectives qui l'entourèrent prennent un sens. Mes ennemis ne furent en fait que les instruments de mon évolution.

J'apprends que l'instruction est faite essentiellement par le biais du rêve et de l'état extatique. Tous les phénomènes vécus à Dominican Hill dans la solitude prennent leur signification. Les silences du maître eux-mêmes s'expliquent : voulant développer chez moi un autre mode de transmission que la communication verbale, non seulement il se tait, mais il me fuit, et mes questions n'obtiennent que des réponses énigmatiques, dont il me reste à découvrir le sens par la réflexion et la méditation.

Ce travail est le fruit d'une alliance préalable, orale et écrite, je sais parfaitement qu'il ne s'agit pas là d'un délire d'interprétation. Je vis une expérience proposée et acceptée et suis dans des conditions fort différentes de celles de ma première initiation, vécue en France au contact de Jean Vaysse. Je plongeais alors en toute innocence dans la réalité du monde invisible dans lequel j'étais sans repère. En vacances dans ma maison de l'île d'Oléron, entourée de mes enfants, donc placée dans des conditions normales, brutalement tout en moi changeait. Subitement, j'étais deux personnes, la première vivait comme tout un chacun, la seconde, au moindre instant d'inactivité de la première, prenait le pas et s'imposait ; ma respiration, les mouvements de mes membres, ma pensée ne m'appartenaient plus ! (Je reconnaîtrai dans la pratique sophrologique une bonne partie de ces respirations et de ces exercices qui s'imposaient, en dehors de ma volonté.) Un langage intérieur surgissait me donnant ordres ou conseils, il m'était impossible de faire taire cette voix ! Je prenais un papier, un crayon... Celui-ci fonctionnait seùl, écrivant à l'envers des phrases qui pouvaient être lues dans une glace !... Mon crayon parcourait le papier dans tous les sens... Au terme de cette activité désordonnée se dégageait un dessin ayant une signification ! Ma petite fille était malade : une ordonnance inattendue faisant appel à un traitement auquel je n'aurais jamais songé s'inscrivait à mon insu sur un papier ! C'était l'écriture automatique.

Et nulle écoute valable près de moi pour commenter ces phénomènes qui m'effrayaient et m'aider à les vivre !

Sans aucune préparation, j'ai brutalement pris conscience d'un monde insoupçonné, et le souvenir horrible de cette aventure demeura vivant en moi pendant des années...

J'ai su qu'il était possible de douter de sa raison ; mais si je doutais d'elle... si je la mettais en cause, j'étais capable de raisonner, donc elle était toujours en ma possession ! Mais comment expliquer ce deuxième personnage qui vivait en moi ? S'agissait-il d'une expérience psychique ? La conversation très orientée que j'avais eue avec Jean Vaysse les jours précédents constituait mon seul pôle de référence.

A Baguio, tout est simple. Je suis... ailleurs, pour vivre autre chose. Francis, Jean-Noël, Edwin parlent librement de tous ces phénomènes.

La jeunesse, la santé, l'équilibre joyeux d'Agpaoa me permettent de supposer qu'il ne dissimule aucune perversion mentale, et puis il est thérapeute... Je suis là près d'un maître qui manipule des pouvoirs avec précision, je dois donc m'attendre à toutes sortes d'événements insolites qui n'auront rien de commun avec ma culture occidentale car ils n'obéissent pas à ses normes et, si je vis un dédoublement, il est lucide et voulu. Une motivation puissante préside ce difficile travail : la volonté d'accéder à une thérapeutique nouvelle et d'en démonter le mécanisme, le tout soutenu par la certitude de parcourir un chemin spirituel que la religion catholique ne m'a pas permis de connaître jusque-là.

Ainsi, puisqu'il s'agit d'une initiation chamanique, tout

s'explique : visions, auditions prémonitoires, rencontre avec le maître qui, incognito, *me propose de m'instruire*, et la suite des événements... Je connais après l'accident la sensation du corps physique qui se défait et localise l'appel subtil vers cet ovale lumineux qui m'attend. J'apprends ce qu'est la désespérance de ne pas avoir à ses côtés ceux que l'on souhaite, la puissance négative de la désillusion affective, mais aussi le bonheur de voir un sourire, une fleur, une présence amie. Je vis cette maladie comme une expérience qui m'aidera à comprendre mieux le malade ; je prends conscience d'une vérité essentielle : TOUS LES MALADES SUBISSENT UN DEBUT D'INITIATION ! Le frère Sunny pratique l'enseignement oral, le révérend Agpaoa, Niéves et Rudy Jimenes pratiquent un travail spirituel sur chacun d'entre eux !

Oui, la maladie a une vertu initiatique !

Et « la fin de ce voyage, c'est vous-même », disait Sunny.

Je comprends alors pourquoi les patients ayant suivi cet enseignement et subi les soins sont satisfaits de leur voyage, quel que soit le résultat thérapeutique apparent : ils ont transcendé leur maladie, elle est devenue maladie initiatique, et sa signification est bien différente de la maladie « injuste épreuve » à l'aide de laquelle certains agressent le monde entier, Dieu y compris, qui n'aurait pas dû permettre cela, et voit son droit d'existence compromis : « Si Dieu existait, je ne souffrirais pas ainsi. » Dans une certaine mesure, la sévérité avec laquelle les médecins jugent leurs malades dits non organiques pourrait se trouver justifiée, puisqu'ils devraient savoir avec un peu de réflexion trouver la voie pour transcender leur maladie... Hélas, personne ne leur a appris à le faire, et la faculté ne prépare pas ses médecins à cette attitude thérapeutique. Pourtant, au temps d'Hippocrate, les médecins étaient tout à la fois des initiés, des astrologues, maniant le symbole autant que les vertus thérapeutiques des plantes ! Cette forteresse du matérialisme qu'est la faculté ne nous apprend plus que l'intelligence horizontale des maladies ; elle semble ignorer qu'il existe un savoir que l'on ne peut acquérir par la discipline scientifique, mais uniquement par la connaissance suprasensible, obtenue au prix d'un entraînement spécifique. Cet art ne s'apprend pas dans les livres, il se transmet, se communique de maître à élève et touche à l'âme.

On parle des secrets initiatiques. S'il existait un secret, j'en aurais déjà pris conscience. Pour moi, il n'existe pas de secret.

Ce que l'on appelle le secret est en fait cette incommunicabilité, cette incompréhension entre celui qui a un « vécu » et celui qui n'en a pas. L'enseignement dépasse les mots. « Il faut apprendre à vous élever, il faut apprendre les vibrations », m'avait dit Agpaoa. Voilà un secret. Mais avant de savoir m'élever, avant de savoir entrer en vibration au contact d'Agpaoa, cela ne signifiait rien pour moi ! Pourtant il m'avait livré le secret.

Si l'on est capable de passer de l'autre côté du miroir, alors on sait ce que parler veut dire.

Ainsi, à des degrés divers, le malade a été éveillé s'il a su vaincre sa peur de l'inconnu et ses blocages psychiques. Il s'en rend compte à son retour en France : il est transformé, doué d'un nouveau sens d'interprétation des événements, mais incapable de communiquer comme autrefois avec ses amis qui eux n'ont pas évolué. Sa maladie, la souffrance ou la crainte de la mort lui ont permis ce dépassement ; oui il faut effectuer un dépassement, franchir l'obstacle pour accepter de vivre sur les autres corps. Plus tard, en dehors de la maladie, j'ai appris à accepter de passer « au-delà » sans motivation autre que celle de la recherche et c'est très difficile. Aussi difficile sans doute que de se jeter par la fenêtre d'un septième étage alors que l'on n'a pas envie de mourir. Il faut accepter de se perdre. Et l'on nous a toujours appris à nous contrôler, à contrôler nos actes et nos pensées, à nous juger et à juger les autres. Or il s'agit de savoir perdre le « jugement »... C'est pourquoi il est tellement important d'être pris en charge par un véritable initié, par un être sain qui connaît avec précision le maniement du pouvoir qu'il détient, pour nous diriger dans ce labyrinthe et nous en montrer l'issue.

« Nous sommes faits de plusieurs corps, il faut apprendre à les connaître, à les développer. Certains meurent sans rien en connaître. Telles des larves ils trépassent, il ne reste rien d'eux », m'avait dit Jean Vaysse au cours de cette mémorable promenade en forêt qui précéda ma première expérience. Et j'avais ri de ses propos ! Mais ces corps invisibles existent. Je les ai rencontrés.

L'ensemble des phénomènes vécus, joint à mes constatations objectives de médecin face aux malades qui m'environnent à Baguio ou vus à Paris, m'amène à donner un sens nouveau à des manifestations qui, bien hâtivement, sont rassemblées sous des vocables psychiatriques et traités par la camisole chimique, plus dangereuse peut-être que la camisole de force.

LA FIN DU VOYAGE, C'EST VOUS-MÊME

Je me trouve parfois devant des patients qui osent me dire ce qu'ils éprouvent : certains voient devant eux des images se superposer aux images réelles ; d'autres entendent la voix venant d'un objet qu'ils touchent, tout comme s'il était doué de vie ; d'autres encore éprouvent d'étranges sensations les parcourir, ou bien des soubresauts qui ressemblent à ceux décrits par Francis les secouent ; ils vivent pour la première fois « un déjà vu » ; des objets qui les entourent se déplacent, les suivent, et le phénomène est confirmé par d'autres personnes ; parfois ils se trouvent déphasés par rapport au monde du travail dans lequel ils vivent, ne sentant pas la vérité comme la perçoit l'entourage, et les événements leur donnent raison dans leur déroulement...

Mais tous se taisent, ils craignent d'être pris pour fous, d'être enfermés, s'ils avouent ce qu'ils ressentent.

D'autres décrivent spontanément les fuites d'énergie que j'ai connues en soignant certains malades : brutalement la force les quitte, ils sont anéantis, sans raison apparente.

Tous vivent dans l'inquiétude et dans l'angoisse, car rien de tout cela ne peut être partagé. Ils ont apparemment une vie sociale normale, des fonctions de responsables parfois importantes. Invariablement ils m'expliquent ce qui leur arrive en précisant : « Je sens qu'à vous l'on peut tout dire. » Aucun médecin ne les a compris à mi-mot : aussi ont-ils été soumis à des nombreux investigations et traitements, et cela vainement, car souvent en effet ils sont atteints de multiples maux d'accompagnement qui justifient apparemment tous les examens auxquels ils furent soumis.

L'étude de leur thème me montre qu'il s'agit de sujets médiumniques : ils s'approprient, à leur insu, malaises et misères de ceux qu'ils côtoient. Parfois même le contact subtil se fait en sens inverse : au lieu de recevoir les vibrations pathologiques, en toute simplicité, ils font plus encore, ils transmettent leur propre énergie à celui qui les accompagne dans le métro, le travail ou la vie !

Il s'agit d'une communication d'aura à aura. Ils sont « vampirisés ». Je réunis tous ces signes sous le vocable très général de « syndrome de Neptune » dont il existe de nombreuses formes cliniques !... je ne puis développer ici toutes mes constatations, pourtant mes confrères doivent être avertis qu'il s'agit d'éternels malades sur lesquels la thérapeutique classique n'a guère d'action, à moins qu'elle ne devienne responsable d'une maladie iatrogène (engendrée par les effets toxiques des médicaments).

LA FIN DU VOYAGE, C'EST VOUS-MÊME

Le sujet médiumnique peut difficilement s'offrir le luxe, s'il n'est pas armé de connaissance, de vivre auprès de n'importe qui. Il est dangereux pour sa santé de vivre auprès d'êtres négatifs ou sadomasochistes (ceux qui vivent bien du mal qu'ils font et qu'ils se font).

Quand on explique au malade l'origine des phénomènes qu'il vit, quand on lui explique que nous avons au moins trois corps et qu'il perçoit les mouvements énergétiques de son corps éthérique, quand on lui décrit les mouvements d'énergie dont l'aura est le siège, il est rassuré. Il suffit ensuite de régulariser l'énergie, de lui apprendre à avoir une bonne image de sa représentation corporelle, puis de lui conseiller quelques lectures initiatiques pour qu'un grand pas soit déjà fait sur le chemin de la connaissance de lui-même.

Ces sujets mal à l'aise dans la vie sont en fait les plus développés, mais leur évolution s'est faite sans guide, aussi ne se situent-ils que difficilement au sein de notre société matérialiste... Ne sont-ils pas des « suspects » vis-à-vis de notre société médicale qui ne connaît que la matière ?

N'y a-t-il pas dans nos matières médicales une lacune à combler ? Les jugements que porte notre société quant à ces phénomènes me semblent très partiaux et font preuve d'une méconnaissance de la physiologie réelle de l'être humain. Suivant le niveau social auquel appartient le sujet atteint par ces phénomènes, il est inscrit sous la rubrique de saint, de sorcier, d'escroc, d'illuminé, de fou. Bien entendu, l'ethnie entre en jeu ! Si ces êtres participent à une culture religieuse reconnue, ces phénomènes témoignent de leur appartenance divine : ainsi, Jean-Marie Vianney, curé d'Ars, a la chance d'être prêtre ! Les phénomènes de voyance qui se produisent alors qu'il confesse les pécheurs et nomme leurs fautes tiennent du miracle ! tout comme la disparition de la loupe d'un jeune enfant qui instantanément sous sa main se résorbe. Si notre bon curé reste plusieurs jours sans rien prendre ou mange, debout, une ou deux pommes de terre bouillies, froides et recouvertes de moisissure, ce n'est ni de l'anorexie mentale ni du masochisme, c'est la recherche de la sainteté ! tout comme le fait de porter une chaîne de fer autour des reins et des bracelets de fer hérissés de pointes aiguës à chaque bras, etc.

Par contre, les pouvoirs des sorciers mexicains ou guatémaltèques sont rejetés par les prêtres catholiques qui, il y a quelques années encore, participaient à leur extermination... et le prétexte de l'amour divin rendait noble leur crime, car ils exterminaient le « malin ».

Agpaoa est présenté comme un escroc : ses matérialisations et dématérialisations (voisines de celles du curé d'Ars) n'ont plus rien de noble ; elles sont niées. S'il construit un ashram avec l'argent des dons qui lui sont faits, il est un profiteur de la crédulité des malheureux.

Oublie-t-on que les plus grands créateurs, les plus grands artistes sont ceux qui savent le mieux échapper aux réalités courantes ? Nul n'ignore combien le milieu « inspiré » a été méprisé par un milieu dit bien-pensant et considéré comme un milieu d'illuminés et de fous ! Ils le deviennent parfois à la fin de leur vie, tant il est difficile de ne pas vivre sur la même longueur d'onde que le commun des mortels !

Le plus mauvais sort revient à ceux qui n'ont ni pouvoir ni créativité, ils vivent ignorés, souvent méprisés, au sein de la masse ; ils entrent un jour ou l'autre dans une phase de décompensation, ils peuvent sombrer dans la folie sous l'effet des drogues qu'on leur administre et parfois des sévices. Ceux-ci sont niés par le corps médical... pourtant ils existent, sous diverses formes !

Je suis persuadée que nous devons nous pencher objectivement sur la médiumnité et sur toutes ses manifestations, on méprise ces détenteurs d'un capital humain de valeur exceptionnelle.

La pratique de l'astrologie et la notion de cycles dans la vie, que me suggère la connaissance du *Yi King*, me permettent d'interpréter à ma façon l'état dépressif. Il survient la plupart du temps en même temps qu'un changement survenant dans la vie affective, financière, sociale, et coïncide avec une crise astrale.

Un de nos corps, non éveillé, était jusque-là momentanément « occupé » par un être cher, le travail, le pouvoir ou l'argent... La suppression inattendue de l'élément compensateur nécessaire à notre équilibre (artificiellement maintenu) nous fait basculer brutalement dans ce vide. Il va falloir le combler, rétablir l'équilibre en éveillant ce niveau de nous-même qui était construit par un autre ou par autre chose.

Mais plus difficile encore est de tourner la page, de passer « une porte » et ne pas s'accrocher au passé. Il faut apprendre au patient à se projeter dans l'avenir, et les renseignements fournis par le thème permettent d'en préciser la meilleure façon. Par contre la fixation aux conditions antérieures de la vie, l'impossibilité, par ignorance, d'éveiller ses corps, l'affaiblissement du moi par les drogues qui lobotomisent pharmacologiquement le patient prolongent cet état de crise qui n'est plus qu'un « trou noir ».

Pourtant, c'est dans cette phase critique, où l'on est à la recherche d'autre chose que l'éveil a les meilleures chances de s'accomplir ; dans cette phase de vulnérabilité, la barrière matérialiste s'effondre aisément et permet d'accéder à l'autre côté du miroir. Il est indispensable de savoir que cette période qualifiée de dépression devient, avec un peu de recul, le temps le plus riche de la vie.

Les conclusions précédentes étonneront plus le médecin classique que le voyant ou l'astrologue. Oui, j'ose, délivrée de toute idée préconçue, apprécier les services rendus par l'intuition et les données de la symbolique astrologique. Elles sont des moyens simples, peu coûteux, qui vont droit au but. Le malade est considéré dans son ensemble : il est un corps physique, certes, mais il possède aussi une affectivité, un intellect, une âme... et des instincts. Il a un passé, un présent et un futur ; il appartient au cosmos et est soumis à ses lois. Il faut l'aider à se situer par rapport à tout cela. Il faut, dans une synthèse créatrice, identifier l'homme qui est en face de soi, tel qu'il est, dans son ensemble, dans son milieu, dans son devenir. La toute-puissance de la technique nous a possédés, subjugués, hypnotisés ; on a su nous faire croire que la médecine était une technique et non plus un art, un métier et non plus une vocation, que les malades étaient des cas à parquer, en diverses catégories, dans des services que s'attribuent par voie de concours des spécialistes renommés qui vont vivre sur leurs certitudes matérialistes et lutter contre la nature au lieu de composer avec elle.

Les puissants laboratoires pharmaceutiques ou les fabricants de matériel médical nous abreuvent dès les premières années de médecine de luxueux fascicules qui deviennent notre bible et qui, adroitement, après avoir décrit les signes de la maladie et sa physiopathologie, concluent à la nécessité de pratiquer x examens et d'administrer n médicaments. Et l'on est pris au piège de cet enchaînement logique d'informations... Bientôt nous versons inconsciemment dans l'absurde, toujours satisfaits de nos prouesses intellectuelles, oubliant que ce corps que nous soignons a un cœur et une âme.

LA FIN DU VOYAGE, C'EST VOUS-MÊME

L'étonnant est que la moitié de la population quitte la médecine officielle pourtant ô combien gratifiante grâce à la Sécurité sociale, pour se confier aux astrologues, aux voyants, aux guérisseurs. De plus en plus souvent ils sont ceux que l'on consulte plutôt que le médecin ou le prêtre. Parfois, on ne suit le conseil du médecin qu'avec l'accord du voyant, c'est lui qui décidera lorsque plusieurs avis divergent. Souvent on se fait « suivre » à l'hôpital et traiter ailleurs... le médecin peut faire état de succès étonnants auxquels il est complètement étranger ! Aucune de ses prescriptions n'a été suivie, mais il l'ignore.

Toutes ces constatations m'emplissent bien souvent de tristesse. Je sais l'effort qui nous est imposé durant nos études et tout au long de notre carrière, et je suis peinée de nous voir ainsi ridiculisés. Car l'ensemble des médecins est sincère, ce qui n'est pas toujours le cas des pseudo-guérisseurs.

Je songe à ce prêtre dont j'écoutais, impatientée, le discours. Il se présentait à l'assemblée tel un martyr... de l'Ordre des médecins qui ne lui pardonnait pas de guérir ! Il utilisait en fait l'homéopathie et avait écrit un livre dans lequel il contait ses succès et les luttes qu'il avait eu à mener contre cet Ordre. Il s'agissait, en fait, d'un faux martyr (son développement intellectuel lui permettait de faire des études de médecine), d'un faux guérisseur (puisqu'il utilisait non pas un pouvoir mais l'homéopathie) et d'un mauvais homéopathe (le contenu de ses propos suffisait à me le démontrer).

Les meilleurs guérisseurs sont probablement les êtres les plus simples, non déformés par le rationalisme et l'esprit scientifique. Il est bon qu'ils restent en contact avec la nature. J'apprécie ceux-là... l'ancien boulanger tout à coup « saisi du don » et qui pense la médecine et l'énergie à sa façon est un personnage savoureux ! Mais nul guérisseur ne m'agace plus que le pseudo-scientifique, j'en ai rencontré un qui m'a expliqué que les varices étaient des dilatations des artères... et qui m'a tenu tête quand j'ai voulu expliquer que les varices étaient une dilatation des veines.

Pourtant, me soumettant à ses passes magnétiques, je me suis sentie revigorée après un long voyage, malgré le peu de crédit que je lui accordais.

Reconnaître ou non le droit d'exercice aux guérisseurs n'est pas le vrai problème car le malade choisit tout seul le courant thérapeutique qui lui convient et le fait que le coût des soins ne soit pas remboursé n'entre pas en jeu s'il trouve là un moyen d'être vraiment soulagé. Le problème est ailleurs et beaucoup plus grave : il consiste à savoir comment les scientifiques, à force d'autoritarisme, de dogmatisme, et munis des moyens financiers dont ils disposent, ont pu mener la médecine dans l'impasse où elle se trouve par certains aspects.

J'éprouve parfois la sensation que le « patron » considère de trop haut le « patient-objet » qu'il soumet à la petite torture des examens et des prises de drogues, lesquelles trop souvent transfèrent le trouble d'un organe sur l'autre en attendant que la nature médicatrice * sonne l'heure de la guérison.

Parfois il est capable d'apporter soulagement et survie à ses cobayes de bonne volonté... mais à quel prix !... Pourtant, on peut considérer qu'en acceptant les épreuves, le malade accomplit souvent spontanément un dépassement de lui-même. En donnant à l'homme l'occasion de se dépasser, de se remettre en question, de prendre conscience qu'il est en survie, la médecine matérialiste devient noble à son insu, et c'est là le miracle !

« Je m'interroge sur le pourquoi de ce supplément de vie qui m'est accordé, et je voudrais savoir quelle mission j'ai à remplir pendant ce temps », me disait récemment un malade porteur d'un pace-maker.

« La fin du voyage, c'est vous-même », si l'homme arrive à cette conclusion à l'issue d'une médecine du corps physique, c'est parce qu'elle est le fruit, quoiqu'on puisse en douter, d'une démarche sincère du corps médical, et d'une qualité intrinsèque indéniable de l'homme placé en survie artificielle.

---

* La nature médicatrice cherche à réparer les troubles qui se produisent quand l'organisme est « désaccordé » par la maladie. Elle est une « portion » de l'énergie vitale. Mais l'énergie vitale peut être indifférente à l'attaque de la maladie ; elle peut réagir trop lentement, ou non proportionnellement à celle de la force nocive ; elle peut agir d'une manière aveugle et perturbatrice. C'est au médecin de composer avec elle. L'examen du thème astrologique éclaire étonnamment le problème. L'homéopathie et les techniques de manipulation de l'énergie déjà évoquées contribuent à régulariser l'énergie vitale, à réveiller la nature médicatrice.

7. APPROCHE DU MÉDECIN HOSPITALIER

Ainsi l'on est amené à se tourner vers le corps médical enseignant si l'on veut s'expliquer les causes de la désaffection d'une forte proportion de malades pour la thérapeutique classique. Ils ne l'approchent bien souvent que pour être en règle avec l'employeur et toucher les prestations de la Sécurité sociale. Ces formalités accomplies, beaucoup se prennent en charge... et vont ailleurs !

Oui, la médecine éprouve des déboires, ils sont particulièrement nets dans les milieux où l'on prend le temps de penser, où l'on garde un certain bon sens, sans être aucunement impressionné par l'énorme machinerie hospitalière.

Les patrons en sont conscients. La prose qu'ils livrent au public pour tenter de maintenir leur hégémonie, pour demeurer sur leur trône vacillant, le prouve assez et laisse subodorer une publicité derrière le prétexte informationnel.

Il existe de nombreuses causes à ce fait, nous les avons évoquées tout au long de ce livre. Ainsi, au terme d'une hospitalisation plus ou moins coûteuse, le patient se trouve-t-il parfois muni d'un diagnostic : il souffre d'une atteinte organique, d'une lésion du corps physique, il est considéré comme un malade honnête.

Si rien n'est décelé et s'il continue de se plaindre malgré un traitement dit symptomatique, il est implicitement mis en accusation : il a mis en échec la science et le somptueux matériel qui la sert. (Nous avons deviné qu'il s'agit sans doute d'une perturbation de l'énergie du corps éthérique.)

Alors, il va de médecin en médecin expliquer son histoire, au hasard des rencontres. Puis il essaie les médecines différentes. Il n'a parfois pas de chance : il rencontre un acupuncteur débutant ou bien un homéopathe qui lui administrera pour gagner du temps sur l'interrogatoire dix ou quinze médicaments dont les vibrations risquent d'interférer, ou qu'il hésitera à prendre ; la vue de tous ces tubes et des multiples granules l'affole ! Alors, il essaie le vertébrothérapeute, c'est plus simple, mais celui-ci n'est pas toujours adroit.

Il en vient ainsi à consulter le radiesthésiste, l'astrologue, le voyant, le guérisseur.

Il y trouve une chose qu'il n'a peut-être pas encore eu la chance de rencontrer : c'est l'écoute. Le radiesthésiste peut avoir la chance de lui trouver un bon médicament homéopathique, ou lui instituer une thérapeutique naturelle inoffensive. L'astrologue l'aidera à se situer dans le temps, à clarifier la vision de ses problèmes, lui donnera quelques conseils utiles. S'il est adroit et s'il connaît son métier, il devient rapidement celui qui « sait », il devient un pôle directeur. Le guérisseur moyen, lui, par magnétisme, renforcera son énergie vitale, réorganisera tant soit peu ses vibrations, aidant ainsi la nature médicatrice, et puis le temps ayant passé, les astres tourné, le malade est guéri car les transits difficiles se sont effacés.

Il raconte son histoire aux amis, et c'est ainsi que doucement le cabinet médical est mis en échec par ceux qui ont simplement un pouvoir d'écoute, de conseil, qui font par l'intuition appel à des notions simples. Ils guérissent ainsi des affections « innommées » qui n'ont pas encore de substrat physique, mais aussi, il faut bien le savoir, des affections réputées gravissimes, si l'on s'en réfère à nos résultats obtenus par la thérapeutique classique.

L'occultation de ces réalités par le corps médical témoigne en fait d'une crainte profonde et toute personnelle de cette « autre chose » qu'il n'a su conquérir et qui témoigne d'une faille dans le système. Ce que, dans un désir de simplification, je nomme le corps éthérique et le corps spirituel car eux aussi peuvent vivre crises et malaises.

Faut-il mettre en cause la sincérité du médecin, son intelligence, son honnêteté scientifique ? Non.

Si j'essaie d'analyser la situation en prenant pour référence un livre récemment écrit par un homme dont j'ai admiré le travail et la carrière, le Pr Hamburger, tout s'éclaire. (Je l'ai approché quand notre équipe de Broussais et la sienne se joignaient pour pratiquer les premières greffes de rein, et j'ai pu apprécier toutes ses qualités.)

Dans son livre *Demain, les autres*, fort de ses titres et de son passé, il critique les astrologues et les guérisseurs qui, dit-il, ne font pas la « distinction catégorique » entre « ce que je crois et ce que je sais ». Il serait aisé de lui retourner la critique car est-il assez guérisseur, ou suffisamment astrologue pour en juger ? Je lui pardonne à la rigueur cette attitude partiale et désinvolte qui témoigne non seulement de son ignorance des vertus du raisonnement analogique ou des « pouvoirs » mais aussi de sa soumission aux idées toutes faites de son monde.

Quelques lignes plus loin, il aborde le problème des guérisseurs philippins. Mon cœur bat ! Comment cet esprit rigoureux et subtil va-t-il aborder et résoudre cette question ? Moi qui suis, on s'en doute, ulcérée d'avoir vécu tant d'années près des grands, pour finalement avoir été « révélée » aux réalités par un initié bulgare et un chaman philippin, je suis impatiente de découvrir la démarche logique et scientifique qu'il a utilisée.

Je lis que depuis quinze mille ans cet archipel de sept mille îles conserve pieusement d'innombrables mythes et « autres sorcelleries » malgré la christianisation du XVIᵉ siècle. Pourquoi ne s'appesantir sur ce miracle que pour le déplorer ? Je trouve pour ma part merveilleux qu'une population puisse conserver son individualité si celle-ci lui convient.

Suivent trois pages qui se terminent en disant qu'un des plus illustres prestidigitateurs s'est penché sur le problème et a pris la peine d'analyser cette illusion qui est « l'enfance de l'art »... aux yeux d'un professionnel. Je ne m'étendrai pas sur le détail des conclusions mais, l'on s'en doute, l'illusionniste se mesure aux guérisseurs philippins pour les « exécuter ».

Alors, je me demande pourquoi et comment un homme, dont le nom est une référence au sein de notre communauté scientifique et médicale dont il se prétend l'ardent défenseur, peut se référer à un illusionniste pour juger d'un problème d'ordre médical, philosophique et spirituel !

Alors, je me souviens de Lavier, de sa tortue et de son aigle. Je continue l'histoire à ma façon : si la tortue, qui doit contourner chaque objet pour en faire connaissance, ne dispose pas de suffisamment de temps, elle accélère son processus de connaissance et d'investigation en demandant le renseignement à une autre tortue. Celle-ci, qui n'en sait pas plus, mais qui veut paraître savoir, invente le renseignement en fonction de son propre acquis.

L'illusionniste affirme posséder le savoir, il illusionne si bien les autres tortues que celles-ci le croient. Lui, le marchand d'impossible, ne peut admettre qu'un impossible existe en dehors de son système et refuse un autre univers. Comme cette version convient au scientifique et colle à son éducation, il adopte cette version !

Les autres suivent, qui couronnent d'un prix ce livre et entérinent l'opinion de l'illusionniste qui devient ainsi officielle, sans autre forme de procès. Et voici le grand chaman sommairement exécuté, par la plume d'un médecin, victime attardée de l'inquisition du Moyen Age ! Ainsi, l'obscurantisme fait loi, et l'exemple vient de très haut.

Victime donc de cette confusion entre « ce que je sais et ce que je crois », qu'il dénonçait un peu plus haut, monsieur le Pr Hamburger est la première victime innocente « de ce modèle de glissement de la pensée qui menace aujourd'hui la pureté critique d'une logique lentement épanouie sous la pression de la réflexion scientifique * ».

A titre expérimental, je décide de tester « la pureté critique » d'un autre modèle de pensée qui n'a pas encore eu le temps de « glisser » de la logique d'une culture simple. Celui d'Yvette, ma jeune employée réunionnaise. Je lui montre une photographie d'Agpaoa à l'œuvre et lui demande ce qu'elle en pense. « Attends », dit-elle et elle s'en va quelques instants ; elle revient, une photographie à la main : un jeune homme marche sur des braises, priant, accompagné d'un vieil homme, son maître. « C'est la même chose que ça ! Nous avons pareil à la Réunion, nos sorciers font la même chose. » Puis elle ajoute :

— Mon frère marche sur le feu ; autrefois il était toujours malade ; un jour il a passé un accord avec le Bon Dieu et travaillé avec un maître ; il n'a pas mangé de viande et il a dit des prières secrètes — si tu manges de la viande, tu brûles et tu vas à l'hôpital ! Et un jour, il a marché sur le feu, il a été mieux, maintenant, il continue de marcher sur le feu et il n'est plus malade.

---

* Pr Hamburger, *Demain, les autres.*

— Avec qui votre frère a-t-il travaillé ?

— Pas avec un prêtre de la religion de mon père : avec les catholiques, pas de pouvoir ! mais avec un maître de la religion de ma mère, c'est la religion indienne, là on a du pouvoir.

Yvette, vingt ans, énonce simplement pourquoi la religion catholique n'a pu supplanter les religions existantes : « Avec la religion catholique, pas de pouvoir ! »

Les sorciers des Philippines ne l'étonnent pas, elle a la même chose chez elle, et son frère a un maître qui lui communique le pouvoir ! Elle n'a pas lu le livre de Mircea Eliade, *le Chamanisme et les techniques archaïques de l'extase*, mais elle en connaît l'essentiel !

Elle n'a pas lu *l'Herbe et la petite fumée* de l'ethnologue Castaneda qui a subi une initiation avec l'aide des plantes hallucinogènes et l'appui d'un sorcier d'Amérique centrale, mais elle sait qu'il existe une réalité ordinaire, celle de tout le monde, et une réalité non ordinaire réservée aux êtres développés.

D'instinct et grâce à une intuition aiguisée, des êtres non instruits sur le plan scientifique accèdent immédiatement à la connaissance, captent des vérités qui échappent aux plus instruits des professeurs de faculté. Nous apprenons trop, nous oublions de sentir et méprisons à tort la subjectivité.

Pourtant la subjectivité est précieuse et noble ; c'est une de nos grandes dimensions humaines ; elle nous permet de jouir des arts de la musique, de la poésie, de l'art pictural, et de la beauté de la nature... C'est par elle que notre vie se déroule dans la joie ou la tristesse, l'enthousiasme ou la déception... C'est elle qui nous permet d'accéder à notre corps, de prendre conscience de ses fonctions sensorielles et de les développer. Elle est subtile et nous permet d'accéder à nos autres corps.

Mais il existe des déviations et des maladies de la subjectivité, des atrophies, sans nul doute... et tout cela est à identifier, éventuellement à traiter !

Pourquoi cette cécité, pourquoi ce refus des réalités qui s'exerce encore à l'égard de techniques différentes telles l'homéopathie ou l'acupuncture ?

En effet, le Pr Hamburger assimile l'effet de l'acupuncture à un effet placebo ; comment ignorer qu'il a été prouvé que la stimulation des aiguilles d'acupuncture déclenchait une augmentation de la sécrétion des endorphines. Il évoque pourtant quelques pages plus loin ces dernières, mais en voulant ignorer sélectivement une partie des travaux scientifiques faits à ce sujet. Or ils apportent aux sceptiques la preuve scientifique de la réalité de l'action analgésique de l'acupuncture. « Les faits qui ne disent rien au plus grand nombre sont lumineux pour d'autres » (Claude Bernard). Il est bien évident que si je m'adresse au Pr Hamburger, ce n'est pas pour régler un problème entre nous, mais simplement parce qu'il a écrit récemment *Demain, les autres*, livre qui a obtenu un prix et que sa personnalité est représentative du monde médical au plus haut niveau. D'autres livres ou revues me permettraient aussi bien d'analyser le mécanisme de la pensée médicale officielle, mais l'on pourrait douter de la pureté d'intention de certains auteurs ou de leurs dons intellectuels, ce qui dans le cas précis est exclu.

Tout ceci ne l'a pas empêché de faire dans son domaine un travail admirable, mais je m'élève néanmoins contre cette intolérance manifestée à l'égard de tout un autre mode de pensée, contre les jugements hâtifs et arbitraires qu'il peut formuler à l'égard de ce qu'il ignore (tout comme les signataires du manifeste contre l'astrologie, se sentant fort de l'obtention d'un prix Nobel).

Pourquoi cette attitude ? Essayons de la comprendre et de l'interpréter.

Pourquoi l'auteur du livre intitulé *Les Espaces nouveaux de la médecine* * prend-il un pseudonyme, Dr Antoine Claris, pour le publier ? Il travaille dans un institut officiel !

Pourquoi G. Morin de Villefranche publie-t-il un livre d'astrologie sous ce nom d'emprunt ? Il travaille également dans un institut officiel !

Pourquoi moi-même, qui ne crains plus rien, publierai-je sous mon nom de jeune fille ? Certes, pour m'individualiser, mais aussi pour dégager mon mari et mes enfants des retombées agressives qu'engendreront la publication de ce livre.

Pourquoi ma fille me demande-t-elle de ne pas écrire son prénom ?

Nous sommes soumis à des lois, et vivons contraints de subir un mode de pensée dicté par la société à laquelle nous appartenons. Or, l'Occidental tend à rétrécir l'univers aux seules dimensions de sa seule connaissance ; il refait le monde à sa façon, ignorant du passé et des autres.

_____

* Ed. Robert Laffont, 1977.

APPROCHE DU MÉDECIN HOSPITALIER

Ecoutant la conférence d'un éminent philosophe membre de l'Académie française (Jean Guitton), intitulée « Philosophie de la résurrection », j'eus la surprise de ne pas l'entendre évoquer la version orientale de cette résurrection ! Pour lui, tout s'arrêtait à la réflexion judéo-chrétienne... Je retrouvais le même manque d'ouverture qui affecte le corps médical.

Tout se passe comme si nous étions confrontés à la nécessité implicite de nous conformer à un ordre artificiellement établi, pour nous intégrer à la société dans laquelle nous vivons, et ceci aux dépens de notre vérité intérieure. Ce n'est qu'en s'adaptant à cette société hiérarchisée que l'on en gravit les échelons !... Il faut bien vivre... matériellement !

Ceux qui sont au sommet en dictent les lois, ont su s'y adapter ; soit parce qu'elles coïncident avec leur vérité intérieure, soit parce que cette attitude est gratifiante.

L'apprentissage du comportement d'un futur académicien, d'un futur grand patron, a toujours été fondé sur la réussite intellectuelle qui leur assurera la réussite sociale. L'éducation se prolonge... fort tard dans la vie et l'on demeure fidèle au même grand principe : l'obéissance à un système gratifiant qui vous apportera lauriers et couronnes. On devient ainsi, à son insu, victime d'un système tant est forte l'emprise sociale.

Sortent de ce système les originaux, les créateurs, les indisciplinés. Imaginons les conflits qui se créent à l'intérieur des êtres qui n'ont pas la possibilité de s'authentifier, soit par manque de moyens matériels, soit par manque de structure personnelle. Ils chercheront la vérité dans un Ailleurs qui prendra la forme de l'isolement, de l'adhésion à d'autres formes de sociétés que sont les sectes, mais aussi dans la drogue, l'alcool, la maladie-refuge, ou afficheront résolument un défi aux lois en volant, en incendiant, en tuant peut-être.

Toute une partie de la population est soumise à un système de contrainte intellectuelle dans lequel il n'existe plus de place pour l'instinct ou l'intuition. L'un et l'autre ont besoin d'être étudiés et développés, ce qui permet ainsi l'harmonieuse réalisation de chaque individu.

Pourtant, sous la pression de la masse, un nouveau mouvement s'amorce en médecine. Certains, conscients de l'efficacité des médecines considérées jusque-là comme hérétiques, s'essaient discrètement à assimiler, sous une forme détournée — dite scientifique — cet héritage. Les principes de la vaccination et ceux de l'allergologie, de l'isopathie sont des héritages de l'homéopathie ; la réflexothérapie est l'enfant bâtard de l'acupuncture ; les techniques de bio-feedback dérivent de la sophrologie, laquelle est l'héritière de la méditation. On assimile plus ou moins bien le principe, puis on en oublie l'origine... On refait le monde à sa façon, en scientifique, en matérialiste, en le dégageant hélas de l'essentiel : le cosmos.

Une des dernières trouvailles est la chronobiologie ! Elle est née, croit-on, au cours des vingt dernières années... Pourtant les Chinois la connaissaient il y a cinq mille ans ; les cultivateurs, bons observateurs, la connaissent admirablement (lire l'excellent livre de Robert Frédérick : *L'Influence de la lune sur les cultures*) ; Pinel, dès 1927, la nommait « biochronologie scientifique » et déterminait les « instants favorables ». Elle est actuellement étudiée par la méthode statistique... (La méhode astrologique est plus simple et moins coûteuse !) Bien que travaillant sur un terrain glissant, la méthode statistique (dont les résultats sont influencés par les transits des astres) peut, avec le temps, amener tout doucement le médecin à prendre conscience des lois de la nature, si la « pureté critique » de son jugement ne le fait pas glisser vers des conclusions erronées. C'est donc sur une note d'espoir que la récente chronobiologie me laisse, tout en me faisant sourire de la puérilité de ses émerveillements et de ses découvertes.

La médecine scientifique a été poussée dans les zones de l'absurde, elle est trop coûteuse pour la société ; il est heureux de pouvoir imaginer que par la force des choses elle va prendre une nouvelle orientation.

Déjà, un jeune patron en fait prendre conscience aux anciens. Et s'il n'apporte pas de solution, Jean-Paul Escande est suffisamment critique vis-à-vis de ses confrères pour que ceux-ci, un jour ou l'autre, soient contraints de s'interroger, tout au moins dans notre pays.

Il est donc permis d'espérer que dans le futur, intellect et intuition iront de pair pour le plus grand profit des malades et de la recherche médicale.

8. APPROCHE SCIENTIFIQUE DES PHÉNOMÈNES

L'approche scientifique des phénomènes ressemble à un jeu intellectuel lequel consiste à prendre dans la littérature scientifique des éléments démontrés, à les assembler en un discours logique et à leur faire dire ce que l'on veut prouver. J'aurais pu commencer par là, ou m'en tenir uniquement à cela, en fait je ne consacrerai à ce jeu que quelques pages. Tout d'abord, parce que cette étude pour être exhaustive demanderait la rédaction d'un second tome, ensuite parce que mon propos n'est pas là. Mais il me faut avouer que tout en abandonnant le raisonnement médical classique, j'ai gardé de temps en temps un contact avec les sciences. Cela correspond à une nécessité personnelle car deux tendances m'habitent et je dois les faire vivre tour à tour ; ainsi, plusieurs fois par an, je participe à un congrès scientifique, j'en écoute les données, laisse libre cours aux associations d'idées qu'elles suscitent en moi, et formule mes conclusions personnelles.

Les motivations qui animent les membres de ces congrès ne sont pas strictement identiques aux miennes, mais qu'importe ! Dans l'ensemble, les groupes scientifiques que je fréquente se distinguent des groupes de médecine classique car au lieu d'entrer en compétition, en lutte avec la nature, ils essaient de s'allier à elle, soit pour mieux la connaître et la simuler, ce sont les groupes de médecine bio-électronique, soit pour mieux la connaître et l'utiliser, ce sont les groupes de médecine naturelle. Les médecines naturelles se caractérisent dans l'ensemble par un élément distinctif : elles ne sont pas réservées aux spécialistes de la thérapeutique, elles s'adressent à tous. Chacun peut y participer, apprendre l'hygiène alimentaire, les bienfaits des massages, de l'hydrothérapie, de l'utilisation des plantes... Chacun prend conscience des responsabilités qu'il a de sa propre santé, il sait qu'il doit se prendre en charge et qu'il est responsable de lui-même. La santé n'est pas toujours un droit, c'est souvent un mérite et la maladie est une épreuve dont il faut parfois tirer parti, car en la dépassant on peut en sortir grandi, éveillé, elle indique que l'on n'était pas sur le bon chemin de la vie.

Dans l'ensemble, je vais, en fréquentant les congrès, chercher trois sortes d'explications à des faits évidents mais contestés :

1° Comment l'homéopathie, qui utilise la matière en quantité réputée indosable *, peut-elle agir, bien qu'elle soit contestée dans son efficacité par la médecine officielle fidèle aux doses pondérales ?

2° Comment l'acupuncture agit-elle ?

3° Comment expliquer mon vécu philippin ?

Outre les preuves expérimentales et le vécu du médecin, la preuve scientifique de l'homéopathie est apportée par les progrès réalisés en laboratoire dans la technique de mesure.

« Les difficultés de communication entre les deux médecines tiennent à ce que les uns raisonnent en millions de tonnes alors que notre unité de mesure est de l'ordre du dé à coudre. » (Tymowski).

Or, on a pu prouver qu'à l'échelle de l'organisme, les endorphines, par exemple, agissaient à la dose du nanogramme ! (10^{-9}) ce qui rejoint les doses utilisées en homéopathie. Ces dernières sont « dynamisées », procédé méconnu en médecine classique, ce qui leur confère une action à si faible dilution. On voit que l'homéopathie est en avance sur la science !

L'électronique nous apprend qu'il existe une forme d'énergie toute particulière qui se nomme « l'énergie information » ; elle correspond à un signal vibratoire. L'homéopathie, médecine énergétique, dispense, suivant le médicament utilisé, des signaux informationnels variés destinés à modifier le fonctionnement des circuits vibratoires de l'organisme. De même, l'aiguille

---

* Les plus hautes dilutions sont interdites en France ! Il est nécessaire de se les procurer à l'étranger.

de l'acupuncture, appliquée en un point-maître, transmet une information qui va entraîner une série de mouvements d'énergie-information au sein de l'organisme.

Dans le même ordre d'idées, on a pris conscience que l'énergie n'était pas obligatoirement liée à la matière : ainsi, le photon, émis par le soleil, est un amas d'énergie pure pelotonnée. Quant aux neutrinos, particules de masse nulle, ils peuvent traverser la terre de part en part à la vitesse de la lumière, ils sont éternels, une fois émis (par le soleil) ils ne meurent jamais, ils n'ont ni masse ni charge électrique, et sont électivement captés par l'eau.

Ils participent aux phénomènes de transmutation décrits par Kervran et Costa de Beauregard : de l'avoine mise à germer dans une enceinte close ne reçoit que de l'air et de l'eau filtrés. Après germination, la teneur en calcium de ces plantes est cent fois plus élevée que celle du lot témoin. Ils en déduisent que le potassium pendant la germination s'est transformé en calcium et considèrent que l'apport énergétique vient des neutrinos transmetteurs d'énergie.

Le neutrino est donc considéré comme un transmetteur d'énergie mais aussi comme un facteur de transmutation biologique.

Il intervient probablement encore dans le phénomène de transmission de pensée : Motoyama, célèbre chercheur japonais, place une personne réceptrice sous un casque d'électro-encéphalographie ; dans une autre pièce, il place un émetteur (en l'occurrence, Tony Agpaoa), à l'instant où le message est émis télépathiquement, l'aiguille de l'électro-encéphalographe enregistre une perturbation des ondes alpha chez le récepteur.

Selon les théories de Kervran, l'agent émetteur (Agpaoa) par le fait de sa seule volonté (énergie immatérielle) peut émettre une gerbe de neutrinos porteurs d'un message. Ce message atteint le cerveau du receveur qui transforme cette énergie-information en courant électrique enregistré sur l'électro-encéphalogramme.

Le neutrino a joué le rôle d'informateur, il y a eu transfert d'énergie-information et non transfert de charge. Il suffit donc que la volonté de deux sujets soit en accord et qu'ils possèdent des qualités médiumniques pour qu'il y ait émission et réception de neutrinos capables de transformer une « intention » en « énergie électrique » capable de modifier un tracé électro-encéphalographique. Ce neutrino se déplace à grande vitesse puisqu'il fait trois fois le tour de la Terre en une seconde. Peut-être m'a-t-il permis, non seulement de communiquer avec Agpaoa, mais aussi avec mon père...

Il y a quelques années, alors que je fréquentais le palais de la Découverte à la recherche d'une explication, j'ignorais les travaux de Lakhovsky, lesquels datent pourtant des années 1920. Ils me fournissent les informations suivantes * résumées.

1° Toute cellule vivante doit la vie à son noyau dont le filament recourbé forme un circuit. Ce filament possède une « self-inductance » et une capacité, il constitue un circuit oscillant. L'analogie avec les circuits à ondes courtes est manifeste, le filament oscille comme une bobine ayant un très petit nombre de spires.

Ce filament est constitué à l'intérieur de matières organiques ou minérales conductrices, et revêtu extérieurement d'une enveloppe tubulaire en matière isolante à base de cholestérine, plastine et autres substances diélectriques.

Ces circuits, caractérisés par la valeur extrêmement faible de la spirale et de la capacité, peuvent osciller à une très grande fréquence et envoient autour d'eux des radiations sur des longueurs d'onde diverses. Chaque cellule produit des radiations invisibles sur une gamme voisine de celle de la lumière.

2° Il faut accorder les constantes électriques de la cellule avec les constantes physiques et chimiques du terrain sur lequel le sujet vit.

3° Les cellules de notre corps, circuits oscillants, tournent dans l'espace dans des champs magnétiques et électriques variables d'origine extérieure à la terre, provenant des radiations électromagnétiques atmosphériques (lesquelles offrent une gamme complète des fréquences de vibration), et de la radiation cosmique qui nous vient soit du soleil, soit de la voie lactée et de tous les espaces célestes.

« Toute l'énergie de radiation de la surface de la terre provient en dernière analyse de l'induction électromagnétique engendrée par la rotation de notre globe dans l'espace cosmique. »

Quand Lakhovsky évoque l'accord des vibrations du sujet avec celles du terrain sur lequel il vit, j'évoque le rythme alpha, rythme que procure la méditation, et qui correspond aussi au rythme de pulsation de notre terre. Ainsi, le sujet qui est en

---

* Georges Lakhovsky, *Le secret de la vie*, Gauthier-Villars, éditeur.

méditation se branche à la terre, il ne reçoit plus que les perturbations célestes ! Ce qui correspond assez bien à mes observations : le sujet sophronisé réorganise l'ensemble de ses vibrations sur les sept plages de son oreille. Les perturbations que j'observe alors et qui me restent à traiter sont celles qui sur le thème astrologique expriment un conflit planétaire.

Quand il évoque les radiations invisibles que nous émettons, je songe à Agpaoa qui me disait reconnaître que j'étais guérisseur aux radiations électromagnétiques que j'émettais.

Qu'est-ce que la vie, qu'est-ce que la maladie pour Lakhovsky ?

1° La vie ? C'est l'équilibre dynamique des cellules, l'harmonie de rayonnements multiples, qui réagissent les uns sur les autres.

2° Les microbes ? Ils ne sont pas dangereux s'ils vibrent sur la même longueur d'onde que les cellules humaines, sinon ils sont capables de modifier les caractéristiques de la cellule : capacité, « self-inductance », conductibilité, ils sont alors pathogènes.

3° Expérimentalement des cellules vivantes et saines sont capables de détruire l'oscillation des cellules néoplasiques. Ainsi, le pélargonium dont les cellules sont maintenues en bon état vibratoire ne laisse pas une tumeur greffée se développer *.

4° Les toxines et déchets cellulaires, substances inertes, annulent le mouvement oscillatoire des cellules voisines, les affaiblissent et les font mourir à leur tour **.

Ainsi, comme je l'ai déjà évoqué, l'homme pourrait être considéré sous un autre aspect que celui sous lequel on le considère habituellement. On pourrait l'assimiler à un « ensemble » d'oscillateurs électromagnétiques couplés.

Chaque système possède sa fréquence propre et obéit à des « informations-énergies ». Chacune des sept couleurs pourrait d'ailleurs constituer un système de résonateurs-émetteurs, lesquels pourraient vibrer sur trois niveaux différents qui correspondraient grossièrement aux corps physique, énergétique et spirituel ; le tout serait bien entendu soumis au cosmos et à ses lois, et particulièrement à celles des saisons, tout ceci ayant été bien étudié par les Chinois, qui furent eux aussi bien en avance sur la science.

---

* C'est là une explication de l'action d'Agpaoa sur le cancer.
** D'où l'intérêt de la cure de raisin de Johanna Brandt et du jeûne contrôlé.

On peut imaginer qu'à sa naissance, l'homme, assemblage d'oscillateurs électromagnétiques, est lancé dans l'espace. La fréquence de son rythme personnel est programmée par l'instant de sa naissance, ou plus précisément par l'état vibratoire ambiant. Cet état vibratoire ambiant est défini par les interférences électromagnétiques des astres en cet instant et le thème astrologique le dessine fort bien. Ainsi, en fonction de sa constitution, l'homme émet une énergie spécifique. Celle-ci restera en liaison directe tout au long de sa vie avec les planètes qui participeront aux constantes et aux variables de son corps électromagnétiques qui le feront vibrer, osciller. Les points critiques de son thème recevront successivement des informations harmonieuses ou dysharmonieuses en fonction des aspects et des cycles planétaires.

Son libre arbitre lui permet d'utiliser ces influences de façon variable en apparence, mais ces variables appartiennent à la même symbolique. Il reçoit aussi les influences électromagnétiques de son entourage familial, amical ou professionnel, lesquelles créeront autant d'interférences et d'aspects inattendus qui moduleront son thème pour le personnaliser. Tout ceci est d'une évidence criante en pratique ; là encore l'astrologie est en avance sur le monde scientifique car bien peu connaissent les travaux d'Hidéo Uchida qui a enregistré les modifications de cette énergie oscillante pour en montrer que les rythmes s'accordaient avec le cycle des planètes ; en 1975, il exposa ses travaux au congrès de Psychotronique de Monte-Carlo.

Motoyama le fit aussi, et je suis contrainte de m'attarder sur ses travaux. Il a construit une enceinte munie d'amplificateurs, ordinateurs, etc., pour enregistrer les courants produits par l'homme en différents points de son corps. Il montra non seulement qu'il existe des différences de potentiel entre la peau et les points d'acupuncture (et bien d'autres l'ont fait), mais aussi que cette différence existe au niveau des chakras. Quand les chakras sont éveillés, ils reçoivent et emmagasinent une quantité d'énergie supérieure à la normale. Une personne ordinaire éjecte une énergie dont la fréquence oscille entre 1 à 20 cycles-seconde et dont le potentiel est de 10 à 30 millivolts. Si les chakras sont éveillés (il mesura Agpaoa et Blanche) l'énergie éjectée est supérieure à 2 000 cycles-seconde et son potentiel est de 300 à 500 millivolts.

Motoyama estime que les guérisseurs utilisent cette énergie

en l'envoyant du bout des doigts aux points où il y a perte d'énergie et qu'ils sont capables d'extraire l'énergie là où elle se trouve en excès.

Pourtant, Agpaoa n'a pas attendu de connaître le neutrino ou d'être confirmé par Motoyama pour maîtriser l'énergie. Jamais il n'a évoqué les capteurs électroniques, le bio-feedback ou la cybernétique pour développer la sensibilité de mes mains. Quand celles-ci reconnaissent la planète qui se lève à l'ascendant, je ne songe pas aux travaux d'Hidéo Uchida. Parfois la science apparaît dérisoire, mais elle satisfait un appétit de logique.

Signalons encore l'expérience de Lakhovsky : il introduit un mélange de bacilles typhiques et de colibacilles non pathogènes dans un liquide légèrement conducteur de l'électricité. Il y place deux électrodes reliées respectivement aux pôles positif et négatif d'une pile électrique, puis constate que tous les bacilles typhiques migrent vers l'un des pôles et que tous les colibacilles sont attirés vers l'autre ! Il existe une polarité inverse pour les bacilles pathogènes et non pathogènes.

Il est donc permis de supposer qu'un mouvement d'énergie part du guérisseur (2 000 cycles-seconde, 300 à 500 millivolts pour Agpaoa) et atteint le malade (1 à 20 cycles-seconde, 10 à 30 millivolts). En fonction de la différence du niveau d'énergie, celle-ci s'écoule du guérisseur vers le malade. Il s'agit d'un transfert d'énergie.

Il existe un transfert d'informations : si l'accord est réalisé entre malade et guérisseur, l'information « guérison-régulation » est engrammée dans le code vibratoire qui traverse le malade. Ceci n'est pas une vue de l'esprit, on peut en s'aidant du pouls et des techniques de Nogier reconnaître la qualité des pensées.

L'état de détente et de méditation met naturellement le sujet à la terre, l'énergie-information positive passe du guérisseur vers le malade ; par un phénomène voisin de celui de la transmission de pensée cette énergie pourrait se transformer en micro-courant électrique capable de modifier l'état oscillatoire cellulaire.

Des appareils tendant à rétablir un rythme oscillatoire cellulaire ont été construits ; l'expérience a prouvé qu'ils étaient capables d'améliorer le fonctionnement cellulaire, d'augmenter son potentiel de résistance et d'augmenter le système de défense par stimulation du système réticulo-endothélial, système dont le rôle est de nettoyer le corps des cellules malades et d'organiser ses défenses (expérience de Pautrizel).

L'énergie pénètre donc par les points d'acupuncture, suit le trajet des méridiens, comble les vides d'énergie, lève les blocages, disperse les excès. Le milieu cellulaire récupère un état vibratoire. Ce qui induit une excitation de leur métabolisme, favorise l'élimination des toxines cellulaires. Le phénomène d'électrolyse est capable d'en favoriser la migration par l'intermédiaire du torrent circulatoire vers les émonctoires naturels ou vers la périphérie du corps. Ce mouvement d'élimination vers la périphérie est bien connu des homéopathes. Il est significatif d'un processus de guérison.

Les transmutations biologiques capables de se réaliser au sein d'un organisme rendent compte des mutations ioniques et des transferts.

Il est intéressant de considérer divers aspects de la pathologie en fonction du processus de la circulation de l'énergie : une accumulation d'énergie entraîne (la loi d'Einstein l'explique) une matérialisation au sein de l'organe impliqué : tumeurs de la vessie, fibromes... Précocement traitées, ces tumeurs peuvent régresser. A l'inverse, un déficit d'énergie peut se manifester par une dématérialisation, ainsi peut s'expliquer l'ulcère d'estomac par exemple.

La perturbation peut survenir au sein de l'organisme mais aussi en surface. L'homéopathe considère qu'elle est moins sérieuse. Un déficit énergétique peut expliquer une ulcération cutanée (que l'acupuncteur traite en l'entourant d'aiguilles d'or tonifiantes). Un excès s'exprime par des taches cutanées, des dépôts, des verrues, des tumeurs cutanées. (On connaît, même en médecine classique, l'intérêt de l'abcès de fixation).

Plus intéressant encore est de constater que l'individu matérialise ou dématérialise en vertu de certaines lois. Lesquelles dépendent de sa constitution personnelle, de sa symbolique propre. Mais elle est inconsciemment vécue. L'examen de la carte du ciel permet de faire une approche de cette symbolique.

Le sorcier ou le guérisseur ne feraient en somme qu'accélérer les processus évoqués, les utilisant pour amener à la guérison. Matérialisation authentique ou manipulation symbolique étant deux facteurs d'importance égale.

La symbolique de la guérison peut prendre selon le cas l'allure de celle du patient ou celle du guérisseur.

En admettant que ma petite aiguille soit le résultat d'une authentique matérialisation, elle relève de ma propre symbolique. Dans l'intéressante expérience vécue par Lyall Watson, il s'agit de la symbolique d'une ethnie : dans la brousse, un de ses compagnons souffrait d'un abcès dentaire. Un sorcier fit l'ablation de la dent. Mais, comme la douleur persistait, on le lui fit remarquer.

On l'entendit alors chantonner tout en massant la région douloureuse. Après quelques minutes de massage, l'assistance vit sortir de la région malade une procession de fourmis qui descendirent le long du cou, du bras, de la jambe, jusqu'à terre. Renseignements pris, fourmis et douleur se prononcent de la même façon dans son dialecte.

Si les processus de matérialisation et de dématérialisation sont des phénomènes capables de reconnaître à la fois des lois de la biologie et de la symbolique, ils n'en sont pas moins des phénomènes assez exceptionnels.

Chez le guérisseur philippin, l'eau, corps éthérique de la terre, récepteur de neutrinos et qui imprègne le coton, joue sans doute un rôle de protection contre les vibrations pathologiques qui émanent du patient. Le médium-guérisseur doit se protéger. Le savent bien les guérisseurs de notre pays qui font un « dégagement » après avoir traité, et se passent les mains sous l'eau.

S'il doit se produire une matérialisation, celle-ci se fait alors au niveau du coton. L'ouverture des points d'acupuncture, dont parlait Agpaoa, je l'ai relatée, m'est apparue, sur l'oreille, à plusieurs reprises et à mon insu, après simple nettoyage. Des gouttes de sang perlaient, en dessinant un trajet.

L'impact de ces phénomènes sur le conscient et l'inconscient du patient sont suffisamment importants pour que le guérisseur puisse être amené à en faire une arme thérapeutique active et inoffensive. Pourtant je connais des guérisseurs qui utilisent avec efficacité la simple incision et extraction symbolique, sans être amenés à réaliser ou à simuler la matérialisation.

Le geste symbolique, à lui seul, possède une action sur le monde vibratoire s'il est pratiqué par celui qui dispose d'une force électro-magnétique. (Observons le mouvement de la limaille de fer posée sur un papier, alors que l'on déplace un aimant placé sous le papier !) Cette pratique n'est un abus de confiance que si elle est utilisée par n'importe qui.

La matérialisation biologique, physiologique et pathologique coexistent en l'individu. La matérialisation thérapeutique peut être effective ou symbolique.

Quand ces procédés sont utilisés par une ethnie différente de la nôtre et qu'ils conviennent à certains de nos malades, ils peuvent être considérés comme une leçon de médecine. Les placebos utilisés par nous n'induisent ni la connaissance initiatique ni l'éveil spirituel chez les patients de nos hôpitaux ; malgré l'omission de cette dimension, les statistiques prouvent leur efficacité (très récemment à propos de l'hypertension). J'ai toujours été navrée par la manière dont mes confrères recevaient cette notion : ils n'y voient que sottise de la part des patients qui « gobent » ce qu'on leur fait croire. J'y vois personnellement la puissance de l'information positive et le symbole d'une inexpérience de la véritable constitution de l'homme et de ses corps, par un ensemble de médecins peu curieux des prodiges de la vie et de la survie.

J'y lis la raison de l'effarant budget d'une sécurité sociale représentant le tiers du produit national brut.

CONCLUSIONS GÉNÉRALES

> *Ce qui est juste est ce qui convient à chacun, de même, ce qui est vrai est ce qui est cohérent pour chacun.*
>
> PLATON.

La mystérieuse alchimie qui nous transforme, au fil des jours, à la fois physiquement, psychiquement et spirituellement, fait que le Temps, à lui seul, remet en cause notre propre cohérence intérieure. Des événements imprévus ajoutent un facteur déséquilibrant, si bien qu'un jour ou l'autre nous passons par le stade de la Tour Foudroyée.

Cette mutation n'affecte pas au même instant ni avec la même force tous les êtres (hormis la survenue des guerres et des catastrophes naturelles). Cette dysharmonie dans les rythmes d'évolution fait les dissensions qui émaillent toute vie collective.

Ce qui est juste, ce qui est vrai, tout à coup, n'est plus juste, n'est plus vrai. L'ancienne vérité ne nous permet plus d'être en « accord » avec nous-même et les nouvelles circonstances de vie. Il faut plaindre ceux qui, trop fortement structurés par l'éducation puis les études universitaires sectaires, se sont à leur insu « minéralisés », croyant que leur finalité se résumait à l'apprentissage d'une vérité unique et définitive.

Lorsque la mutation inéluctable les surprend, elle affecte une allure dramatique. Ni comprise, ni interprétée, ni transcendée, elle menace gravement leur équilibre et leur santé.

Si l'orgueil, premier obstacle à franchir, ne les étouffe pas, ils pourront accepter la main secourable, et la reconnaître comme celle qui leur ouvre la porte de l'évolution.

Voilà qui résume mon histoire. Ce qui était juste et vrai ne le fut plus le jour de la mort de ma mère. Je ne fais qu'exprimer dans ces pages ma vérité au jour le jour. Celle qui me convient pour réaliser ma cohérence intérieure, celle qui est capable d'entrer en résonance harmonieuse avec l'idée que j'ai de la Réalité du Monde, à chaque instant de ma vie.

Elevée au sein d'une société matérialiste, instruite des « mystères » de la religion par une Eglise ayant perdu la Connaissance des symboles et de leur pouvoir, puis devenue l'élève d'une médecine évoluant vers la technologie, je vivais dans l'incertitude intérieure.

Ma vie spirituelle était inexistante, faite d'interrogations : comment suivre la trace de ceux qui, passivement, débitent leur chapelet devant une image ? Comment admettre le raisonnement simpliste de ceux qui, à l'issue d'une déception, déclarent (pour l'en punir) que Dieu n'existe pas ? Comment comprendre les différentes ethnies qui chacune à leur façon réalisent leur quête spirituelle ? Etaient-elles toutes dans l'erreur ? N'étions-nous, chrétiens, que des conquérants orgueilleux ? Les nobles motivations des guerres de religion me laissaient pensive...

Du côté médical, bien que persuadée d'appartenir à la voie juste, celle de la médecine dominante et officielle, institution hiérarchisée par la voie des examens et des concours (dont je connaissais les côtés sordides, occasions offertes aux patrons de rivaliser de pouvoir et non pas occasions pour les meilleurs éléments de s'exprimer), certaines « choses » parfois m'effleuraient : tous les médecins pratiquant les médecines différentes, taxés de charlatanisme, ne soignaient-ils que des malades imaginaires ? Etait-on certain alors que l'imaginaire ne faisait pas partie intégrante de l'homme ?

Quant à nos guérisseurs, menacés, bafoués, ridiculisés, mais pourvus d'une fidèle clientèle, ne comblaient-ils pas un « blanc » laissé vacant par une médecine triomphante et inconsciente ?

Bref, le système religieux et universitaire qui m'avait construite m'emprisonnait dans une toile mal tissée.

C'est l'enseignement reçu chez Tony Agpaoa qui a rétabli ma cohérence interne. Non pas un enseignement passif, mais une

succession d'épreuves et de remises en question souvent douloureuses. Le doute chaque jour m'a habitée, chaque lendemain
j'étais une autre. Et je n'en pouvais plus !... Mais il était là, me
donnant *in extremis* la réponse, l'appui. Alors qu'il a quitté ce
monde en janvier 1982 et que fut fêtée sa sortie du « Bardo »
le 10 mars, jour de l'alignement des planètes, au terme de
mon septième voyage, voici, en guise de conclusion, la vérité
qui me convient aujourd'hui.

I. — J'ai résolu, en adoptant sa conception, ma probléma-
tique religieuse. Il existe un Dieu absolu, Dieu unique, partout
présent. Une parcelle divine nous habite tous et habite chaque
chose. L'homme est un Bébé-Dieu qui doit prendre conscience de
la parcelle divine qui est en lui, la reconnaître et la faire vivre.

II. — Qu'est-ce que la naissance ?

C'est le moment où nos corps subtils s'incarnent dans un
corps physique et dans une famille choisie : celle qui nous
permet de trouver ici-bas les conditions propres à notre évolution. C'est-à-dire à la fois les appuis et les épreuves. L'enfant
lui-même est un facteur d'évolution pour sa propre famille.
On sait quel chemin parcourent les parents pour venir en aide
à leur enfant anormal. (Par amour, toutes les voies qui leur
sont offertes, ils les suivront.) Seules nos actions des vies passées
déterminent le sens et l'importance de nos épreuves dans les
vies futures. C'est la loi d'Action et de Réaction. Acceptée,
comprise, utilisée, transcendée, l'épreuve nous offre l'occasion
de franchir une étape et de conquérir notre réalité intérieure.
Voilà ce qu'est la Vie.

III. — Qu'est-ce que la mort ?

C'est l'instant où nos corps subtils quittent notre corps
physique devenu inutilisable. C'est une mue. La pérennité de
l'existence est assurée par nos corps subtils. La résurrection
est en fait la succession des réincarnations terrestres. Et l'égalité existe, non pas à l'instant présent, mais tout au long de
nos réincarnations. La mort n'est pas une fin, elle est la naissance pour un Ailleurs. Cet Ailleurs est ineffable.

IV. — Quelle explication donner à la coexistence de la
médecine officielle, d'une médecine différente, de guérisseurs-
magnétiseurs et des guérisseurs de la Foi ? Chacun de ces thérapeutes ayant des adeptes.

1° C'est, en vécu, une preuve de la réalité du Principe de
Platon.

CONCLUSIONS GÉNÉRALES

2° La médecine officielle s'adresse au corps physique. Reconnaissons l'efficacité et la supériorité de la chirurgie classique dans ses bonnes indications. Admirons les thérapeutiques substitutives. L'introduction des thérapeutiques « lourdes » prolongeant la vie dans d'effroyables conditions n'est pas toujours justifiée, si l'on accepte la réincarnation. L'acharnement thérapeutique peut être remis en cause.

3° Les médecines différentes visent le corps énergétique. Acupuncture, homéopathie, auriculomédecine, ostéopathie bien comprise, corrigent les perturbations du corps énergétique, lui qui donne vie au corps physique.

4° Ce que Caycédo nomme la sophrologie, technique orientale vidée de son contenu spirituel, s'adresse au monde énergétique et au monde imaginal. Il introduit trois notions fondamentales :

— L'idée de la prise en charge de l'individu par lui-même.

— La pensée positive, seule façon de manipuler ce que le langage moderne nomme énergie-information en notre faveur.

— L'accès au monde imaginal, au monde de la symbolique dont il fait soupçonner la puissance.

5° Le guérisseur-magnétiseur bénéficie d'un potentiel électro-magnétique supérieur à la moyenne des individus. Lui, qui est en bonne relation avec l'énergie ambiante qu'il peut « capter », ouvre le corps énergétique du patient à cette possibilité. Il modifie en outre, par des « passes », la répartition de l'énergie. Il lève ce qu'on appelle en acupuncture les blocages énergétiques. Ceci à la mesure de ses capacités personnelles, naturellement.

Le guérisseur, qui traite, sans introduire l'intellect, demeure disponible à l'écoute, la compassion, la tolérance et l'amour des autres. Il introduit la dimension affective et humaine dans la thérapeutique. Le milieu hospitalier est tout différent. Le médecin dont l'attention est sollicitée par les examens complémentaires à prescrire ou à interpréter, qui porte attention à tout le matériel sophistiqué qu'il utilise, contraint d'établir un diagnostic, de corriger une observation, de négocier sa carrière, ne saura créer le même climat affectif.

6° Fort heureusement, et toujours en vertu du principe de Platon, le patient matérialiste se laisse conditionner par la médecine matérialiste. Ensemble, malade et médecin confondent examens de laboratoire et thérapeutique, diagnostic et approche thérapeutique. Quelque chose en eux sait bien qu'ils se contentent d'un pis-aller, mais ils évitent de se l'exprimer et jouent à partager la même illusion, la même Foi.

Qu'un mot savant caractérise les maux du patient, le voici auréolé d'une puissance nouvelle, il est un « cas » intéressant ; cela satisfait son orgueil et vaut bien quelques inconvénients. Il peut en « vivre » en bon état de cohérence avec sa maladie qu'il nomme.

Un diagnostic bien fait rend au médecin sa foi en ce qu'il croit être la médecine, et fait passer au second plan l'incompétence thérapeutique. Tout cela est... scientifique.

Ensemble, et plongés à leur insu dans un monde imaginal dont ils ignorent même l'existence, ils en utilisent l'arme c'est-à-dire le symbole ; dans cette ambiance pseudo-scientifique, l'examen de laboratoire en est un et rassure le médecin qui prescrit l'acte : il rassure aussi le malade. Et l'on continuera le jeu par des radios, du scanner, des examens endoscopiques, etc. Dans 70 % des cas, les résultats de tous ces examens n'apporteront aucun éclaircissement. Mais coûteront une fortune à la société.

Avec une foi déconcertante et combien touchante, médecin et malade s'appliquent à conserver une cohérence dans leurs relations mutuelles. Touchante encore plus, l'attitude du malade qui utilise tous les avantages des « autres » médecines pour se traiter. Contraint, pour être en accord avec la Loi, de consulter un médecin officiel, il lui laisse croire qu'il a consommé les prescriptions (alors que les médicaments furent jetés). D'instinct, le patient connaît le niveau de compétence et d'incompétence du médecin qui est en face de lui, il l'épargne, le respecte et lui accorde de conserver sa foi en ce qu'il fait, très paternellement.

Malheur au patient puéril qui dit la vérité. Il a cru que l'on ne voulait que son bien.

On observe ainsi un monde médical matérialiste se forgeant sa propre symbolique, largement suggestionné par le monde des affaires (ce dont il est plus ou moins conscient et bénéficiaire). Par un acte de foi, il tente de se justifier, de rationaliser (dans un illogisme effarant) ce qu'il appelle sa recherche scientifique.

Elle est cohérente dans 30 % des cas. Mais intolérante à toute autre forme de démarche dans 100 % des cas.

7° C'est encore Tony Agpaoa, guérisseur de la foi, psychic-healer, qui par sa réalisation de deux centres thérapeutiques :

le Diplomat Hotel et l'Ashram de Lucnab, m'a permis de comprendre que l'homme était un être multiple, pour le moins tripartite, ainsi que le décrivaient les Anciens. Le mystère de la Sainte Trinité n'évoque pas autre chose. Il a su dans un même lieu, réunir les divers représentants de chaque forme de thérapeutique. C'est une leçon magistrale. Je demeure confondue devant l'indifférence et les violentes critiques que son œuvre a pu susciter. Je connais les dessous du fonctionnement d'un hôpital, et ceux des carrières hospitalières. Je ne connais personne qui en 42 ans de vie, de ses propres mains, en solitaire, a su, envers et contre tout, donner tant de lui-même aux autres.

Il a su découvrir la cohérence qui pouvait habiter l'homme et rendre cohérente la thérapeutique. La coexistence d'un enseignement spirituel, d'un traitement par le faith-healer (guérisseur de la foi) du médecin acupuncteur (de la phytothérapie chinoise d'accompagnement) et du chirurgien classique en sont la preuve. Masseur, ostéopathe-médium, kinésithérapeute classique sont présents au sein de l'équipe.

D'où venons-nous, où allons-nous, à quoi servent la maladie, la souffrance et la mort. Il a su me le dire, à sa façon.

Il a su me faire voir que les différentes thérapeutiques n'étaient pas contradictoires mais complémentaires.

En m'aidant à développer les sens du corps subtil, il m'a libérée des contraintes du système classique de la recherche médicale. J'en exposerai les résultats dans un prochain volume.

Ce monde oriental, ce monde de médiums, ce monde de guérisseurs en possession d'une force électro-magnétique exceptionnelle, connaissant les lois du monde symbolique et la manipulation de ses symboles, ce monde averti, capable de vivre notre vie moderne, mais teinté de chamanisme par ses origines, nous échappe totalement. Par un processus de défense compréhensif, nous avons, dans notre monde occidental qui se croyait tout-puissant, opéré un rejet de ces guérisseurs. Plutôt que d'en faire une approche, notre monde a fait sur eux une projection négative de toute la laideur de notre société. Ils furent le bouc émissaire de notre peine à vivre, le bouc émissaire de tous ceux qui ne savent recevoir le monde avec leur âme. (Quand on sait qu'en France, le monde scientifique rationaliste en est encore à nier l'existence de la transmission de pensée, on demeure atterré, mais... compréhensif : J'en étais là moi-même il y a quelques années.)

En assistant, le dimanche, au service célébré dans la grande chapelle de Joséphine Sisson, on peut faire une approche de leur Réalité. Il s'agit d'un culte teinté de chrétienté, mais impliquant une vision orientale de la destinée de l'homme, et se terminant par un acte thérapeutique qui prend la place de la communion. Le médium, le guérisseur font office de prêtres.

De la religion catholique n'est conservée que la lecture d'un évangile et son commentaire (souvenir de l'invasion espagnole). Puis, les personnes de l'assistance viennent à tour de rôle, si elles en éprouvent le désir, expliquer les raisons de leur foi et dévoiler leurs expériences spirituelles. Ce n'est pas de la théorie froide ni de la compilation théologique spéculative, c'est du vécu ! Cela dure des heures, entrecoupé de chants locaux, religieux et de mantras.

La forme de la chapelle est sensiblement la même que celle d'une église catholique. Le chœur est occupé par les médiums, les guérisseurs, et celui qui évangélise.

Il n'existe pas d'élévation, pas de communion. C'est le traitement qui tient lieu de moment sacré. Le traitement représente le temps de l'offertoire et celui de la communion. Le patient s'ouvre à la possibilité d'entrer en communication avec les forces divines. La chair et le sang que présente Joséphine sont l'équivalent du pain et du vin transformés en corps et en sang de Jésus-Christ, celui qui fut « le plus grand des guérisseurs ». Jésus-Christ est incarné dans le malade qui souffre et qui porte sa croix. Il est aussi le guérisseur qui transmet ses pouvoirs à Joséphine, laquelle n'est que l'intermédiaire. Agpaoa ne craignait pas de dire qu'à cet instant, Dieu se manifestait, que c'était là une façon d'amener les assistants à croire en Lui. Tous ceux qui, par nature ou par le yoga, ont appris à percevoir la circulation de l'énergie, peuvent reconnaître et sentir l'action énergétique d'un grand guérisseur. Cette action est au moins aussi convaincante pour le fidèle que l'agenouillement et la clochette qui commande de baisser la tête et de fermer les yeux alors que le pain et le vin deviennent le corps et le sang de Jésus-Christ. Quant à la matérialisation, elle offre un aspect thérapeutique à plusieurs titres :

— Admise comme réalité, elle lève les blocages psychiques : tout devient possible, y compris le miracle de la guérison.

— Admise comme symbole, elle s'adresse à l'inconscient, lequel s'en servira comme il se doit.

— Manipulée par le médium qui connaît la symbolique agissante, elle joue le rôle d'exorcisme. C'est de la chirurgie psychique, qui extrait efficacement et rapidement la racine du mal ; ce mal prend l'allure de matière et de sang chez l'Occidental pour lequel la chirurgie classique est le symbole de l'extraction radicale de la maladie ; chez le paysan philippin, le symbolisme s'exprime par l'extirpation d'une racine, d'une feuille de tabac, d'un morceau de chanvre. Il est délivré du « wildscratch », du mauvais sort.

— Vue par le touriste goguenard et matérialiste, non motivé par la foi ou l'approche de la mort, non tenaillé par la souffrance, de lui-même ou des siens, vue par celui qui n'a pas les yeux de l'âme, cette matérialisation demeure sans objet et devient un abus de confiance. Tout est bien, puisque ainsi il conserve sa cohérence intérieure.

— Enfin pour d'autres, elle marque le début d'une interrogation, elle est l'étape initiale d'une recherche intérieure. Voulant découvrir les raisons cachées de l'efficacité thérapeutique exercée par le biais de procédés apparemment simples en regard des nôtres, ils sont confrontés à un autre monde. Ou bien ils « entrent » dans ce monde et en font une expérience initiatique, ou bien ils ne peuvent s'y couler et en sortent aigris, déçus et « défaits ». Le temps n'était pas venu pour eux d'accéder à cette cohérence-là.

Pourtant il s'agit bien d'un retour aux sources. Le thérapeute a-t-il oublié, avec le temps, la valeur symbolique du caducée : le bâton, symbole du pouvoir et le serpent, symbole du fluide vital ? En s'enroulant autour du bâton, celui-ci représente la maîtrise du plan horizontal et l'accès au plan vertical, monde subtil de l'énergie, monde invisible mais opérationnel. Ce monde, les guérisseurs le connaissent et l'utilisent d'instinct. Mais il s'agit d'une incursion dans un monde sacré et peut-être secret. « Il est compréhensible, écrivait Agpaoa dans une lettre de bienvenue qu'il adressait à ses patients, que vous éprouviez le besoin de raconter ce que vous avez vécu ici. Je ne voudrais que vous rendre attentif aux paroles du plus grand guérisseur de tous les temps, Jésus-Christ lui-même : " Pars et ne dis rien à personne. " »

TABLE DES MATIÈRES

ACHEVÉ D'IMPRIMER
SUR LES PRESSES DE
L'IMPRIMERIE HÉRISSEY
À ÉVREUX (EURE)
POUR LES ÉDITIONS
ROBERT LAFFONT

Imprimé en France
N° d'édition : L 132
N° d'impression : 35809
Dépôt légal : 1er trimestre 1980